# 台湾出撃沖縄特攻

## 陸軍八塊飛行場をめぐる物語

きむら　けん



えにし書房

# 台湾出撃沖縄特攻◉目次◉

# プロローグ　特攻時間ということ

時間というものは目に見えない、この過ぎゆく時を言葉で写し取った詩人がいる、北原白秋だ。「時は逝く、赤い蒸気の船腹の過ぎゆくごとく」（詩集『思ひ出』冒頭）と綴っている。これからイメージされたのは、沖縄に向かう途中の特攻機から眼下の海を眺めた兵の姿だ。「時は逝く、青い島々の翼に切られゆくごとく」瀬戸内海を西下する機から眺め見た点在する島々はだれの目にも眩しかった。

特攻隊員にとっては、時間は命のきらめきだった。特攻下命を受けたとたん自身の生の時間が縮まってゆく。一瞬、一瞬の生が愛おしくなる。目にするもの、耳にするものすべてが清新だった。ある者は出撃する特攻機で春四月、西下途中、「崇高極まりなき富士の山を見、よくぞ日の本に生れけるの感涙にむせぶ」と書いた。二度と目にすることのない景色だからこそだ。

特攻と時間、このことで思い出すのは一人の元特攻兵だ。

だいぶ前に茨城県古河市に住む当人、扶揺隊久貫兼資元軍曹を訪ねる機会があった。その彼ももう亡くなってしまった。だが、その彼と出会ったひとときは貴重だった。今でも思い起こす。

「特攻とは何か？　あの戦争の中では大きな問題だな。この戦法が良いとか悪いとかを語るつもりはない。しかしな、俺自身体験したことで一つ言えることがある。特攻っていうもので大事なのは時間だ。特別な時間だったということだ……。が、これもな、生きて帰ったからこう言えるんだな。人間は死ねばおしまいだ。特攻で死んだ仲間は言いたいことはたくさんあったろうが、もう何も言えない。その仲間に代わって言うわけじゃないが一言いっておこう。だがな、仲間が無念に思って死んだとか、特攻を名誉に思って死んだとか、そんなことを言うつもりはさらさらない……。いいか、俺が言いたいのは時間なんだよ。特攻という時間の中身なんだよ……。まあ、こんなことを言えるのも生き永らえたからだ。俺も仲間と同じように出撃してまっとうに死ぬつもりだった。『咲いた花なら／散るのは覚悟／みごと散りましょ／国のため』、あの歌にうたわれる気概は強く持っていた。しかし、人生は思い通りにはならない……」

「あれはな、昭和二十年三月二十八日のことだ。あの知覧をだ。心ちぎれる思いで飛び発った。すぐに操縦席からは薩摩富士、雲に浮かぶ開聞岳が見えてきた。青い山がこちらを見つめている。この山を過ぎたら洋上、本土ともお別れだ。俺は機体を左右に振って合図をした。が、山は何も応えない。黙って突っ立っている。その山に今度は『さよなら』と言ったよ。風防がブルルと鳴った。俺には『行ってこいよ』と聞こえた。空耳だな。しかしな、人間、自分で思うことは大事だ。『さようなら』と言ったら、『行ってこいよ』と山は言ったんだよ、これで覚悟ができたんだよ。『よしやってやろう、でかいのにぶち当たって砕け散ってやろう』と思った。見ると遙か南はあかね色に暮れかかっていた。『あれが天国か』と俺は思ったけどな……」

彼は笑みを浮かべて顔のやけどの跡に手をやった。

「知覧を飛び発って開聞岳と別れた。思いの外ポンコツ機の九七戦のエンジンはブンブン回って快調だった。と、右眼下に島が見えてきた。沖永良部島《おきのえらぶじま》だ。もう沖縄は近い。敵さんも網を張っているかもしれん。敵機遭遇に備えて試射しようと思ったんだ。それで機銃の大槓桿《だいこうかん》を引いた。バリバリという音がした。が、とたんにガツンガツンと嫌な音が聞こえてきた。機銃がプロペラの羽に当たった音だ。『畜生！』と叫んだ。プロペラ同調装置の点検を整備員が怠たっていたんだ。『まずい！』と思ったとたんに前面風防ガラスが真っ黒になった。プロペラに当たった弾がエンジン前部の潤滑冷却器を貫通した。穴から油が漏れて噴き出したんだ。たちまちに滑油計の目盛りは零を指す。『九七戦の命もこれまでか』噴き出す滑油は白煙となって尾を引いていく。『万事休す』だ。ぐんぐん高度が下がる、もう助からんと思った。すると口之島《くちのしま》の白い浜辺が見えた。えいままよと機首を下げた。やがて車輪に波がかかって跳ねた。頭から火が飛んだ。気づいてみると不時着だ。燃え上がる機から転げ落ちるように脱出した。浜辺にへたり込んでいると、寄せては返す波の音が聞こえる。俺はそのとき悠久を思って怖くなった。俺が死んでも死ななくてもこの音は続くんだとな……。今までとは時が違うと思った。特攻出撃を迎えた朝、メシを食ったときにお香々《こうこ》を食べた。歯が『カリッ』と鳴った。恐ろしいほどに新鮮だった。あれは生きる命の味だった。刹那の音だったんだ。が、時間にもはっきりと違いがある。波音を聞いて、『ああ、俺は特攻という時間の輝きを生きていた』と思ったね……。大やけどを負って命は助かった。そこで気づいたのは時間が萎ん

でいたことだよ。波音がやけに静かに聞こえた。俺は時間から取り残されたことを思った……。しかしな、生き残ったことで多くのことを知ったよ。知覧を出撃するときみんなが大勢で手を振って見送ってくれた。ところが離陸するとみんな蜘蛛の子を散らすように走って行ってしまったんだ。冷たい奴らだと思っていたんだけど。生きながらえてわかったのは、空襲警報が出て急いで逃げたというんだ。それがわかってどうなるか？　どうともならないが、仲間のやつが『所詮人間は冷たいものだ』と思って死んだとすれば残念だ……」

彼は話をやめてまた宙を見つめる。

「今にして思えばだよ。特攻に生きていたときは何もかにも時間が惜しかったんだと思うな。特攻前の一秒一秒は、値千金だった……」

彼は口をつぐんだ。一拍置いてまた語り始める。

「あれは大刀洗にいるときだったな。あそこで前進命令が出て新田原に飛んだ。確か三月二十六日だった。野山には桜の花がこれでもかと思うほどに咲いていた。花は真っ盛り、もう本土の桜も見納めだと。飛んでいくうちに眼下にもっこりした桜山が目に入った。無性に愛おしくなった。俺はな、ふと桜母艦を思った。翼を左右に振って仲間に編隊離脱を合図した。もうこの頃というか、終わり時分になると隊員の気ま

ぐれに隊長はいちゃもんをつけなくなっていたな。まさにあれは気まぐれだった……」

彼はそのときを思い返し記憶の底に沈んでいた情景を引っ張り出してきた。

「俺は、桜母艦への体当たりを敢行した。一番大きな樹を戦艦に見立てて一気に急降下して山を襲った。機の風圧で全山の花びらが吹雪となって舞った。『引きあげ！』、俺は桿を引いて急上昇した。さらに宙返りしてもう一度攻撃を敢行する。桜母艦のまわりは花吹雪のカーテンに包まれている。中を突っ切るときは窓が紅色に染まった。そのとき、俺は生きていると思った。時間が紅く染まっているように思った。しかしだ、それも一瞬のことだった。時は瞬く間に過ぎていく」

彼は思いのうちで操縦桿を握っているのかこぶしを固めていた。

「それとな、俺はな、もう一ついたずらをしでかした。九州山中は新緑に染まっていた。何しろ俺達がいた満州平安鎮《へいあんちん》はどこまで行っても雪ばかりだ。九州へ飛んできて緑を見たときは目が洗われる思いがしたもんだ。新緑は目に突き刺さってくるように眩しい。嫉妬するほどだった。飛んでいるとその緑の真っ只中に山の分校が見えた。校庭にはごまつぶ、子どもたちだった。『よし、ご挨拶だ』。おれはまた急降下した。そして、学校の屋根すれすれに飛んでやったんだ。子どもがびっくりして皆空を見ていた。そして手を振る。おれはたまんなかったね。もう一回サービスと思って宙返りをしたんだよ。そして終わって翼を

振ってお別れさ……。一度でいいから飛行機で子どもを構ってみたかったんだ……。はっはっは」

彼は明るく笑った。

「三月二十七日は、新田原にいたときだ。空襲警報がかかった。虎の子をやられてはもともこもない。直ちに空中回避して菊池飛行場へ飛んだ。それから知覧へは分散飛行した。山を越えると錦江湾だ。錦のように海は輝いておった。そして左手には桜島、あれもまた好奇心を誘った。山頂はどうなっているのか、火口の穴蔵を覗いてみたくなったんだ。どうせ本土のお山もこれかぎり、俺は操縦席で歌ったよ。『花は霧島 煙草は国分（ハ ヨイヨイ ヨイヤサ）燃えて上がるは オハラハー 桜島』とね。そして今度の標的は桜島だ。山では気流にあおられたが、空から火口を俺は覗いたね。『ぽっかりと火口が開いておったよ』。何かね、それで見終わって思ったよ。誰か戦国の武将が言っておったな。『見るべきほどのことは見つ』と。今から思えばあの火口を見ておきたいという好奇心というのも時間だ。生きているうちに見たいものは見ておきたい。そんな思いがあったよ……。が、な、たちまちに時間は過ぎ去る。指の間から砂がこぼれるように消えていくんだからな」

「三月二十八日は、いよいよ知覧を出発だ。全員が舎前に集合した。寺山欽造大尉が前に立った。

只今より命令を伝達する。第八飛行師団命令、誠第四十一飛行隊は昭和二十年三月二十八日十六時知覧

基地を発進、沖縄中飛行場に展開し、沖縄周辺の敵艦船を攻撃すべし。以上休め。

命令の下達を聞くと隊員から声にならない声が聞こえた。滑走路では飛行機の全機が武者震いするようにエンジン音を立てて吠えていた。その後は手順通りに進んだ。今度はピスト前に集合だ。まず基地司令官に出発申告する。次に隊長に搭乗申告をする。それが終わって『よし』となって一斉に機へと走った。もう時間がこぼれるどころじゃない。風のように過ぎていくんだ……俺は慌てたね、お別れだよ、故郷の大地とのお別れだよ。せつないものがこみ上げてきた。死ぬときに走馬灯がめくれていくというだろう。故郷の山河がチラチラと頭を掠めていく。とたんに俺は滑走路脇の草とか土に無性に触りたいと思ったよ。だがな、しゃがみ込んでそんなことをしたら仲間から未練がましいと思われる。それでな、俺は靴紐がほどけた振りをした。屈んで靴紐に手を当てるそのときに土に触り、草に手をかけた。涙がこぼれてきたよ。滑走路の脇では知覧高女生が日の丸の旗を振っている。日本の土ともおなごともこれでお別れだと思った。過ぎて行く時がもったいない。が、土は俺の手からするりと落ちた。それを拾うのもめめしい。それで『よし』と自分に声をかけて自機へと走った。足が故国の土を蹴っていると思った。たまらなかったよ……。特攻とは何か？　時間だと言った。あのな、一瞬一瞬の時が指の間からすり抜け、風のように飛んでいくんだよ。もう間もなく自分が死んでしまうだろうという思いがあったからだ。多かれ少なかれ死んだ仲間もそんな思いをしていたろうと思うのだ……。ときめくって言葉があるだろう。過ぎていく時間に心が躍ることだ。俺達はときめいていたんだ」

言葉巧みな人だった。一つ一つの場面を彼は情景として語った。

「帰ってきてから人はいろいろと難癖をつけてきた。『お前らが特攻に行かなかったから日本は戦争に負けたんだ』とか『おんぼろ飛行機で行って敵を倒せるわけはないよ。特攻は無駄だった』とか。しかしな、俺は今でも思っている。たとえ、特攻が『蟷螂の斧』だったとしてもやるべきだったと。やったことで仲間は死んだ。戦争は負けた。が、特攻に行ったやつは勝ったと思っているんだよ。そう思って南海の海に沈んでいるんだよ。今でも魂は時を生きているんだよ」

彼との話で印象深く覚えている場面がある。久貫さんは身体が自由に動かなかった。

「あの手帳を持って来てくれないか?」

久貫兼資さんは奥さんに頼んだ。見つけるまで時間がかかったが、しばらくするとそれを探し出してきてくれた。

「それはな、不時着して以来開けていない手帳だ」

奥さんは主人に渡さずに私に差し出した。それをめくっていく。

「辞世の句も書いた覚えがあるんだがな」

「あった、ありました！」

古びた手帳の間に桜の花びらが二枚挟んであった。黄ばんだ手帳の紙とほとんど同じ色だった。

「あれはどこだったか滑走路脇の花を愛おしく思ってな、挟んだんだよ」

久貫兼資さんは時を愛しんだのだろう。花弁二枚をそっと手帳に忍ばせた。

特攻時論、時々夢に彼が出て来て語ってくれる。それも加えて書いてみた。ここに自分の思いも混じっていることを正直に告白しておこう。その彼も二〇一五年二月に八十九歳で亡くなった。

「しかしなあ。特攻は安上がりな戦法だった。おんぼろ戦闘機を人に与えて、敵に突っ込ませる。死ねば神になると言われたけれど……」

久貫兼資さんは「扶揺隊」の隊員であった。この隊は昭和二十年（一九四五）二月十日、満州新京で発足した大本営直轄四隊（扶揺、蒼龍、武揚、武剋）の一隊である。満州の第二航空軍で編成された。四隊は大本営の命令によって第八飛行師団に差し向けられた。だからこの四隊には呼称に「誠」がつく。台湾に本拠地を持つ第八飛行師団の隷下に所属する隊の証だ。

発足以降各隊は苦難の道を辿った。三月二十九日扶揺隊は沖縄「中飛行場離陸に際して、敵の攻撃を受け寺山大尉機以下四機は離陸不能となり、高祖一少尉機以下五機が離陸、突入したのである」（『戦史叢書第三十六巻 沖縄・臺灣・硫黄島方面 陸軍航空作戦』四一一頁、防衛庁防衛研修所戦史室編、朝雲新聞社、一九七〇年。以後『戦史叢書』と記す）と。

# 第1章　邱《きゅう》 垂宇《ちゅうう》さんとの出会い

## （1） 台湾からの国際電話

人生、長いようで短い。ふと気づくと特攻を調べ始めてもう十四年も経っていた。自身の興味は汽車にあった。鉄道と文学である。ところがどうしたことか、陸の鉄道から離れて空の飛行機・特攻機を追いかけている。今度は五冊目の長編である。

現世には目に見えぬ車がある。「因果は巡る糸車」だ。次々起こる不思議は原因があっての結果だ。が、そのプロセスはわからない。ただ言えることはこの糸車を操っているのは自分ではない。他の誰かである。それは誰か？　それは死んでいった特攻隊員たちの霊魂なのかもしれないと思いもする。

二〇一九年十一月にこれまでのまとめとして『鉛筆部隊と特攻隊――近代戦争史哀話』を上梓した。これによって松本発の特別攻撃隊逸話にけじめをつけた。翌二〇二〇年は戦後七十五年となったが、この年、誰もが想像もしていなかったパニックが起こった。

「戦争というものは、初めはよくわからないのですよ。最初はトタン屋根にパラパラッと小石が降ってき

たようなものです。『おや』と思っていると、いつの間にドンパチ、戦争が始まっていました」

シンポジウムで妹尾河童さんが語った言葉を印象深く覚えている。コロナ感染症の始まりもそんな印象だった。パラパラッと断片的なニュースが入ってきて、「おや」って思っているとその間に感染が急速に広がり、ついには世界を揺るがすパンデミックとなり、人々は恐怖に陥った。

この感染症がやや収まりかけた戦後七十五年の八月末になって電話があった。

「圏外からです……」

今は電話機が自動的に通話先を告げる。「圏外」というのは初めてだ。受話器を取る。台湾からの国際電話だった。これは予想していたことではある。

私はネットの海に多くの言葉を放っている。これを検索で拾い上げ、そしてこちらにコンタクトを取ってくる場合がよくある。国際電話がある前に先触れの電話があった。

「私には台湾人の友人がいます。その人の知り合いから頼まれたのですね。あなたを探してほしいと……」

京都大学の鈴木雄太先生は、やはりネット検索で私の連絡先を見つけられたようだ。

「ご当人は小さい頃山本隊長に会ったらしいのです。それがきっかけで大きく人生が変わったというのですね」

これを聞いて胸を衝かれた。台湾の山本隊長と言われればすべてわかる。誠第三十一飛行隊を率いた山本薫中尉である。隊の名前は武揚隊だ。もう何年も前からこの隊のことは調べてきた。この隊を追ったルポルタージュも二冊書いてきた。それゆえに飛び込んできた情報に衝撃を受けた。武揚隊の物語はけじめ

をつけたと思っていた。ところが終わってはいなかった。ここに登場してくるのは生身の人間である。特攻隊隊長山本薫中尉と出会ったことで彼の人生は決まった。彼のりりしい姿に魅せられて飛行機乗りになったという。

そのご当人のお名前は邱《きゅう》　垂宇《ちゅう》さんと言った。「日本語が堪能で、台湾から直接電話をかけるがいいか」ということだった。いいも悪いもない。ぜひともこちらが聞きたい。そしてその電話がかかってきた。本当に流暢な日本語だ。

「山本隊長のことはよく覚えています……私には憧れの人でした」

国際電話の向こうからその人が肉声でそう語る。

武揚隊隊長山本薫中尉は、昭和二十年（一九四五）五月十三日、台湾の八塊陸軍飛行場から出撃した。そして沖縄中城湾の米軍艦船に突っ込んで特攻戦死を遂げた。出撃前には八塊国民学校の宿直室に寝泊まりしていた。そのときに邱垂宇さんは山本隊長に出会っていた。

「顔に傷があったのを覚えています」

四月十二日、武揚隊は台湾に渡るために上海近くの杭州飛行場から飛び発った。だが与那国島近辺で敵機に遭遇し、銃撃を受け不時着をした。そのときに負った傷だろうか。

「少年時代の私にはとても眩しく見えました。怖い人でしたけど気品がありましたね。私が飛行機乗りに憧れたのは隊長と出会ったからです……」

驚きだ。邱 垂宇さんはそれで中華民国国軍のパイロットになったと言われる。全く予想もしなかったことである。

武揚隊因縁は恐ろしい。

まずとっかかりである。この隊のことはなかなかわからなかった。それでもようやく手がかりとなる証言者が見つかった。その人はかつての疎開学童の大田幸子さんだ。彼女は日記を残していた。浅間温泉富貴之湯に疎開していたときのことだ。昭和二十年三月二十八日にこういう記述があった。「午後吉原さんが富貴之湯の上を飛んだ。宙返りをした」吉原さんは武揚隊山本薫隊長の部下だ。この日、軍曹は腕前を学童らに見せてやろうと陸軍松本飛行場から飛んできた。隊の使用機種は九九式襲撃機である。

この浅間温泉には第一師範附属国民学校の大槻統さんも疎開していた。この同じ日に近くの女鳥羽川に遊びに行った。そのことを絵日記に残している。

飛行機がすごく低くぅでとんできては急こうかをします。ぼくたちはむ中で洋服をふりました。

彼は飛行機が大好きな少年だった。急降下してきた一機の飛行機が強く印象に残った。復座で固定脚の戦闘機だ。九九式襲撃機の特徴が日記に見事に描かれている。

当日の経験を太田幸子さんは日記に、大槻統さんは絵日記に残した。同じ日のできごとがそれぞれに記録されていた。

吉原香軍曹が愛機を駆って旅館上空までやって来て宙返り飛行をみせた。世田谷からやってきた二人の学童がこれを記録に残した。後になってこの宙返りに意味があったことがわかってくる。

吉原軍曹が毎日宙返り飛行をやっていれば学童は日記には書かない。この日は特別であった。「吉原さん、腕前を見せて」と学童に乞われたのだろう。同じ隊員だった長谷川信少尉も「飛んでみせて」と女児にせがまれている。それで旅館の屋根すれすれに飛んで、彼女らを大喜びさせたこともあった。

彼らの正式名称は誠第三十一飛行隊である。十五名を率いたのは山本薫中尉、二十三歳だ。隊名につく「誠」には意味がある。

「行き先を教えてはいけないのだけどな。君らにこっそりと教えよう。俺達はこれから台湾に行くんだ」

疎開学童に漏らした者もいた。誠は第八飛行師団の通称号だ。本部は台湾にあった。それで彼らは最終目的地の台湾に飛び、そこから特攻出撃をすることになっていた。

武揚隊は昭和二十年二月二十日に陸軍松本飛行場へ降り立った。そして宿泊場所に選んだのが浅間温泉の富貴之湯旅館である。ここには東京世田谷の東大原国民学校の学童が疎開していた。吉原軍曹の曲芸飛行は三月末、もうその滞在は四十日あまりとなっていた。情が湧いてくるほどの長すぎる滞在だった。

温泉は居心地がよい。心身を温める温泉があって、しかもここには可愛い女の子が大勢いた。

特攻隊員たちは若い。多くは航空養成所を、少年飛行学校を出たばかりだ。いわば田舎のあんちゃんたちだ。宿泊した旅館は女子児童に割り当てられていた。その数は百八十七名だ。どこへ行っても女の子ばかり。都会からきた彼女たちは垢抜けていた。おしゃまで可愛い。

降旗康男映画監督はこの浅間温泉で育った。東京からやってきた女子学童を見てカルチャーショックを受けた。色が白くて可愛らしい、まるでお人形のようだったと述べている。

武揚隊隊員も憧れないわけはない。彼らは四十日あまり彼女らと同じ屋根の下で暮らした。朝会えば、「おはよう」と言い、夜には「お休み」と言った。挨拶を交わすだけではなく時には遊んだり、じゃれあったりもした。若者たちはそのふれあいの過程で、少女たちに自分の思い人を重ねもしただろう。後で紹介するが彼らが別れのときに歌った歌の中に「かわいいみなさんのお人形乗せて」とあった。みなさんとは彼女らのことである。

昭和二十年三月末武揚隊は陸軍松本飛行場を後にした。各機の操縦席には女子学童が作ったお人形が実際に吊り下げられていた。

この機数である。到着時は十五機だった。ところが出発時は一機減って十四機だった。隊員の一人春田正昭伍長が陸軍松本飛行場で訓練中、三月九日に亡くなったからだ。その具体的な記録はない。

仲間が一人欠けての出撃だ。このことが大きな意味を持っていた。これは後になってわかってくる。いずれにしても隊員にとっては待ちに待った出撃だ。待たされた分はやる気持ちがあった。兄弟隊の武剋隊が挙げた大きな戦果は皆耳にしていた。

松本を出発した彼らは各務原に着いた。ここでも一機が故障を起こした。長谷部良平伍長機である。それで十三機となって四国松山を経由して新田原飛行場に向かった。ここに着陸して兵站宿舎「八紘荘」に泊まった。

私は二〇一四年、武揚隊の足跡を追って旧陸軍新田原飛行場、現自衛隊新田原基地を訪れた。このときに「八紘荘」跡地を訪ねた。そこにはどこまでも続く茶畑が広がっているばかりだった。彼らが本土最後

の夜を過ごした建物は緑に埋もれていた。

昭和二十年三月末に陸軍松本飛行場を発った武揚隊は、四月三日には新田原に着いていた。この日兄弟隊の武剋隊の後半六機が夕刻に特攻出撃をした。彼らはこれを見送っていた。

このとき、既に武揚隊は、第八飛行師団命令を受けていた。


誠第三十一、第三十三乃至第三十五、第三十九飛行隊ハ適当ナル誘導機ヲ附シテ上海経由臺北ニ前進セシム（『戦史叢書』四〇七頁）

台湾への前進命令だ。戦闘機のみでの飛行は危険を伴う。誘導機を案内役に付けて行けとの命令だ。これに基づき、四月五日、十三機は飛び発った。

私は、自衛隊の新田原基地の展望台から青空を望み、彼らが飛び発った方向を見遣った。国内での武揚隊の航跡を追っていた私は、ここでけじめをつけ『忘れられた特攻隊』（彩流社、二〇一四年）を書き上げた。武揚隊との別れでもあった。

ところが「因果は巡る糸車」、因縁因果がどこまでもついてくる。武揚隊は師団命令を受けて「適当ナル誘導機ヲ附シテ」台湾に向かった。誘導機は「一式双発練習機」であった。この機長を務めていたのは飛行第一〇八戦隊中隊長菱沼俊雄中尉だ。彼は陸士五十六期で武揚隊山本薫中尉と同期であった。

驚きは新たなる知らせだ。山本隊長のご遺族である四国小松島の山本富繁さんから、突然ＳＮＳで情報が入ってきた。誘導機で台湾へ武揚隊を案内した菱沼俊雄中尉の手記があると。それは「山本君の霊前に

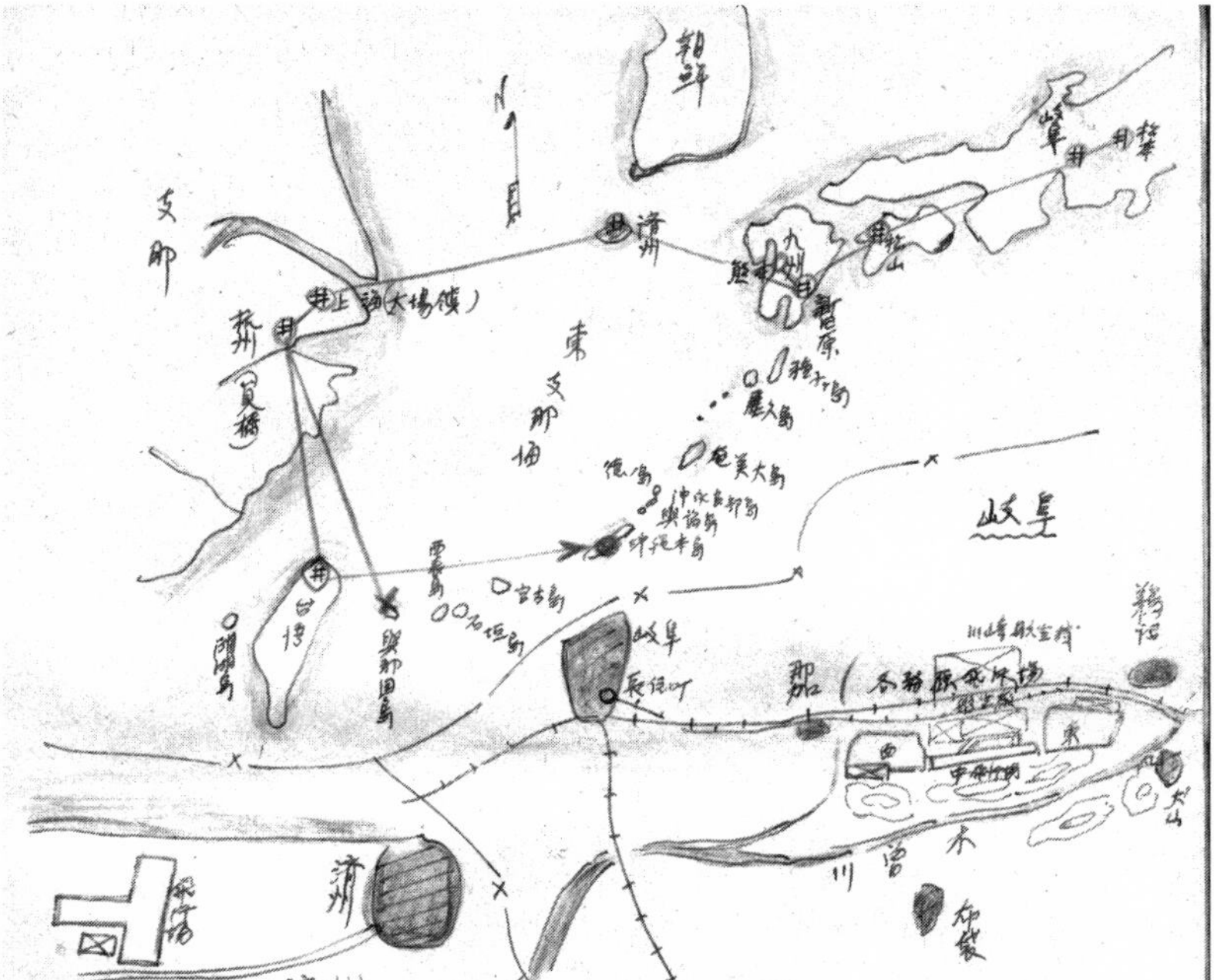

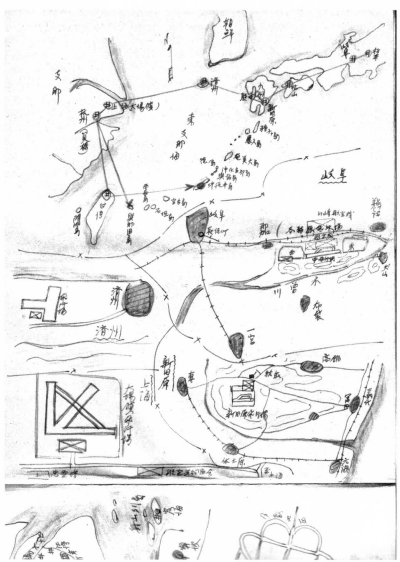


武揚隊飛行経路図（菱沼俊雄手記より）

捧ぐ」というタイトルだという。台湾まで山本隊長を案内し、そして最後、特攻出撃するさまを見送った。その子細を書いた手記の存在を知らせてこられたのだ。ここには武揚隊が辿った経路が図で描かれていた。武揚隊についてはけじめをつけていたと思っていたが、その先があった。その子細は省く。結局はもう一冊『と号第三十一飛行隊（武揚隊）の軌跡』（えにし書房、二〇一七年）をまた上梓したのである。これこそ本当の終わりであった。ところが台湾からの連絡はさらに私を驚かせた。

## （2）邱 垂宇さんという人

情報は、いつも忽然ともたらされる。もう何度、驚いたことだろう。驚きのエネルギーというのはあるのだろうか。何度もこれに遭遇しているうちに驚度はすり減ってしまうのかもしれない。

しかし、情報に初めて遭遇したときは頭が混乱してしまうことがよくあった。例えば、半年以上苦しんだのは「満州国皇帝からもらったという黄色い布」だ。今でこそいくらでも説明ができる。しかし、その正体がわかるまではともかくちんぷんかんぷんであった。

今度の場合は手順があった。まず京都大学の鈴木雄太先生による予告、そして本人の邱 垂宇さんからの電話、これによって事情がすべてわかってきた。邱 垂宇さんは話される。

「武揚隊の山本薫中尉に八塊国民学校にいたときに出会いました。それは小学校四年生のときでした……」

思いがけない話である。浅間温泉にいたとき、武揚隊の隊員は疎開学童と四十日あまり同じ旅館で生活をした。さらに台湾に来ても子どもたちとふれ合っていた。それは予想されてはいたことだ。なぜなら先に紹介した「菱沼手記」にこう書いてあったからだ。「隊員は整備の閑暇などには学校のオルガンを弾いたり、近所の子どもたちと遊んだり、トランプをしたりして楽しそうに過ごしておりました」と。記述にあるとおりだったのだと思った。

「思い出深い人で憧れでしたね……」

邱垂宇さんから後に戴いた手紙では次のように書いてあった。

今年の七月、桃園市長鄭文燦さんから八塊飛行場の出来事を頼まれ、八月初旬木村先生の著作『と号第三十一飛行隊の軌跡』を購入、懐かしい山本隊長の写真を見てビックリしました。七十五年前、見覚えの顔、……その厳しく、スマートな面影……この本の中から私が八塊国民学校四年生の時と、山本隊長の特攻隊が学校と飛行場の物事を呼び出しました。

邱垂宇さんは台湾桃園市の市長から頼まれたことがあったという。このことは台湾ではニュースになって報道されていた。記事はネットに掲載されていて日本でも読むことができた。二〇二〇年八月十六日の「中時新聞網」の記事である。タイトルは「空軍桃園基地展9旬飛行教官說活歷史」である。飛行教官というのは邱垂宇さんのことである。彼が「空軍桃園基地展」で解説を行うということだ

桃園基地というのは昔の日本陸軍の飛行場があったところだ。それは「八塊陸軍飛行場」である。ここ

から多くの特攻機が飛び発ち、沖縄の海に散った。記事は、こう続く。

《鐵翼榮光―前空軍桃園基地傳奇》14日起移師八德餘慶堂展出，桃園市長鄭文燦16日參訪，曾在餘慶堂住了55年的邱垂宇，已高齡87歲，導覽分享古厝曾於一九四五年時，讓日軍陸軍航空隊（誠特攻隊）當診療室，也曾和日軍同床共眠，啟發他投筆從戎，進入空軍官校，也曾是黑蝙蝠中隊一員，鄭文燦讚在八德餘慶堂展覽別具歷史意義，鼓勵市民參觀了解歷史意義。

桃園市では展覧会が行われた。《鐵翼榮光―前空軍桃園基地傳奇》と名づけられた。鉄の翼の栄光――前空軍桃園基地の歴史伝説とでもいうのだろうか。この展覧会が花園市の「八徳餘慶堂」で開催された。ここはなんと邱 垂宇さんが五十五年間暮らしていた家であった。それが記念館として残され、ここで「鉄翼栄光」が開かれていた。当館に市長の鄭 文燦氏が参観に訪れた。この展覧会を御年八十七歳の邱 垂宇さんが案内したという。記事はその彼についてこう紹介している。

在八德餘慶堂住了55年的邱垂宇分享，誠特攻隊到家裡住時，自己才4、5年級，看著隊上最年輕才17歲，隊長山本薰中尉也僅23歲，出任務時背著箭袋的英勇模樣，受到啟發，長大後進入空軍官校38期畢業，曾任34中隊（黑蝙蝠中隊）拍下自己的家鄉，他也分享父親告誡「只能用飛機救人、不能殺人」因此投身救護隊，退役後轉任華航總機師，因在黑蝙蝠時受過美軍打仗戰場處理的ＳＯＰ訓練，退休後擔任飛安委員會顧問，將之轉為空難處理，處理過澎湖空難、大園空難、名古屋空難。

おおよそはこういうことである。

誠特攻隊は、誠第三十一飛行隊、武揚隊のことだ。この隊が家にきたときは国民学校四年生か五年生のときだった。隊員の最年少は十七歳であった。隊長の山本薫中尉はまだ二十三歳だった。

邱少年には山本薫隊長は輝いて見えた。

特別な任務を持った隊長のその姿は震えを覚えるほどに英雄的に見えた。邱　垂宇さんはこの影響を受けて台湾の航空士官学校に入って台湾空軍のパイロットとなった。間もなくして偵察任務を行う黒蝙蝠中隊の隊員に抜擢された。その後「飛行機は人を救うためのものだ」という父の助言もあって空軍救護隊に入った。そして念願通り人命救助活動に就いた。退役後は民間航空チャイナエアラインズのチーフパイロットを務めた。引退後は飛行安全委員会に入り、数々の航空機事故を調べた。その一つが名古屋空難事故であった。

今は台湾航空界の重鎮となっていた。感銘深いのは邱　垂宇さんが航空界に入ったきっかけだ。特攻隊隊長山本薫中尉に出会ったことが発端である。

「私の担任だったのは葉　承薫先生でした。エリート学校の新竹中学出身でした。その薫先生と山本隊長は名前が偶然一緒でした。若い航空士官とプライドの高い若い教師ですからたちまちに気脈が通じたのでしょう。八塊滞在中はとても親しくつきあっておられました。その薫先生は私をとてもよく可愛がってくれました。それで宿直のときなんかに私を隊長のところに連れていってくれたのです。そのときに一緒に寝たのですね。二人が熱く語り合っていたことは強く印象に残っていますよ」

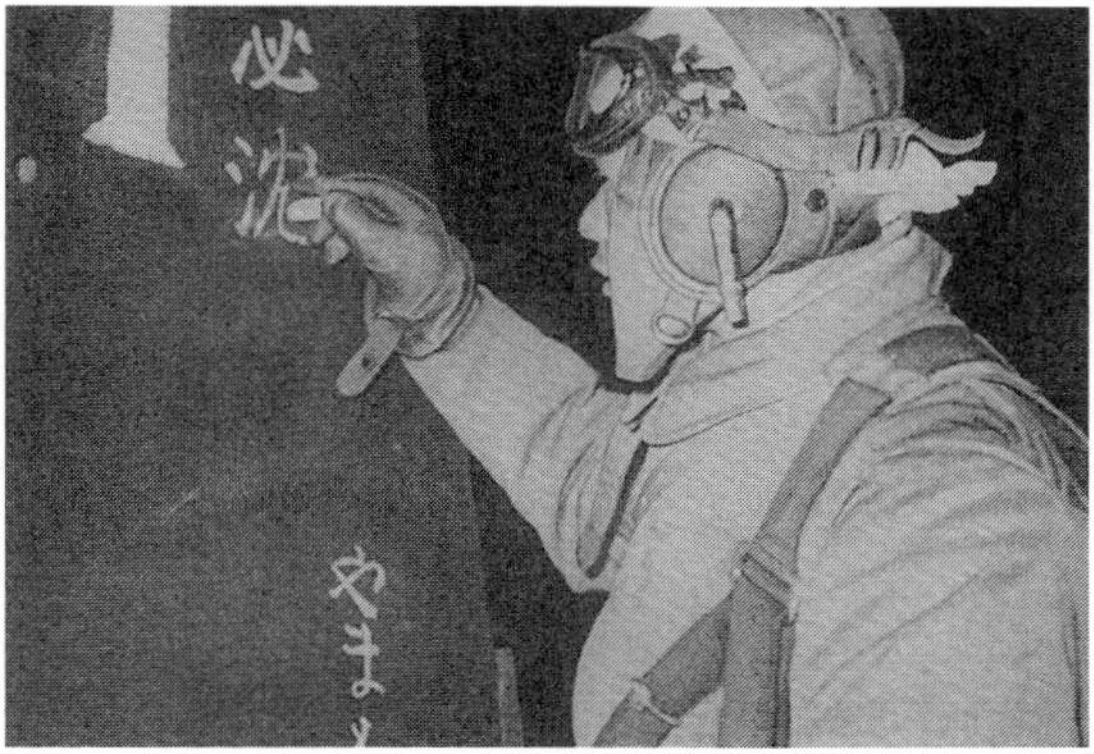

山本薫隊長：八塊で自機に書き入れをする（知覧特攻平和会館提供）

邱 垂宇さんは電話でそんなふうに話しておられた。

その邱 垂宇さんからはネットを通してYou Tube画像が送られてきた。そこには桃園市の市長を案内して展示を説明する姿が映っていた。展示された写真には山本薫隊長が自機の尾翼に「必沈」と記入する写真があった。驚いたのはそこに山本隊長の短歌が掲げられていたことだ。

邱 垂宇さんは写真や短歌について市長に説明していた。言わば、彼は特攻隊の語り部である。この展覧会に意図があった。新聞の記事はこう締め括っている。

> 前空軍桃園基地位於航空城計畫內，為國內除役後保存最完整的軍事基地之一，在文化部再造歴史計畫的支持下，由文化局進行調查研究、古蹟保存、文物影像蒐藏與詮釋、口述訪談等相關計畫。為擴大推廣《鐵翼榮光—前空軍桃園基地傳奇》，市府整合前空軍桃園基地相關文史資料，轉化為展覽、影片、主題曲與系列活動，於8／14至9／30在桃園歴史建築八德餘慶堂展出。

〈前空軍桃園基地というのはかつての桃園陸軍飛行場があったところだ。当市で計画している航空都市プロジェクトの一角にあり、台湾では最も保存状態のよい軍事基地の一つである。市の文化部が「歴史を取り戻すプロジェクト」を企画し、推進しているが、この計画の一環として歴史の調査研究を行い、古蹟保存、遺産画像の収集と資料の翻訳、そしてオーラルインタビュー行うこととしている。「鉄翼の栄光―桃園旧空軍基地の伝説」の広報宣伝を行うために市は桃園旧空軍基地の関連文化・歴史資料の展示、ビデオ、テーマソング、これらを一連の活動に統合し、八月十四日から九月三十日まで、桃園市の歴史建造物である八徳餘慶堂で展示を行う。〉

桃園市は台湾北西部に位置し、台北都市圏に隣接している。台湾の直轄市である。この桃園市域には旧日本陸軍の飛行場が二箇所あった。記事で「前空軍桃園基地」というのは旧陸軍桃園飛行場である。この北側に隣接しているのが台湾の空の玄関口となっている桃園国際空港である。

旧陸軍桃園飛行場からは十五名の特攻隊員が出撃している。もっとも保存状態がよいという記事は、旧軍時代の滑走路などがそのまま残っているということを言っている。もう一つの飛行場は旧陸軍八塊飛行場である。桃園の東南一七キロのところにあった。ここも飛行場としての役目は終えている。この敷地の一角に現在は国防大学がある。

八徳餘慶堂は、現在市の歴史建築物となっている。先にも述べたが、邱一家が住んでいた家である。八塊飛行場から二キロ離れた地点にあった。

桃園市からは旧日本軍が特攻機を総計四十七名出撃させた。内訳は桃園十五名、八塊三十二名である。そういうことから、これら一帯を含む地域を「歴史的航空都市」として市の文化部が航空都市の調査研究を行うと同時に資料収集を行い、現存する戦争遺構を保存し、また映像なども集める。そして消えゆこう

とする戦争証言などを体験者から聴き取って行きたいということなのだ。

市当局は、「鉄翼栄光――桃園旧空軍基地伝説」、つまり旧日本軍の特攻機が飛び発った基地、二つの飛行場の歴史伝説を伝えるための布石として展覧会を開いた。将来的には、日本の特攻隊のことを含めた歴史を展示するミュージアムを作ろうとする構想があるようである。

邱 垂宇さんは、戦中において日本軍の特攻隊と交流があり、また戦後は国軍のパイロットとしても長年勤務された。それでこの展覧会の案内役をされていたのだ。

## （3）石垣島からの疎開学童

台湾の八塊陸軍飛行場は、武揚隊の出撃基地として私は知っていた。ただ飛行場について詳しくは知らなかった。先に紹介した菱沼俊雄氏が書き残した「山本薫君の霊前に捧ぐ」の中にこの飛行場のことが述べられている。

山本中尉率いる武揚隊は桃園飛行場の東南十七粁にある八塊飛行場を使って整備並びに訓練をして居りました。又一〇八戦隊の鈴木中尉は若い操縦者の夜間訓練を担当して同じ八塊飛行場に居り、何れも八塊の小学校校舎の一部に寄宿し特に特攻隊員と鈴木中尉は先生の官舎に滞在して居りました。

桃園市は台北の西にある都市だ、この東南の内陸部にある八塊陸軍飛行場に武揚隊は待機していた。本土から持ち込んだ機は三機だったが、現地で機は調達できたようだ。ようやく台湾に飛来してきた者、特に滞空時間の短い少年飛行兵などは、練度が不足していて操縦に不安があった。そのことから飛行第一〇八戦隊の鈴木中尉が彼らを特別に訓練した。時期は四、五月頃である。もうこの頃制空権は完全に米軍に握られていた。そのため昼間訓練は行えない。夜間に行うしかなかった。隊員たちはやはり八塊国民学校を宿舎としていたようだ。

二〇二〇年八月末に邱 垂宇さんからはじめて電話があった。これをきっかけにして彼とは手紙や電話でやりとりをするようになった。

九月二十三日に邱 垂宇さんから電話を戴いた。私が十八日に出した手紙が着いたとのことだった。私はこう書いていた。

武揚隊は、浅間温泉で子ども達とふれ合いました。また八塊でも邱垂宇さんを含めてここでも接触がありました。長期間にわたって特攻隊員たちと学童とが交じりあったというのは類例がありません。菱沼さんが残された手記には、小学校に寝泊まりしているときの様子が、「隊員は整備の閑暇などには学校のオルガンを弾いたり、近所の子どもたちと遊んだり、トランプをしたりして楽しそうに過ごしておりました」と書いておられます。邱垂宇さんはこのうちのお一人ですが、他にも隊員とふれ合った人がおられればそれを確かめてみたいものです。

学童とふれ合った特攻隊員は極めて珍しい。武揚隊の場合は二度目となる。それだけに興味深く思ってこのように書いた。その後にあった国際電話では次のようなやりとりをした。

「私が通っていた八塊国民学校には石垣島から疎開していた子たちがいましたよ。その人たちが当時のことを覚えているかもしれませんね」と邱 垂宇さん。

「それは驚きです……」

疎開と特攻隊、また新たな因縁だ。私自身は特攻に関わる物語をこれまで数冊書いてきたが、発端は学童疎開である。これを調べている過程で学童たちが特攻隊の青年たちと深く接していたことを知った。こちらは汽車での疎開だが、石垣島だと船での疎開となる。

思い出されたのは対馬丸事件である。那覇国民学校の学童が対馬丸に乗船して本土に向かう途中、アメリカの潜水艦から攻撃を受けて沈没した。七百八十四名の学童が亡くなっている。

「お手紙を戴いてから、何か手がかりはないかと思ったときに小学校の名簿を思い出したのですよ。あれから七十五年、もう亡くなられた方もおられます。でもこのときに思い出したのは石垣島から疎開してきた人のことです……」

「不思議ですね。松本浅間温泉ではやはり疎開学童に出会って、やっぱりその子どもたちと遊んでいるのです」

「彼は沖縄の県会議長をやっておられた人で、石垣島に今も住んでおられると思います。その人の電話番号が控えてあるので、そこに電話をかけてみたらどうでしょう」

邱 垂宇さんは伊良皆高吉さんの電話番号を教えてくれた。

私には心づもりがあった。今はコロナ感染症から台湾との行き来が閉じられている。が、台湾に行けるようになったらすぐにでも行くつもりだ。関係者には台湾で出会って「あのときはどうでしたか」と聞こうと思っていた。先々のこととして考えていた。ところが、日本国内の情報が先に入ってきた。石垣は遠いが電話で話を聞けそうだ。かければ即刻当事者に繋がってしまう。何となく怖くもあった。

邱 垂宇さんと伊良皆高吉さんが出会われたのはだいぶ前のことのようだ。伊良皆さんは、今も石垣島に住んでおられるのだろうか？　念のためと思ってネット検索をしてみた。

すると意外なことがわかった。なんと「沖縄音楽三線教室」を主宰されて、東京でこれを開いておられた、お師匠さんである。

教室のホームページもあったことからメールで問い合わせをしてみた。

「台湾の邱 垂宇さんから紹介を受けました。伊良皆さんは台湾の八塊に疎開されていたそうですが、そのときの記憶があればぜひお伺いしたい」と。

するとすぐに応答があって、携帯に連絡してくださいとのことだった。

翌日、九月二十三日に伊良皆高吉さんに電話をかけた。

「八塊国民学校におられたときに兵隊がいて、彼らと遊んだという記憶はございますか？」

「ありますよ」

その返答を聞いて心臓が鼓動を打った。

「八塊にいたとき兵隊さんたちと遊んだことはよく覚えています。私をとてもよく可愛がってくれましたね。覚えているのは武藤さんという兵隊さんです。小林上等兵という人もいました」

「どんな遊びをされたのですか？」

「ボール投げとか、追いかけっことか、それと一緒に歌いましたね。軍歌とか童謡ですね。童謡は多かったですね。そのときにたくさん覚えましたよ。……それから勉強も教えてくれましたよ。算数というか、暗算ですね。兵隊さんが問題を出してそれを答えるものです。当てると誉めてくれましたね……」

「兵隊さんは小学校に泊まっていましたか？」

「ええ、教室に藁布団を敷いていましたね。そこに一人一人蚊帳を吊っていましたよ。私たちとよく遊んだ武藤さんなんかは、次々に新しい兵隊が入ってくるものだから、学校から公民館に引っ越して行きました。私は、学校のときと公民館のときお泊まりして兵隊さんと寝ましたよ」

「年齢は若い人たちだったでしょう。兄貴分みたいな感じではなかったですか」

「ええ、二十歳前後という感じでしたよ」

「飛行場には行きましたか？　飛行機は見かけませんでしたか」

「飛行場には行きませんでした。飛行機は、赤とんぼが上空をよく飛んでいました。それと森の中に隠してある飛行機は見ましたよ。それからところどころに木で作った飛行機が隠してありましたよ」

「ああ、モックアップというのですね。あの頃、定期的にアメリカ軍の爆撃機が来ていましたからね。欺くために隠したり、ニセの飛行機を置いたりしていたみたいです。……伊良皆さんと遊んだ兵隊さんたちは何をしていたのかわかりますか」

「いいえ、それはわかりませんね」

「八塊国民学校に特別攻撃隊の若い兵隊が宿泊していたことは確かです。若い連中は軍曹や伍長でした。

みんな若くて二十歳前後でしたけど」
「伍長とか軍曹というのは聞いたことがありますよ。今でも覚えていることがあります。公民館に兵隊さんがいたときに泊まったのです。翌日の朝早くに起こされました。とても仲良くなった兵隊さんが出て行かれるので起こされました。『これから元気で頑張って、しっかり勉強するんだよ』みたいなことを言われたのですね。外はまだ暗かったですね、しばらくして暗い中から『さようなら』って聞こえてきたので『さようなら』と言いました」

伊良皆髙吉さんは、昭和十二年（一九三七）生まれ。今年八十三歳とのこと。

石垣から疎開してきた年号は、昭和十九年八月。そして石垣に戻ったのは昭和二十一年一月だった。八塊にいたときは国民学校一年生から二年生である。邱垂宇さんは四年生だった。三歳違うと、覚えている内容もだいぶ違っている。

年齢によって関心は異なる。低学年だとここの兵隊の仕事にまで興味を持つことはないようだ。しかし、私は兵隊たちの仕事を知りたい。

一つ事実を言えば、八塊国民学校を宿舎にしていた一隊は武揚隊である。隊長を含めて八人がいた。隊長は学校の宿直室、他の隊員は教室で寝泊まりしていたと思われる。

飛行場を根城としていたのは空中勤務者である。それと地上勤務者、これは整備員である。しかし、これだけではない。飛行場を整備したり、飛行機の運搬などをしたり、これらの業務を担っていた航空地区部隊が八塊飛行場にはいた。

伊良皆さんたちが疎開してきたのは八月だという。飛行場が開港したのは十月である。飛行場造成、仕上げをしている真っ最中ではなかったかと想像できる。特攻隊員との接触ではなく、航空地区部隊の兵員である可能性が高い。

体験者の記憶は大事だ。私は伊良皆さんの口述を原稿にまとめ、これを郵便で送った。そこに「台湾へ疎開に行った方が他におられれば教えてください」と頼んでいた。

以前であれば、早速現地へ行って調べ回っただろう。石垣市図書館などは地域資料の宝庫だ。台湾疎開は数多くの人が証言していて、冊子にまとめられている。実際、市の図書館を検索してみたところ数多く所蔵していた。

現地に行って古老を訪ね回る。台湾に疎開された方はまだ健在でおられるはずだ。しかし、コロナ感染症が収まっていない今、現地取材をするのはためらわれる。だが、電話取材なら問題はない。それで伊良皆さんにお願いしていた。

すると早速教えてくださった。昭和八年生まれの那覇市在住の与那原永嘉さんである。疎開当時は五年生だったと言われる。

「私が、疎開に行ったのは一九四四年（昭和十九）八月三十日です。西表《いりおもて》の船浮《ふなうき》という港から船に乗るのですけど、船がなかなか出ないのですよ。数日間、停泊していました。船員が言うには近くに敵の潜水艦がいるらしい。それで様子を見ていると……私らが出る一週間前にあの対馬丸が撃沈されていたんですね。でも、箝口令《かんこう》が出ていたのでしょう。私たちが知ったのは戦争が終わって島に帰ってきてからです……」

「船は、出航してどこへ行ったのですか」

「まず、蘇澳《すおう》ですね。それから反対側の基隆へ行きました。基隆の港に行くと半分沈没した軍艦がありましたね。米軍の飛行機にやられたのでしょうか」

学童たちは残骸を見て戦争を身近に感じた。

「基隆からは桃園県の八塊へ行きました。途中は汽車でしたね」

「汽車にはびっくりしたでしょう」

「そうそう、みんな見るのも乗るのもはじめてでしたから」

「八塊で疎開生活をされますね。あそこに飛行場があったのは御存じですよね」

「ええ、それで敵機が襲ってきたんですからね。朝、井戸端で歯を磨いているときに空に鷹が舞っているのですよ。ところがそれは鷹でなくて敵の戦闘機だったのです。これが急降下してきて機銃掃射をしたのですね。もうちりぢりに逃げたんですけど、仲間の疎開学童のお母さんが撃たれて死んでしまいましたよ。黒島さんという人でしたね……あれは十月十日でしたね。なぜ日にちを覚えているかというと同じ日に那覇に空襲があったのですよ。台湾も危ないというので、八塊から西へ二キロ離れた霄裡《しょうり》地区へ宿舎を移動したのです」

「それで思い出したことがあります。当時私は十一歳、五年生でした。ですから兵隊さんたちは私よりも八つとか九つぐらい上の人ですね。その人が、私たちに講談みたいなものを聴かせてくれたのです。場所は、校庭ですね。話してくれるのは一人ですが、仲間の隊員も数名おりました。……その話してくれる人はうまかったし、おもしろいし、かっこよかったんですよ。そのセリフで断片的に覚えているのは『元治

元年……幾万の敵』という言葉でしたよ。そういう講談を聴かせてくれたものだから親しみを持ちました。……とてもそれは印象深いことでした。疎開から帰ってきても皆忘れられなかったのですね。それで上級生から覚えているところを話せといわれて話したことがあったくらいですから……」

「終戦後のことですけど、八塊には兄弟を連れて訪ねて行きましたよ。学校の中に井戸があって、そこでご飯を食べた覚えがあって懐かしくてそれを見にいったのですよ。そしたら校長先生が出てこられて校長室に案内してくれたのです。そのときに疎開したときに撮った写真を見せたのです。そうしたら近々創立百周年を迎えるのでその写真をぜひ掲載したいという申し出があって、それは記念誌に載りました。学校の百周年のときも行きました」

「それで大事なことなんですが、その八塊の小学校に疎開していたところ、空襲の危険を感じて少し奥の霄裡地区に疎開しますね。そこから八塊国民学校に通ってこられたのですか?」

「あれはですね、空襲があってから八塊は危険だということになって、それからは行っていないのです……」

霄裡地区への再疎開は、十月に空襲があってからのことである。

五年生だった与那原さんは、上級生だっただけに記憶がはっきりしている。証言をまとめていて疑問点が出て来てそのつど確認の電話をした。

歴史証言ではいつということが大事である。

「八塊の飛行場が完成したのは一九四四年十月頃なんです。その辺りからきっと飛行機が飛んでくるようになったのです。講談を話してくれた兵隊たちも飛行機で来ていたのかもしれませんね。台湾八塊からの

かつての八塊小学校：周年記念誌より

特攻出撃は大体五月が中心です。だから与那原さんが出会った兵隊は特攻隊ではなかったように思われます」

「ええ、特攻隊だったという確証は私にもありません」

石垣島から台湾八塊に疎開されたお二人に話を伺うことができた。八塊に疎開されたのは九月の初旬である。そして十月十日に空襲があったことから、この後八塊から二キロほど離れた霄裡に再疎開された。与那原さんはその後に八塊に行くことはなかったと言われる。このことから二人の証言は一九四四年の九月、十月のできごとだったと考えてよい。

石垣からの疎開学童の証言からは、当時の八塊飛行場の様子について想像できる。上空では赤トンボ、複葉の練習機が舞っていたという。これは復座で練習生と教官が搭乗する。操縦桿が二つついていて練習者が操作を誤った場合教官が代わって操縦した。飛行場が使えるようになったとたん、八塊では操縦者養成を始めていたようだ。

地上にはモックアップを置いて敵の目を欺こうとし

ていた。九月、十月の段階でもう飛行場として使えるようになっていたようだ。

八塊陸軍飛行場は、民間が中心になって作る献納飛行場として工事が始まった。ところが途中から位置づけが変わった。拠点飛行場になったと言える。後に提示するが、滑走路の厚さがしっかりしていて「能載重量」が十五噸《トン》まで堪えられるように作ってあった。飛行場の仕上げには日本軍部隊も関わっていた。人員を多く動員して仕上げをしっかりやっている。石垣島の疎開学童はそういう兵隊に会ったのかもしれない。飛行場造成に関わる技術者などであろう。十月には艦載機が襲ってきた。米軍がこの飛行場を察知していたからであろう。

# 第2章　台湾資料の解読

## （1）八塊国民学校の戦時中の様子

台湾の邱 垂宇さんと知り合ったことがきっかけとなって、陸軍八塊飛行場について調べ始めた。手始めに書籍検索から行った。八塊飛行場について触れているものは断片的なものばかりで、これと思うものは見つからない。

戦争関係の調査では、防衛研究所戦史研究センターで何度か教示を得ていた。ヒントが得られないかと史料相談室に問い合わせてみた。係官からはこんな返答があった。

「八塊飛行場の資料ですか、難しいですね。内地と比べて外地の場合は資料が少ないです。その飛行場そのものをテーマとして扱っているものはありません。手近なものではやはり戦史叢書ですね。ここに少しですが載っています。その他旧軍飛行場図などはあるのですが『台湾を除く』と書いてあるのです。だから資料を探し出すのは難しいですね。回顧録とか各隊部隊史とかをこまめに見ていくしかないですね……」

八徳国民小学と邱 垂宇さん

対応は丁寧であった。わかったことはまとまった資料はないということだ。そうであればなおさら記録しておく必要があると思った。

「日本には八塊飛行場の記録はないのですよ。そちらにすぐには行けませんが、行けるようになったら行って飛行場跡を調べたり、資料を探したり、また当時を覚えている人がいれば話を聞いてみたいです」

　電話でこのように伝えていた。すると邱 垂宇さんが動いてくださった。十一月になって旧八塊国民学校へ行かれた。今は台北に住まわれている。きっと息子さんたちに頼んで車で行かれたのだろう。かつての学校は、今は桃園市八徳国民小学となっている。ここを来訪されたのは資料を求めてであった。戦時中のことなどはきっと学校の記録にあるだろうと。

　八徳国民学校を訪れ校長の林世娟さんに会いました。学校沿革史を出してくださったので拝見しました。ところがこれには太平洋戦争開始から休戦までの記録はありませんでした。戦争に関連した事跡はどうやら消去したようです。

　私は学校に残っている記録から学校に駐留していた飛行隊の名前などを知りたいと思ったのですが、それは一切ありません。とても失望しました。

十一月二十三日の日付のある手紙にはこう書かれていた。内地では終戦になってすぐに戦争当時の記録が兵隊たちや役所の吏員によって燃やされた。外地の台湾でも同じことが行われていた。しかし、邱垂宇さんが学校に行かれたことで戦時中の学校の様子がわかってきた。学校に行かれて資料を複写し、また写真も撮ってきて送ってくださった。

先に石垣島から疎開された与那原永嘉さんから聞き取った話を書いたが、「私は疎開当時のことを思い出として学校の百周年誌に書きました」と言っていた。

邱垂宇さんはその複写を送ってくださった。その文章を引用する。

同年十月十日の朝、井戸端（校内）で洗面していると東の上空で差羽（アカハダラカ）が弧を描き舞っていた。アカハダラカは体長約三十センチ、中国東北部・朝鮮半島で繁殖をし、九月頃日本の九州、沖縄本島・宮古・石垣を経由して南方へ渡る。

秋の使者サシバは当地を経由するんだなあと郷愁に浸っていた。そのときでした、差羽ではなく敵機でした。突然急降下して爆撃に転じたので、蜘蛛の子を散らすとはそのことで一目散に教室へ逃げた。

戦況はだんだん不利になり八徳も危なくなったので霄裡へ移動した。

翌年八月十五日終戦、帰国準備のため八徳へ戻り十二月三十日蘇澳経由石垣島へ帰還した。今回は八徳から霄裡まで昔のことを思い浮かべながら歩きました。

与那原さんは石垣に引き上げた後、台湾には三度も訪れていた。学校の井戸が懐かしかったと電話では話されていたが、初空襲のときの思い出深い場所だ。忘れられなかったのだろう。

この「百周年誌」には邱 垂宇さんも寄稿されている。それには「從『八塊國民学校』到『八德國民小學』」と題されている。八塊国民学校から八徳国民小学校へという意味だろう。これも戦時中の様子を知ることのできる内容だ。

まず、略歴が記されている。第四十一回卒業生　邱 垂宇

軍服を着た邱 垂宇さん

空軍軍官学校卒業。国防任務、及び国際民間航空機操縦士として四十年余勤務する。現在民間航空会社顧問。

軍服を着た邱 垂宇さんの写真が載っている。

八塊国民学校の四年生だったときに武揚隊の山本薫中尉が現れ、その凛々しい軍服姿に憧れた。時が経って彼自身は小学校のときの夢を叶えている。在校生にとっては誉れの先輩である。

文集、冒頭にはこう書かれている。

私は桃園県の八徳国民学校の四十一期生で、日本政府が統治していた一九三〇年代に正式に新入生として入学したことになります。毎日、先生は私たちに日本語で教えてくれました。私たちの学年には、七歳で学校に入学できなかった子どもたちのために追加された「特別クラス」…を含む三つのクラスがあった

と記憶しています。彼らは通常、同級生よりも平均して三、四歳年上でしたが、カリキュラムや進度はすべて同じでした。面白いことに、このお兄さん、お姉さんたちは、理解力、身体能力、知性、成熟度の点で私たちを上回っているので、「特別クラス」は学年大会のほぼ全ての科目で良い成績を取っていました。学校の復旧後、「特別クラス」の生徒数が一クラス以下になったため、通常のクラスに統合されました。

邱 垂宇さんは日本語で行われた授業を受けている。それで彼は日本語に堪能だ。パイロットである、英語もできた。台湾語も話すわけだからトリリンガルある。

邱さんは学校に入学し日本語で学んだ。台湾にいる彼とは折々に電話で話す。会話を交わしていると全く違和感はない。言葉は人を染めてしまうのではないかと思った。日本語で学ぶと日本人になるのではないか？　その感性はまさに日本人と一緒だ。

回想はこう続く。

私が小学三、四年生の頃は、学校に日本軍が駐屯していたため、空襲から身を隠すために、商店に分散して、大きな家のお堂や先祖代々のお堂を借りて、黒板や机、椅子などを持ち込んで教室にしていたので、登下校がさらに大変で、毎日二、三キロ先まで歩いて通う人もいました。

一九四四年の年が明けてから飛行場の建設は始まった。この年の秋頃には飛行場としての形ができてきたのだろう。敵である米軍は、八塊に飛行場ができたことを知って空襲してきた。邱 垂宇さんのこの記

録によると、何度も襲ってきていたようだ。授業ができないので八塊一帯の教室として使えるお寺などに教材、教具を運んでは授業を受けていた。そのうち空襲がたび重なってきて、まともに授業を行うことは困難になってきていた。

学校が使えない。空襲で危ないということもあったが、それだけではない。学校が飛行場関係者の宿舎として使われていた。事実武揚隊隊員が使っていた。他にも整備兵や飛行場の要員なども使っていた。石垣島からの疎開学童はそう証言している。

時が経ってやがて八月十五日、終戦を迎える。日本の学校から台湾の学校へ、その引き渡しが行われたのは「中華民国三十四年十一月十七日」だ。すなわち、一九四五年、昭和二十年のことだ。「学校沿革誌」にこう記されている。

接収者暫代八塊国民学校校長　簡 衍慶
移交者旧八塊国民学校校長　石黒 勘太郎

日本人校長の石黒は「学校沿革誌」を新校長の簡に渡し、二人は握手をした。そんな場面が浮かんでくる。

日本の学校から台湾の学校へ、その変化を邱さんはこう記している。

私が五年生の二学期だった時は台湾の復興と重なっていました。まずは言語の変更です。日本語から台

湾語、北京語へ変わりました。次に四年半歌われていた日本国国歌「君が代」から中華民国国歌へと代えられました。そして国旗も変更となりました。学校の正門玄関に建っていた二宮金次郎像も撤去されました。この二宮金次郎は自学自習をして成功を収めた人で私としては共鳴できる人でした。

邱さんは正門前の二宮金次郎像に特別の思いがあったようだ。

## （２）満州国皇帝溥儀と特攻隊

邱さんが送って下さった資料の中に興味深いものがあった。

『わが半生　「満州国」皇帝の自伝 下』（筑摩叢書２４６、一九七七年）である。

満州新京発足の特攻四隊の誰も彼も、この皇帝溥儀のことは印象深く覚えている。

（二月十日）午後は宮内府に参内し多くの軍官界高官居並ぶ拝謁の間で、一際長身の体を軍礼装に包んだ満州国皇帝の溥儀皇帝陛下に拝謁の光栄を賜る。既に委細承知の上での拝謁、陛下の御目に潤いのあるのを認められた。感激も新たに宮内府を後にした。

（菅井 薫『憧れた空の果てに』鳥影社、一九九九年）

大本営から第二航空軍に対して、特攻隊四個隊を組めとの下命が一月に下り、扶揺隊・蒼龍隊・武揚

隊・武剋隊が発足した。満州新京に昭和二十年（一九四五）二月十日に各隊は集結し、四隊の編成式が行われた。この折に満州国皇帝の溥儀に全員が拝謁をした。

「皇帝陛下は泣いておられたぞ、わしはそれを盗み見て感動したよ。俺達がこれから何をしに行くのかがよくわかっておられたようだ。あのときに恩賜の煙草を貰ったけどあまりにももったいなくてな……」

私はその場面を絵に浮かべたことだ。

隊員一人一人にはこの拝謁はとても感動的であったようだ。

特攻四隊のうち一隊の武剋隊が早くも三月二十七日に特攻出撃をし、大きな武勲を打ち立てる。これを「満州日報」が四月三日に報じている。ここに彼らが二月十日に皇帝溥儀に謁見した折のことを囲み記事で詳しく載せている。

皇帝陛下かしこくも　神鷲を御激励　親しく御握手を賜ふ

三月二十七日慶良間列島附近で敵大型艦十隻に壮烈な命中を加へこれを撃沈破した武剋隊廣森中尉以下の神鷲たちが関東軍各基地からその壮途にのぼるにあたり畏くも皇帝陛下には隊員の壮擧を御激励あらされる御思召しから特に接見御握手を賜ひ有難き御言葉まで賜った。この日隊員はまず建国神廟に参拝、任務必遂を祈願、御神酒を戴いて後に帝宮に参進皇帝陛下に列立接見を仰せつけられ、親しく御握手あらせられ御激励の御言葉を賜りついで御酒御煙草を下賜あらされた。神鷲たちは大東亜戦争の必勝に寄せさ

せ賜ふ畏き帝慮有り難き御殊遇にただ恐懼感激、任務完遂を改めて心に誓いつつ退下したのであった。

謁見の様子がここでは具体的に描かれている。皇帝に接見しただけでなく握手を交わした。またかけられた御言葉も感銘深いもので誰もが感涙を催した。加えて下賜品を戴いた。煙草だけでなくお酒もあった。酒は飲めばなくなる。煙草は一本吸ったとしてもなくならない。邱　垂宇さんの話によると、父親の創忠さんは武揚隊の隊員の誰かからその恩賜の煙草を貰ったという。隊員は吸わずに台湾まで持って来ていた。

この恩賜の煙草を包んでいたのが黄色の布だったのである。この話をしてくれたのが立川裕子さんである。疎開先の長野で特攻隊員と出会ったという彼女は、渋谷の日赤病院に入院していた。その彼女を見舞った。

「私は浅間温泉千代の湯にいたときに武剋隊の今西修軍曹にお歌を書いていただきました。難しく長いお歌です。黄色の布に書いていただいたのです。それは満州国皇帝溥儀から戴いた恩賜の煙草を包んでいたものです……」

疎開学童と特攻隊員たちの交流を知って関係者から取材をしていた。その一人が立川裕子さんであった。しかし、何もわからない中で突然に出てきた黄色い布は、全く理解できなかった。松本と満州にはどういう繋がりがあるのか、そして皇帝溥儀の話がなぜ出てくるのかわからなかった。だいぶ経ってからこのことの意味が納得できた。

その立川裕子さんも亡くなられた。彼女は生前今西軍曹に揮毫してもらったという。遺墨は世田谷区平和資料館に寄贈していた。

満州新京発足の特攻四隊のうち二隊が浅間温泉にやってきた。今西軍曹はその一隊の武剋隊だ、もう一隊は武揚隊だ。この隊員の一人に松本出身の飯沼芳雄伍長がいた。彼には思いがけない里帰りだった。彼の妹の節子さんは兄に会いに浅間温泉の富貴之湯旅館に行ったという。

「恩賜の煙草を包んだという黄色の布は兄も持っていました。実家に持ってきましたけどね。……今はどうなったでしょうか」

彼は一九四五年七月十九日に台湾八塊から出撃したが、目的地に着く前に宮古島の山に激突死をしている。一般戦死として扱われている。

武揚隊に長谷部良平伍長がいた。各務原で機が故障して戦列から離れ、単機で四月二十二日に第三十一振武隊として知覧から特攻出撃している。知覧特攻平和会館に彼が揮毫した軸が展示されている。「武揚必中必沈　陸軍特別攻撃隊　長谷部良平」と書かれている。黄色の布地だ、これも恩賜の煙草を包んであったものであろう。特別攻撃隊員として満州国皇帝溥儀陛下に謁見したことは彼らにとってはやはり忘れがたいことであった。

先に紹介したように『わが半生』は、この皇帝溥儀の自伝である。ここに彼が特攻隊員たちと出会ったときのことが記されていた。

まず溥儀は陸軍大将も務めた山下奉文のことを述べる。彼は大戦末期フィリピン防衛のために再編成された第十四方面軍司令官に任命された。このときに皇帝のところに挨拶にきた。皇帝は彼を快く思っていなかった。「傲慢不遜・傍若無人の狂態は、まだ私の記憶に残っている」と述べ、こう言っている。


一九四五年になり、彼がもう一度南方に派遣されることになって、出発前に私にあいさつにきたときには、私の前で鼻を押えて涙をこぼし、こう言った。

「これが最後のお別れです、今度行ったら二度と帰れないでしょう」

「肉弾」のために壮行式を行ったときには、私はもっと多くの涙を見た。肉弾とは日本軍の中から選び出された兵士たちで、彼らは「武士道」「忠君」の毒素で教育され、選び出されて、肉体で飛行機や戦車と命を捨ててぶつかるのである。日本語ではこれを「体当たり」と呼んだ。吉岡はこの体当たりのことにふれるたびに無限の尊敬を示した。それらの事蹟を聞いて、私はたしかにびっくりした。このときは関東軍が私に、この選にあたった肉弾を激励し、彼らのために祝福してやってくれ、というのだった。その日はちょうど曇りで、砂まじりの風が吹きあれていた。壮行の場所は同徳殿の中で、そこには防空用の砂袋が積まれ、いっそう気の滅入る雰囲気を見せていた。肉弾は全部で十数人で、一列になって私の前に並んだ。私は吉岡が書いておいた祝辞をそのまま彼らに向かって読み上げ、それから杯を挙げた。このとき私ははじめて見た。この肉弾たちはすべて暗い顔をして、涙が両頰を伝っており、あるものは嗚咽《おえつ》さえしていたのである。

溥儀陛下は、特攻隊員のことを「肉弾」と呼んだ。これは「兵士が弾丸の代わりとして敵陣に突入すること」だ。即物的な語である。皇帝は関東軍の意向で特攻隊員との面会をさせられた。

昭和二十年五月三日、満州国帝宮内同徳殿で振武隊に派遣される破邪特別攻撃隊十三個隊の隊長十三名が溥儀陛下に謁見していて、その記念写真も残っている。特攻隊員が皇帝に謁見するのは特別なことではなかった。

「と」号第十六飛行隊は「十二月一日、新京の第二航空軍で編成下命、同月三日編成完結、同四日命名式ならびに出陣式を行ない新京を出発」（『戦史叢書』二四六、二四七頁）した。この隊は第八飛行師団長の隷下に入り、誠第十六飛行隊となっている。沖縄特攻に向けての最初の特攻編成である。この誠第十六飛行隊も溥儀陛下との謁見があったのではないか。

『わが半生』に書かれた壮行式が、二月十日の特攻四隊編成時のものかどうかはわからない。しかしここには皇帝溥儀陛下の特攻隊観がよく描かれている。武揚隊や武剋隊の隊員たちは満州で陛下に謁見できたことを非常に名誉に思っていた。恩賜品の煙草を包んでいた布をとても大事にしていたことからそれがわかる。

満州国皇宮で特攻四隊の壮行会が行われたのは昭和二十年年二月十日のことだ。このときに溥儀陛下への拝謁が行われた。各隊十五名、全体で六十名である。隊ごとにそれぞれ別れて面接が行われた。この後に記帳が行われ、終わって恩賜品が下賜された。そして、関東軍と第二航空軍主催の特攻四隊編成及び出陣式が盛大に行われた。

拝謁時には満州国皇帝は先の『大空に憧れて』では「委細承知の上での拝謁」と書かれていた。確かに

『わが半生』では、隊員たちの任務について溥儀が承知していたことは確かである。しかしそれは冷ややかな認識である。隊員たちにとっては「拝謁の光栄」に預かって恐懼する思いであったろうが、溥儀の印象は「肉弾たちはすべて暗い顔」をしていたという。

満州国皇帝は特攻隊員たちの拝謁を許したが、一方、本国日本国天皇はこれを行わなかった。軍内部で特攻隊員の扱いを巡って激しい論議が交わされた。「特攻隊を天皇の命令による正式の軍隊として編成するか、陸軍大臣の部署による志願者各人を第一線指揮官に配属する形式を採るか」（『戦史叢書』三〇五頁）の問題だ。決着をこう述べる。

技術、生産、教育等の不備を第一線将兵の生命の犠牲によって補うことを、特に天皇の名において命令することは適当でない。あくまで特攻志願者を第一線指揮官が活用することを立て前とし、特攻要員と器材を第一線兵団に増加配属（注 陸軍大臣の権限による部署であって、形式としては軍令によらず、「陸密」により発令）すべきである。

（『戦史叢書』三〇六頁）

特攻隊員と天皇の関わりは大きな問題であった。満州国皇帝の場合は、こういう微妙な問題は全く生じなかった。軍と皇宮とが一体化していたからだ。皇帝溥儀は、側近吉岡安直の指示通りに動いていた。彼は吉岡のことを「電線」と評している。

関東軍のあらゆる意志は、すべてこの電線をつうじて私に伝えられた。私の外出、賓客の接見、礼式、

臣民への訓示、祝賀の宴会での乾杯、さてはうなずくこと、微笑することに至るまで、すべて吉岡の指揮のもとに行わねばならなかった。

溥儀は皇帝の称号はあったにせよ、一挙手一投足まで「電線」によって仕切られていた。事実上関東軍の「傀儡」と言える境遇にあった。謁見時の祝辞は吉岡安直が書いたもので、すべて関東軍の意向を受けたものであった。満州新京発足の特攻四隊の壮行式全般を仕切っていたのはやはり関東軍であった。壮行会での謁見が終わってからの様子も溥儀は書き記している。

式は砂まじりの風のなかで匆々に終った。私はうろたえ、度を失い、いそいで部屋にもどって顔を洗おうとした。が、吉岡が離れず、私の後ろにぴったりとついている。私は彼が話したいことがあるのだとわかったので、しかたなく彼を待っていた。彼はせきばらいをし、うん、うん、と何度か声を出してから言った。

「陛下の御祝辞はたいへんけっこうでした。うん、だから彼らは非常に感動し、うん、だからこそ日本男児として男泣きをしたのです……」

このよけいな言葉を聞いて、私は心のなかでこう言った。

「きみも恐れているな！　きみは私が肉弾の表した馬脚を見てしまったのを恐れている。だが、きみが恐れている以上に、私もこわいのだよ」

ここには皇帝溥儀と側近吉岡との心、思想の乖離と言うべきか、が端的に表れている。吉岡は「陛下の御祝辞」というが吉岡が書いたものに他ならない。代読した言葉に彼らは感動を受け、「日本男児として男泣きに泣いた」と言うが自作自演である。皇帝は自尊心を傷つけられたことから独白をする。「肉弾の表した馬脚」とは特攻隊員たちが表した哀しみではなかったか。死を賭して突撃することを彼らは誇りに思っているのではなく恐怖を感じているのではないか。吉岡が饒舌であるのは彼の内心に潜む恐怖を見られたくないからではないか。もっと具体的に言えばそれは日本が戦争に負けてしまうことだ。口には出せないが私も彼も本当はそこが一番怖いのではないだろうか。

皇帝と側近との心の隙間はあるにせよ。彼らが皇帝陛下に謁見したことは生涯において忘れがたいことであった。恩賜の煙草は吸えば消えてしまう。が、それを包んでいた黄色の布は残った。言い換えれば生前の誉れの証《あかし》である。だから誰もが大事にした。遠い過去のこととなってしまったが歴史の皮肉である。

## (3) 八塊飛行場と邱 垂宇さん

「八塊飛行場は思い出深いものですよ。今考えると私の人生のきっかけを作ってくれたところです。何にもなかったサトウキビ畑に滑走路が作られました。私もこの作業に参加しましたよ……」

邱 垂宇さんが八塊国民学校四年生だったときのことだ。彼は好奇心旺盛で多感な少年であった。

「飛行場ができる!」

このニュースは心躍らせた。サトウキビ畑が延々と広がる田舎に滑走路ができて飛行機が飛んでくる。夢想しただけで彼はときめきを覚えた。時が巡ってきた。大きな鳥が羽を広げて飛んできて、脚を地に着けたときに土煙が舞った。そして停まった。彼は感極まった。

飛行機は未来を引き連れてやってきた。が、幸せを運んできたわけではない。戦争という恐ろしいものを持ち込んできた。

この戦争ということがきっかけで、彼は戦闘機に乗ってきた特攻隊員と出会う。近代の機械と飛行服と飛行帽を着こなした隊長とふれ合ったことから邱 垂宇さんの人生は始まった。この話を聞いたときに直感的に思ったことがある。機械との出会いは飛行機が最初ではなく、まず会ったのは汽車ではなかったのか？ これは邱 垂宇さんにも聞いたことだ。

「台湾の鉄道は日本が敷設しました。南北を貫いているのは縦貫線ですね。基隆を起点にして南の高雄まで行く線です。私のところの最寄り駅は桃園駅です……」

この縦貫線を走る急行は昭和十七年（一九四二）からは日本の機関車、C57が牽引していた。邱 垂宇さんは駅でこれを見ては心ときめかせたと思う。上り列車を眺めては汽車の行き着く基隆を思った。この港から神戸や横浜行きの船が出ていると聞いていた。テールランプを点して去って行く汽車を見てははるか遠い日本を思ったりもしたのではないか。

まずは汽車と出会った。そして八塊国民学校四年になったときに飛行機の話を聞いた。

「汽車さえもきていないここに飛行機が飛んでくる！」

驚きをもってこの話を聞いたのではないか。

やがて日本の陸軍の手によって飛行場の建設が始まった。八塊陸軍飛行場である。二〇二〇年八月の末、邱垂宇さんと連絡がつくようになってから何度か電話で話す機会があった。このときに八塊陸軍飛行場について邱さんご自身が書かれた記録があると聞いた。

「今度台湾においでになったときに差し上げますよ」

「ええ、必ず行きます。しかし、コロナが収まらないと行けませんね」

国際間の行き来は禁止されている。台湾行きはいつ実現するのか先は全く見通せない。

「確かにね……」

「私も八塊飛行場について日本側の資料を調べ始めたのですが、ところがこれがほとんどないのですよ。できたらすぐにでも欲しいのです……」

八塊陸軍飛行場、これは日本統治下において軍部主導で建設されたものだ。昭和十九年軍部は南方から攻めてくる敵への備えとして台湾の飛行場建設を急いだ。八塊陸軍飛行場もその一つである。既設の十一飛行場を拡張し、新たに十飛行場を作り始めた、そして七つの飛行場が献納飛行場として作られた。このうちの一つが八塊陸軍飛行場である（『戦史叢書』一〇一頁）。

献納飛行場は居住民に労役を課して作り上げるもので一種の簡易飛行場である。が、戦況の変化によって、ここは格上げになった。「七月に入ると、献納飛行場が軍に移管され始めた。金包里、樹林口、八塊、上大和、池上、大肚山等であった。軍では大体に不時着用として考えていた」（『戦史叢書』一〇二頁）ところが、そういう仮設的なものではなく離発着が可能な飛行場にすることを決定した。それで掩体壕も設け、

横風用の滑走路も作った。沖縄決戦では主要飛行場として使われた。しかし、八塊陸軍飛行場は短命だ。日本統治下では一九四四年十月から一九四五年八月までの一年に満たない短期間存在しただけである。

そんなこともあってこの飛行場の記録はほとんどない。八十七歳の古老、邱 垂宇さんには思い出深い飛行場であった。ここをよく覚えておられる。これを聞き出しておくことは大事だ。台湾の歴史でもあるが、日本の戦争の歴史でもある。

私の願いを邱さんは聞いてくださった。その資料は九月に入って送られてきた。数ページにも及ぶものだ。中国語で書かれている記事である。『全國第一本圖繪式軍警消雜誌』は二〇〇八年八月二十日に発行された。これに掲載されたものだ。劉 文孝氏が邱 垂宇さんの証言を聞いてまとめられたものである。

中国語は私にはわからない。どのようにしてこれを読み解くのか? 最初に思ったのは業者への依頼だ。翻訳業務を請け負うところは多くある。ところが原文を見ているうちに気持ちが変わった。書かれているのは見慣れている漢字である。眺めていると行間から意味がうっすらと透けて見えてきた。

例えば、「下航空器的神奇」と出てくる。「飛行機の魔法」。どうやら邱垂宇さんが飛行機に初めて遭遇したときの気持ちを述べているらしい。少年が憧れの飛行機に出会って思ったのは、飛行機が自分に魔法をかけたのだと、なるほどおもしろい。

それでどうしたかというと、まず原文の一語一語をパソコンに打ち込んだ。そしてこれをデジタル化した。一つの段落を入力してこれをネットの機械翻訳にかけてみる。するとおおよその意味が浮かび上がってくる。

タイトルは、「桃園八徳機場的回憶」だ。現在、飛行場は桃園市にある。その「八徳機場」つまり「八

塊飛行場」のことだ。これを意訳すると「桃園の八塊陸軍飛行場の追憶」となる。その冒頭にはこう記されている。

表示他自己不但曾親自参與過該機場的興建・而且也正是因為這座機場讓他立志成為一名飛行員……

邱 垂宇さんは自分自身が飛行場建設に携わった。このことがきっかけとなって飛行機に憧れを持つようになった。そして、これが将来への夢を膨らませ、結果としてはパイロットとして身を立てることに繋がった。

この中国語から私は邱 垂宇さんの物語を読み取った。こういうことだ。

八塊陸軍飛行場は邱垂宇には思い出深い飛行場であった。少年時代に急に「ここに飛行場ができる」と知らされた。サトウキビ畑しかない田舎に、あの空を飛ぶ飛行機がやってくる。驚きだった。そしてこれを作るに当たっては、八塊国民学校の四年生である邱 垂宇さんも加わった。土を運んだり、鍬を揮ったりした。やがてこれが完成すると本物の飛行機がやってきた。飛行機から魔法が降ってきた。これの虜になったときに日本軍のかっこいい山本薫隊長と出会った。ここが彼の夢の原点である。これらを通して邱垂宇さんは飛行機に憧れ、操縦士になった。彼を育ててくれた飛行場は忘れがたい場所であった。

以下に、中国語の原文を元に私が意訳したものを掲げる。翻訳している最中に多くの疑問点が生じてきた。その場合は郵便で送ったり、国際電話をかけたり、ＳＮＳで確認したりした。その情報を訳に生かした。また一通り自分が作ったものを日本語に堪能な邱垂宇さんに見て頂き、添削して戴いた。訳文にはこ

のやりとりから生まれたイメージを付け加えたことを断っておきたい。

劉 文孝氏は、二人称（邱 垂宇）で書かれているが、ここでは一人称、すなわち「私」と書き改めたことを断っておきたい。なお、原文を意訳することを劉 文孝氏は快諾してくださった。心より感謝を申し上げたい。

# 第３章　「桃園八徳機場的回憶」　邱 垂宇

## （１）八塊飛行場（序）

一九四四年の初めのことでした。日本軍が竹篙厝と更寮腳の間のサトウキビ畑に飛行場を建設すると突然発表したのです。軍は献納飛行場と言っていました。住民に労力を提供してもらって作るというものです。それで近隣の大渓、大湳、中壢等の住民は全員交代制で飛行場を作るための労役に就かされました。これには八塊の公学校のすべての教師と四年生以上の生徒が含まれていました。このときにすべての家族とすべての家には、一定の作業領域が割り当てられました。そしてこの作業については警察署の警官が監督を担当し、取り締まりました。私の邱家は飛行場周辺の排水溝の土木作業が割り当てられました。しかし、邱家はもともと学者の家系でした。土木工事のためのスコップや鶴嘴《ツルハシ》など触ったこともなかったのです。それで邱家の小作人たちに労働を手伝ってもらいました。

一方この時期、私の兄、邱垂棠は台北の中学生でした。ここでもやはり生徒や先生が宜蘭の飛行場建設に動員され、地ならしやもっこかつぎの作業をさせられました。この時期日本軍は台湾島各地に数多く飛

行場を作り、対航空作戦では航空機を軸とした戦略的な体制を作っているようでした。

飛行場の整地工事については、大きな石を大勢で転がして行っていました。ところがあるとき一台のロードローラーが現れました。これを動かしているのは台湾人でした。たった一台の機械で何十人分もの作業をみるみるやってのけるのです。私はその様子を見て感動しました。

当時の飛行機は離着陸に当たって横風の影響を大きく受けました。これに対応するための工事が行われ、ようやく十カ月経って完成しました。L字型の滑走路を作ったのです。これは滑走路に頻繁に吹いてくる風向きを見極めた上で作られました。これによってどちらから風が吹いても離着陸できるようになったのです。

台湾総督の安藤利吉は、軍と政府の代表として開港式に出席しました。八塊の人々は軍も民も総動員されました。総督が通る道路の清掃を行ったのです。知事やお付きの将校たちが乗った車列はその綺麗になった道を通過して行きました。そのとき、私が最も印象に残ったのは、星が飾られた金色の車旗です。まるで皇帝を目撃したような畏敬の念を抱いたほどです。

八塊庄に飛行場が作られていきました。ところが大多数の住民は知りませんでした。この新しく作られていく飛行場が大きな災害をもたらすことを。私自身もわかっていませんでした。家族が戦争に巻き込まれないようにここに引っ越してきたことを。この八塊飛行場は私の住まいから二キロメートルほどのところに建設されました。飛行場から遠く離れているのに家にも防空壕が作られました。これを不思議に思ったほどです。

飛行場の工事が進み、滑走路の形がどんどんできていきました。このことについての思いは、私の父と

は全く違っていました。父は工事が進行していくことを苦々しく思っているようでした。が、私は飛行場の完成を待ち望んでいました。どんな飛行機が飛んでくるのだろうと夢見るような思いでいました。そんなときに空から大きな音が響いてきました。エンジン音です。私は急いで外に出て空を見上げました。すると日本の双発飛行機が二機、驚くような低空で崙仔上空を通過し飛行場の方に更に高度を下げていったのです。

私はこのときに生まれて初めて飛行機を見ました。胸が高鳴りました、それでこの機会を逃してはならない！ と思いました。弟の手を引っ張り飛行場まで一生懸命走っていきました。そのとき持っていたのは飛行機への熱い思いです。それで飛行場を警備している日本軍がどのように厳重に管理しているかには思いも及びませんでした。飛行場にはやはり台湾人も多く集まってきていました。飛行機の所には試験飛行を終えた操縦士と地上の兵隊とが飛行の様子について話し合っている様子が見えました。その側には憧れの飛行機が停まっていました。近づけば警備員から叱られる危険があるとしても、あの機体に手を伸ばして触ってみたいという欲望を抑えることはできませんでした。何か飛行機が放っている魔法に取り憑かれたように思いました。

初飛行をきっかけにして日本の飛行機が頻繁に着陸するようになりました。するとこの桃園上空に奇妙な形をした飛行機が現れるようになりました。アメリカの双頭型のP-38型の偵察機です。その後に米軍の戦闘機が爆撃を行うためにやってきました。小学生の私はいろいろと形の違う飛行機に興味を持ちました。P-51ムスタング、P-47サンダーボルト、B—25ミッチェル爆撃機などです。これらを観察しているうちに、飛んでくる飛行機の形や音で機種を見分けることができるようになりました。

私は自分の目で、八塊飛行場で起こった事件を目撃しました。米軍の戦闘機が日本の輸送機を捕らえて銃撃しながらやってきました。輸送機はたちまちやられて飛行場に下りて来ました。被弾した日本の輸送機は、着陸直後すぐに火に包まれて燃え始めました。すると機を覆っていたアルミニウムが溶けて一帯の地面に落ちたのです。それを見ていた人々は周りに集まってきました。そして金属の破片を手に手に取って家に持ち帰っていったのです。その結果、飛行機はもう骨組みだけになってしまいました。日本軍はその全部の残骸を飛行場の片隅に運んで積み上げていました。

米軍の攻撃にさらされた台湾人は、皆この空襲に苦しめられました。攻撃が始まると誰もが防空壕に逃げ込みました。ところが八塊地区に衝撃が走るほどの事件が起こりました。ある母親は空襲に遭ったときに大きな防空壕に入りたかったのですが、他の人々はその子どもを嫌っていました。親子は、外にいたままだとアメリカの爆撃機B-25に見つかって爆撃される怖れがありました。それで近くの岩穴に隠れ潜みました。が、十分に身体を隠すことができませんでした。やってきた戦闘機の機銃掃射によって女の子は撃たれて死んでしまいました。また母親は片足を機銃で吹き飛ばされてしまいました。彼女は痛がって叫び声を上げていました。機銃掃射でこんな重い傷を負ったのは初めてのことでした。ところが負傷した者を手当する医師もいませんでした。私は、貧しい女性を救おうとあり合わせの醤油を傷口に塗ってあげている人を見ました。しかし、そんな手当では助かろうはずもありません。

爆撃の恐ろしさに加えて、さらに危険な物体が八塊地区にもたらされました。当地に現れた米軍の飛行機は超低空で攻撃してきてパラシュート爆弾を落としていきました。もともとは爆撃機自体に不用意な損傷を与えないようするためのものでした。すなわち爆弾が地面に着いてから爆発するように減速パラ

シュートが仕かけられたものです。その投下された落下傘の布の紐がよく竹林の枝や家の角に引っかかったままになっていました。落下傘は絹でできています。もったいないとそれを取り外そうとすると衝撃で爆発して怪我を負ったり、死んだりする場合もありました。これによる事故が多発しました。絹への好奇心が人を殺してしまうことがあったのです。

（劉 文孝「桃園八徳機場的回憶」『全國第一本圖繪式軍警消雑誌』二〇〇八年八月二十日号）

戦争も末期になってくると航空戦が主力となってくる。ゆえにこの頃では「航空優先」というのが合い言葉となっていた。八塊陸軍飛行場もそういう流れの中で、昭和十九年（一九四四）になってすぐに建設工事が始まった。広大なサトウキビ畑がたちまち伐り倒された。

同じようなことが内地でも始まった。全国各地に飛行場が作られた。命令は突然である。村役場に各部落の長が集められる。軍の係官はさっと飛行場の図面を広げ、「飛行場を作ることになった！」と居丈高に言う。農地は農民にとっては命だが、借り上げ価格は低廉だ。それに文句は言えない。瞬く間に工事は始まった。八塊でも同じことが起こった。公学校の生徒や学童も動員された。

「飛行場でだいじなのは水はけですね。ですから側溝工事をやりました。そのときに穴を掘ったり、小石を運んだりしましたね」と邱さん。

この土木工事で機械のロードローラーが使われたというのは興味深い。普通は人海戦術である。建設過程でこの飛行場の位置づけが変わったことを証明するものである。不時着用であれば滑走路面は簡易的な作りでよい。だが、戦闘機が離発着するとなると滑走面を頑丈にしなくてはならなかった。

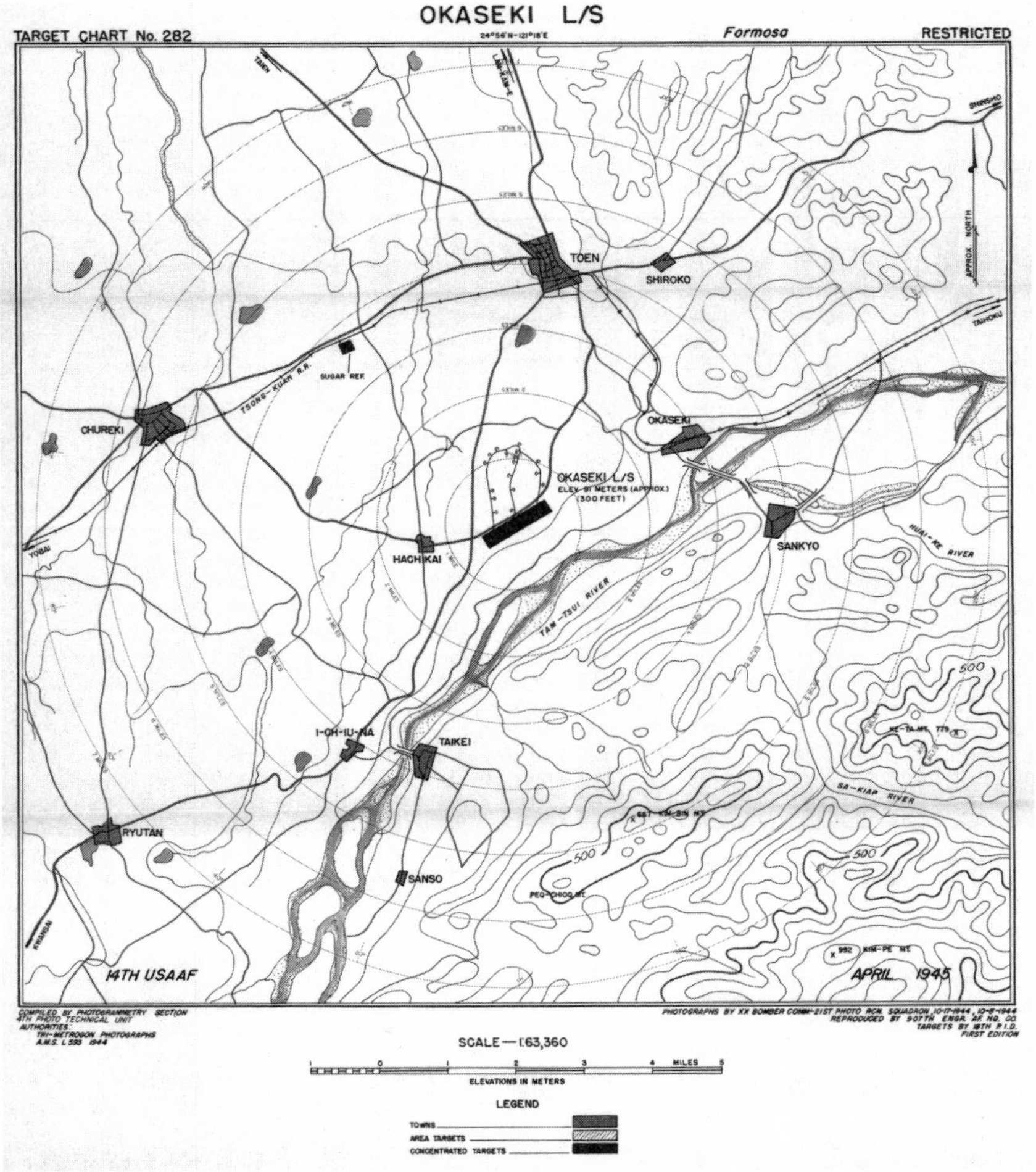

米軍 Target_Chart_八塊（NARA／提供）OKASKI は八塊

余慶堂（邱 垂宇さん旧居）

当初は、献納飛行場には、簡易的な滑走路が作られる予定だった。しかし、途中から方針が変わってL字型の風対策を施した飛行場が作られた。邱 垂宇さんは滑走路の長さが一五〇〇メートルあったと言っていた。

台湾総督の安藤利吉はこの飛行場の開港式に出席するためにきた。台湾の最高指揮官の来訪、飛行場としての重要性がこれによってもわかる。

安藤利吉が台湾総督になったのは昭和十九年（一九四四）十二月三十日である。とすれば開所式は二十年早々に行われたということになる。八塊陸軍飛行場は十九年始めに着工した。そして十カ月かかった。それが年明けなのだろうか。邱 垂宇さんは総督が台北から車列を連ねてきたときの光景を印象深く覚えていた。台湾総督を乗せた車には星があしらわれた車旗がついていた。金色の旗をはためかせながら通って行った。

飛行場は開港し運用され始めた。邱 垂宇さんは、自宅の家が飛行場から二キロほど離れていたと言う。ここに防空壕が掘られた。また、後で出てくるが邱家の敷地の竹藪にも戦闘機が二機秘匿されていたと言う。この台湾の航空作戦を取り仕切って

いたのは第八飛行師団だ、戦闘機の「分散秘匿」はこの師団の戦略だった。参謀だった川野剛一氏は次のように述べている。

優勢な敵に対しては、制空権獲得のための戦い―邀撃―は飛行師団においては特に必要と認める場合の他一切実施しない。敵機の攻撃に対しては徹底した分散秘匿により損害の皆無を期し、全力を敵の上陸船団に指向する

（『あ、台湾軍――その思い出と記録』台湾会、一九八三年五月）

戦闘機は飛行場から遠く離れたところに秘匿し、いざという時だけに使用するという考えであった。八塊では飛行場周辺に機を隠し、敵機の目を逃れていた。機の運搬には人手がいる。それで多くの地上要員を配置していた。

「第八飛行師団展開配置要図」（『戦史叢書』附図）を見ると八塊には七百名の人員が配置されていることがわかる。昭和二十年五月頃のことのようだ。

八塊陸軍飛行場は十九年初頭から建設が始まった。『不沈空母　台湾島内飛行場百年発展史』（洪到文著自費出版　二〇一五年）では、経緯が次のように記録されている。

依照戦後國軍接収時記錄・該機場完工於1944年10月・土地所有權包含州有知與民有地・場内主跑1，500m、寬200m、厚20㎝、可載重量為15噸。整座飛行場面積1，280，000㎡、土質為粘質。標高131，5m。有疏散滑行道全長4，500m（寬7m）・掩體27個。整座機場無通訊設備。排水不好。

也無水電供應。更無夜航設備。但國軍接收時。這座八塊飛行場卻是屬於跑道碾壓後可使用的狀態。惟疏散滑行道不可使用。

後で紹介するが、この記録は中国側に飛行場を返還するときに作られた台帳に基づいているようだ。これによると空港は一九四四年十月に完成し、土地の所有権には州有地と民間人所有地とが含まれていた。飛行場全体の面積は一二八万㎡で、土壌は粘土質。標高一三一・五m、長さ四五〇〇m（幅七m）の避難誘導路、二十七基の掩体壕を備えている。飛行場全体には通信設備はない。水はけが悪い。電気も水道もない。夜間飛行用の照明の設備もない。しかし、国軍が接収した時、八塊飛行場は滑走路が潰れてはいたが使用可能な状態になっていた。使えなかったのは避難誘導路だけである。

この記述の中に「掩體《えんたい》27個」とある。いわゆる掩体壕《えんたいごう》のことだ、コンクリート製の格納庫である。空襲から機を守るためのものだ。飛行場が十月に完成したとたんに米軍に察知され、敵機が来襲してきた。その後もたびたび襲われた。壕は爆撃されてほとんど使えなくなったのではないか。それで第八飛行師団は機の分散秘匿を指示した。その具体例が邱家の竹藪に隠された戦闘機である。

八塊飛行場が完成したのは昭和十九年（一九四四）十月だ。完工時に本部から点検のために飛行機がやってきた。邱少年は飛行機を間近にした初めての経験である。そのときの思い出を邱 垂宇さんは語っている。

この場面はとても印象深い。この逸話は私の想像を強く刺激した。それで当初、タイトルを『台湾八塊陸軍飛行場――特攻隊長と少年の物語』にしようと思ったほどだ。物語の核心とも言える。

しかし、美味しいものは後で食べたいという心境である。この場面は後ほどゆっくりと紹介しよう。

邱垂宇さんは敵襲を受けた輸送機のことを書いておられる。だが、これは艦載機に追われた機だったという。空中で襲撃を受け被弾したらしい、それで不時着をした。機は爆撃を受けて燃え、アルミが付近に飛び散った。アルミは貴金属だ。めざとく見つけた人が競って拾っていった。日本でもB29が落ちたときハサミを持って現場に駆けつけた人がいたという。

飛行場ができたら危難に見舞われることを住民は想定していなかった。しかし、偵察機によって八塊飛行場が察知されて以来、敵はたびたび空襲してきた。艦載機は人影を見つけ次第銃撃してきた。多くの住民が狙われた。女の子を抱えた母親は防空壕に入りたいが入れない。それで岩陰に身を潜めていた。そのときに子どもは撃たれ死んでしまい、母親も重傷を負ってしまった。

落下傘爆弾は、ジャングルに潜む日本兵を倒そうと考えられた。低空飛行で飛んできて目標を見つけるとこれを投下する。低空では自機も爆発に巻き込まれる。それで落下傘をつけて落下速度を遅くして危難を逃れる。なぜこれを使ったのか。敵は「分散秘匿」を察知していた。一帯の林の中に隠されている機を狙って落下傘爆弾を投下していたのではないか。これに地元民が巻き添えを食った。アルミと同じように絹は貴重だった。

私は、邱垂宇さんとは何度か電話のやりとりをした。

「あなたは、一つ一つの目撃が何時だったかを聞かれますが、子どもの頃の話で何時とは覚えていないのですよ。でもね、中学生だった兄は日記を書いていて具体的な日にちを記録しています。それを送りますから……」

そうして送られてきたのが「邱垂棠回憶録――足跡」だった。ここには「八塊大空襲」として一九四五年五月三十一日の空襲のことが詳しく記されていた。

五月三十一日、多数のB-24重爆撃機が台北を攻撃して南下し、八塊や新竹の飛行場を標的にして襲ってきた。私は、そのときは、裏の堀で釣りをしていた。家で診療所を開いている鈴木大尉が心配して見にきてくれた。

空襲警報が鳴って間もなく、飛行機の爆音が聞こえてきた。顔を上げると二十機以上のB-24が群れをなしてこちらに向かってくる。鈴木大尉が警告を発した。

「危険だ。爆撃が始まったら隠れろ」

それで近くの防空壕に走った。すると機体から投下された爆弾の尾翼が「スゥーッ！」と音を立てて落ちてくる。「スゥーシュ！」、機体から落ちてくる爆弾が回転する音。慌てて防空壕に逃げ込んだ。中では、男性も女性も子どもも手を合わせて「北港媽祖婆様、觀音媽様、私たちを守ってください」と神々の名を唱えては手を合わせていた。やがて防空壕にいる一人が、「ここに日本兵を連れてきたから、やつらはそれを見つけて爆撃してきたんだよ」と非難した。しかし防空壕を作ったのは日本兵だった。だから、私は文句をつけることはしなかった。

やがて米軍機は南に向かい、いなくなった。それで防空壕を出ると地面一面に爆弾の破片が飛び散っていて、それらがまだ熱を帯びていた。もしシェルターに隠れていなかったら、死傷者が出ていたかもしれない。

家に帰ると、診療所には負傷者が運び込まれていた。兵士は腕を怪我した少女を抱えていた。爆弾で細切れになった太ももに赤い肉片と皮がぶら下がったままだった。軍医と看護婦の姉とが縫合手術をした。負傷した軍人や民間人が次々と治療にきた。鈴木医師は、軍人、民間人を問わず全員を平等に治療した。

今回の空襲で最も被害が大きかったのは、呂姓の祖廟がある三元寺の裏手、路地前の一帯である。琉球小路から台湾にきたお年寄りや子どもたちがたくさん犠牲になった。

死者は検死を待つために警察署前の広場に運ばれた。B-24の爆撃の狙いは、八塊飛行場であったが、爆弾は遠く離れた民家に落下し、被害を受けた。

今回の空襲は経験となった。防空壕はさらに深く掘り、上には厚い土をかぶせたことだ。

八塊飛行場へは前年十月に飛行場が完成した頃から艦載機がたびたび襲ってくるようになった。この五月三十一日のB24爆撃機による空襲は邱 垂棠さんが「八塊大空襲」と書いているが、大規模なものであったようだ。

この五月には八塊陸軍飛行場から二十四機の特攻機が出撃し、アメリカ軍の艦船群に被害を及ぼしていた。このことに対する一種の仕返し攻撃だったようだ。

## (2) 飛行員房客(戦闘機乗りとの出会い)

邱 垂宇さんの証言の続きだ。

戦争末期になると日本軍は台湾での制空権をすっかり失ってしまいました。それで八塊飛行場に駐機していた戦闘機は敵機に狙い撃ちされるのを恐れたのです。それで人力によって引っ張って行って近隣の林の中に昼間は機体を隠していました。夜になってようやくそれを引き出してきました。積載する弾薬については近隣の寺院の建物の中に積み上げて隠したのです。長くて大きな魚雷もここに隠したのですが、付近の住民は「大きな爆弾」の暴発を恐れて、これを他の場所に移してくれるように日本軍に懇願しました。

私の家、邱家は飛行場から二キロほどの所にありました。家の側には竹林があるだけでなく、いわゆる「国語の家」(家族全員日本語が話せる)であるため、日本軍によって戦闘機の秘匿駐機場として、また飛行操縦者の宿舎として選ばれたのです。日本軍は戦闘機を隠すようにしていましたので、格納庫とか宿舎を建てるようなことはしませんでした。それで邱家のようなところが駐機場、宿舎として使われたのです。

邱家は十一人の子どもたちの他に戦闘機の操縦士が三人も寄留していました。

操縦士たちは家では寝るだけで、食事は弁当を持ち込んでいました。彼らは何と言っても風呂好きでした。それで彼らは自分たちで大きなオイルドラム缶を持ってきました。そして邱家の井戸から水をくみ上げ、浴槽に入れてこれを薪で焚いて湧かしていました。底が熱くなるので板を敷いてその風呂に気持ちよさそうに入っていました。

日常生活では邱家の家族と彼ら操縦士はとても親しくしていました。その頃は食糧も乏しく配給制でした。彼らが豊富に持っていたのは煙草でした。もらった煙草にお返しができるのは邱家では「龍の髭飴」というお菓子でした。彼らが持っているものには信じられないものがありました。それは乾燥バナナでした。バナナが豊富な台湾では考えもつかないものでした。

思い出深い出来事があります。家に泊まっている操縦士たちが邱家の子どもを八塊小町にある「酒保」(倶楽部)に時々連れて行ってくれました。私にはそこに行ったときの最大の楽しみがありました。それは甘い小豆の入ったお汁粉を飲むことでした。もう一つあります。八塊飛行場の日本軍は飛行機の部品を入手するためによく鶯歌にトラックで行っていました。ぜひ乗せて行ってくれと頼み込むとトラックに乗せてくれました。トラックの運転席から景色を眺めることは大きな楽しみでした。ときどき道ばたで遊んでいる子どもたちと出会いました。みんなうらやましそうにこちらを見ていました。

あのときの戦闘機の操縦士たちの多くはまだ十代の少年飛行士でした。最年少は十七歳くらいでした。しかし、まだ十歳だった私には全員が力強く背が高く随分と大人に見えました。日本軍は竹林に戦闘機を秘匿していましたが、いざというときに備えて飛行機のエンジンテストをしなくてはなりませんでした。これから飛行機の点検に行くというときは子どもたちには絶好の機会でした。「連れて行って!」と頼むと連れて行ってくれました。竹林へと向かう彼らの後をついていくときの嬉しさといったらありませんでした。飛行機のところに着くと点検した後にエンジンをかけました。「てんぱ回し」と言ってクランクを回すのです、重いそれを何度か回すとエンジンから青色の煙がでてきました。私たちはその匂いを嗅ぎました。エンジンが無事にかかったときには彼らは上機嫌です。「操縦席に乗っていい?」と恐る恐る聞く

と、「いいよ。でもな、操縦桿とかに触っちゃだめだよ」と。胴体の赤い日の丸のところにステップがあってそこに足をかけると翼に乗れました。足がそこに着くとどきどきするのです。操縦席に入るとガソリンが匂いました。席に座ると、前には文字盤が光る計器がいくつもありました。座るともう有頂天になって、飛行機は飛ばないが心は空に飛び上がっていくようでした。

「いいかお前たちも大きくなったら飛行機乗りになれ、空を飛ぶと気持ちいいぞ」

少年飛行士はそんなことを言って笑っていました。

彼らは子どもたちにはとても優しく接してくれました。しかし、本当は余裕がなかったのです。自分自身の身を守ることが難しかったようです。やはり年端が行っていなかっただけに訓練が十分ではなかったのです。日本からこちらへ来ても訓練は十分にできません。昼間は米軍機が襲撃にやってきます。それで訓練飛行はできません。夜になってようやくこれができたのです。しかし、夜間訓練は未熟な操縦者にはとても困難でした。有視界飛行は危険が伴いました。私は日本の戦闘機が大溪の河原に墜落したのを見ました。また私と同級生は滑走路の端から数百メートル離れた場所で亡くなった操縦士の追悼式に参加しました。誰もが「〇〇伍長、〇〇曹長殉死の地」と書かれた標柱に野の花を摘んで捧げました。滑走路の近くにそんな「戦死」した場所があるのはなぜでしょうか。滑走路からの近さを考えると飛行機の離着陸の瞬間に起こった墜落に間違いないと私は思いました。

邱 垂宇さんが証言をしている一連のエピソードは、八塊陸軍飛行場の歴史を語るものとしては貴重である。この飛行場の全貌はよくわからない。しかし、ここに述べられている一つ一つの事例は飛行場の全

体像を浮かび上がらせてくれる。

先に飛行場は昭和十九年（一九四四）十月に完成したと述べた。翌年の八月十五日に敗戦を迎える。日本軍の飛行場として機能したのはわずか十カ月あまり、短命であった。この間にどんな出来事があったのかが証言されている。そのエピソードがいつのことであったのかまではわからない。しかし、それぞれのことが詳しく記されていることから時期は類推できる。

十月に開港した八塊飛行場には二十七基の掩体壕があった。ところがこの月に日米による台湾沖航空戦があった。この戦いに当たって十月十二日アメリカ軍の第三艦隊は台湾に延べ千三百七十八機を投入して大空襲を行った。偵察機による空撮によって八塊の掩体壕は知られていた。ここも襲撃目標になったと思われる。

空襲は三日間続いた。第八飛行師団の参謀だった川野剛一氏はこう述べている。「台湾にあった格納庫をはじめ飛行場付属施設は、三日間の空襲によりその大部が破壊されてしまったのであったが、これらの施設は初めから当てにしていなかった。師団としては、なんの未練もなかった」と。

第八飛行師団としては飛行場の付帯設備が空襲によって使えなくなる。それは計画として織り込み済みだった。策があった、いわゆる分散秘匿である。先を見通していたからである。その戦略について参謀はこう記している。

飛行師団の作戦構想を実現するための前提となっていた飛行機、燃料、弾薬の秘匿位置は、滑走路を中心として半径八キロにもおよんだが、敵の綿密な写真捜索から発見されないため、自然のままの道路や、

地形を変更しないようにつくられていた。

そのため出動、帰還のたびに、人力によって、飛行機を破損しないように搬出入しなければならなかった。これに任じたのは航空地区部隊と、これに配属された台湾出身者による警備工兵隊であった。飛行師団の作戦が計画どおりに実施されたのも、いまは異郷の人となった彼らの献身的努力に負うところが大きかったのである。


（『特攻の記録――「十死零生」非情の作戦』「丸」編集部編、NF文庫、二〇一一年）


戦略としての「分散秘匿」である。飛行場に駐機はできない。台湾は制空権を失っていた。丸裸の飛行場は敵に狙い撃ちされる。これを避けるために人力で機を引っ張って行き、林中にこれを隠した。が、これには人手が要った。記録で八塊には航空地区部隊の隊員が七百名いた。その他に現地人を雇った警備工兵隊もいた。飛行場としては大所帯だったといえる。

邱家には三人の飛行士がやってきて宿舎としていたという。特攻隊員だろう。八塊からの彼らの出撃は五月である。特攻出撃までの待機中のことであった。これらを勘案すると時期は四、五月頃であったと考えてよい。

「飛行員房客」では、邱 垂宇少年と特攻隊員とが深く関わり合ったことがよくわかる。若い隊員が竹林に分散秘匿されていた戦闘機の点検に行く。彼らの挙措動作から少年たちは敏感に察した。この機会を逃してはなるまい。

「ねぇ、連れて行ってよ！」

少年たちは懇願した。その気持ちはよくわかる。戦闘機を間近で見てみたい、機に触れてみたい、男の

子だったら誰だって願っただろう。

陸軍松本飛行場のことを取材していたときに出会った人がいる。彼は松林に秘匿してあった戦闘機を見に行った。往時国民学校六年生だった。

「そのとき一番心配だったのは憲兵に見つかりはしないかということでした」

鬼よりも怖い憲兵が見張りをしている。それでも飛行機を見たいという欲望には勝てなかった。恐る恐る林の中を探して行くと、戦闘機はあった。

「見つけたとたん、もう夢中になりましたよ。プロペラだとか尾翼だとかを手でペタペタと触りまくりましたね」

一方、こちらは台湾の少年だ。機の整備が終わった。少年たちは目を輝かせている。

「乗ってみるか?」

待ちに待っていた言葉である。そのときの邱さんたちの様子が思い浮かんでくる。まず主翼に乗る。柔らかいと思っていた翼が硬い。ドキッとした。操縦席に乗り込む。丸い計器が幾つも並んでいる。

「これが速度計、そして高度計、その隣が油圧計……」

教えてくれるが覚えられない。

「目の前にあるのが操縦桿」

「さわっていい?」

「ダメ、ダメそれはダメだ」

操縦桿は目を近づけて見るだけにした。それでも心臓がドキドキしてきた。

機に乗り込んだ少年たちの熱い眼差しが想像できる。計器を見たり、操縦桿を間近にしたり、少年はどれほど心をときめかせたろうか。とくに邱垂宇さんにとっては感慨深い。飛行場の造成に加わり、飛行機初着陸を目撃した。そして今度は自身が操縦席に乗っている。大空への夢がこうして花開いていったのだろう。

「青い空を飛ぶとな、下界が見える。みんなちっぽけだ。それを眺めながら飛ぶと気持ちいいぞ。大きくなったら飛行機乗りになれ」

「うん、なるよ」

邱 垂宇さんはそう答えたのではないか。

「私は、竹林に隠されている戦闘機に邱垂宇さんが乗るという話にはとても感銘を受けました。機種を想像しましたよ。単発で復座、それに固定脚、九九式襲撃機だったと思うのですよ。八塊から出た多くが九九式だったのでそう思ったのですよ」

私は、邱垂宇さんと電話で話したときにそう言った。

特攻隊員たちの多くは少年飛行兵だ。いわゆる少飛を出たばかりの者たちだ。見た目には大人びてはいた。しかし、操縦技量は十分とは言えない。

昭和二十年四月五日、九州新田原に滞在していた隊はいよいよ台湾に向けて旅立つ。が、陸軍新田原飛行場を出発するに当たってのことだ。

飯沼伍長の飛行機（キ五一）が不調で技量の充分でない同伍長には少し危険なので、出発を遅らせない

為に鈴木中尉が代わって運ぶことになりました。九時誘導機の離陸に続いてキ五一、十四機が出発。飛行場には福澤大佐等の将兵が整列し、手を振りつつ武揚隊の門出を見送っておりました。

（菱沼俊雄手記「山本薫君の御霊前に捧ぐ」昭和二十五年五月）

武揚隊の飯沼芳雄伍長は少年飛行学校十四期生だ。機に不慣れなので鈴木中尉が代わって操縦した。彼はベテランだ。飛行第一〇八戦隊の中隊長の鈴木盛雄中尉である。彼は台湾に渡った後も操縦に不慣れな若い隊員のことを気にかけていたようだ。

昭和二十年五月になって八塊から沖縄へ向けて特攻機が飛び経つ頃になって若い飛行士の特訓を行っている。陸士で同期の菱沼俊雄氏はこう記している。

このころから鈴木中尉は、桃園の南方一〇キロのところにある八塊飛行場で、夜間訓練を開始した。経験のすくないパイロットたちを、作戦任務の合間に教えるわけで、われわれは彼を「八塊陸軍夜間学校校長」と冗談に呼んでいた。

（『証言・昭和の戦争　壮烈「重爆戰隊」炎の空に生きる』光人社、一九九一年）

八塊陸軍飛行場には特攻隊員が待機していた。この多くは速成教育を受けてようやく操縦士になった者たちである。技量が充分ではなかった。特に少年飛行兵たちだ。飛行機乗りに大切なのは飛行時間である。飛ぶことで技量は磨かれる。だが、これが充分ではなかった。特攻機では目的の艦船に辿り着くことが重要だ。これすらも危ういがゆえに鈴木中尉は彼らの訓練を行った。

これに飯沼伍長は参加したに違いない。昼間に行いたいところだが日中は敵機に襲われる。林の陰に秘匿していた機を出しては夜間訓練を行っていた。

この引用の後に菱沼氏は八塊国民学校での隊員の生活の一端を記している。

その鈴木中尉が朝、双練で飛来し、夕刻、帰還まぎわに、「ぜひ、見にこい」というので、戦隊長の許可を得て、私も同行することにした。

八塊飛行場につくと、トラックで八塊国民学校に向かった。

この学校には航空分廠の出張所員や独立整備中隊が入っており、誠三十一（武揚隊）隊員は学校に隣接した（というよりも構内にある）先生の宿舎を借りていた。鈴木中尉も隊員として同宿していたので、その夜は、私も彼らと同室することになった。

食事は、缶詰などにしても、桃園よりはいくぶん粗末な感じがした。それでも給仕に当たる当番兵の態度は、特攻隊員にたいしてベストをつくそうという誠意があらわれていて、見ていて気持ちがよかった。

夕食後はパイ缶を開けたり、菓子を食べたりしながら、武揚隊員と交歓し、隊長の山本薫中尉などとも大いに語り合った。また、高畑保雄少尉の作詩・作曲になる武揚隊歌も教わった。みなと合唱したが、なかなか立派なものだった。（同上書）

まず期日を押さえておかねばならない。武揚隊が出撃する前だから四月末から五月初旬にかけてのことである。八塊国民学校の様子がこの記述でわかる。飛行場に関わる兵員がここを宿舎として使っていた。

まず航空分廠の出張所がここにあったことは重要だ。陸軍航空廠は台湾の屏東にあった。これを二十年三月に第八飛行師団は北部台北に移転させた。その理由が次のように述べられる。

師団が第五野戦航空修理廠を屏東から臺北に移転させた理由は、複郭地帯（注　守備部隊が防戦の末、最後に立て籠もる場所）の中に修理補給機関の主力を持って、航空自活の道を講じようというにあった。すなわち在臺灣航空部隊が最後に立て籠もる所は臺北である。敵が臺灣に来るとすれば、おそらくまず南部に来る。沖縄に来た場合にも、南部は航空部隊を配置すべき場所ではない。強力な第四分廠が臺中にあるから、南部の修理補給はこれで足りる。臺灣航空部隊の最後の一機が飛ぶのは臺北であるから、修理補給の主力は当然臺北に持ってこなければならない。

（『戦史叢書』三六七頁、航空修理補給機関の臺北移転）

戦争も末期になって大勢が見えてきた。台湾を全方位的に守ることは困難になってきた。それでどこに陣取ってどう戦うのかを師団は分析した。敵は南部から攻めて来る。そうであるならば背水の陣を台北に設けて戦う。敵が沖縄に来たとしても南部だと航空機を発進させる場合は遠くなる。これらを勘案して北部を死守することにした。

修理補給の機関を台北に移動する。八塊飛行場は台北のすぐ近くだ。ここはいわば橋頭堡ともなる。それで八塊の位置づけは高まったといえる。

ただ南部は放擲したわけではない。ここには整備などに長けている第四分廠が台中飛行場にあるからだという。この台中は南部というよりも中ほどにある。台中飛行場は昭和十一年に開港した台湾では古い飛

行場である。

台中には陸軍航空廠第四分廠があった。また八塊にもあった。とするなら宜蘭にもあったと考えてよい。この三飛行場には分廠があって多くの整備員がいた。飛行機は機種によってもだいぶ異なる。それで整備機種を分担していたのではないかと推測できる。特攻機の出撃機数である。台湾から出撃した特攻機の数上位三飛行場は、一位が宜蘭三十七名、二位が八塊三十二名、三位が台中三十一名である。宜蘭からの出撃機は一式戦や三式戦、台中からは四式戦が主流である。一方、八塊からの出撃機で一番多いのは九九式襲撃機である。中古機が多かったといえる。

八塊飛行場については特攻機と夜間降下爆撃隊には九九式襲撃機を用いた。誠第三十一飛行隊はこの機を使用している。この隊には発地である満州新京から整備兵が機付きとしてついていた。これを率いていたのは村上少尉である。彼と彼の部下は輸送機で八塊に来ていた。彼らは九九襲の整備のベテランである。そんなこともあって八塊には九九襲が配備されていたのではないかと思われる。

非常に興味深いことがある。特攻機を送り出した宜蘭と台中は昭和十一年（一九三六）に開港している公館飛行場である、公館は公共的という意味である。総督府が費用を出して作った飛行場である。

一方、八塊飛行場は戦争末期に突然に命令が下って作られた飛行場だ。献納飛行場である。地域の人々の労力奉仕によって作られたものだ。飛行場としての格付けは低い。ところが特攻機の出撃数からみても公館飛行場に劣っていない。むしろ重要な飛行場として位置づけられている。

理由は、戦況が変化したからだ。敵は南部から攻め上がってくると師団は考えた。それで台北を中心として防御態勢を固めることにした。北部一帯の飛行場が重要になってきた。たとえ、台湾ではなく沖縄に

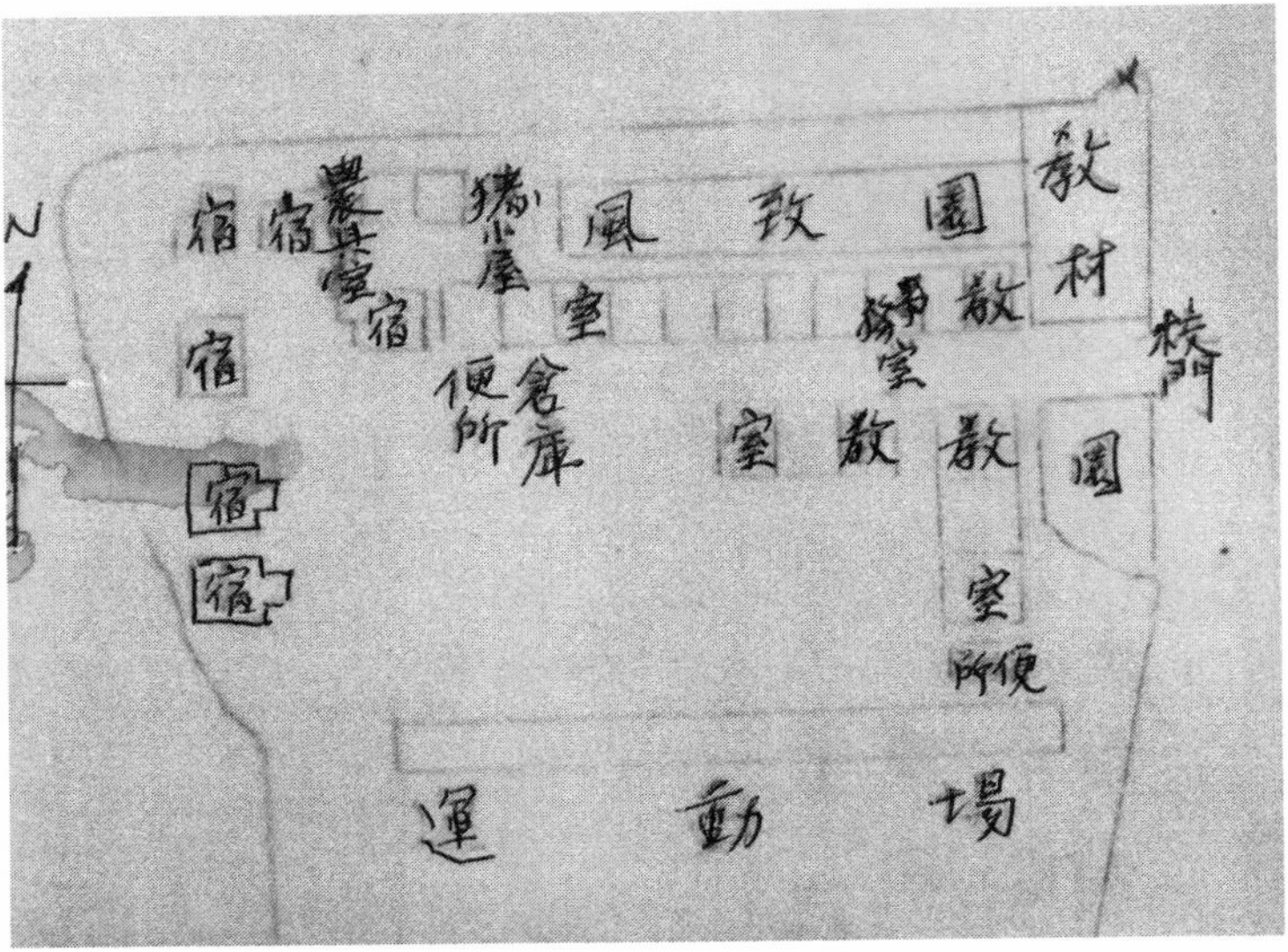

八塊国民学校校内配置図（桃園市八徳小学提供）

攻め上がってきたとしても、沖縄を攻撃するには北部の方が距離的にも近い。

またもう一つ加えるならば、これを行うのに八塊は好位置にあった。田園地帯である。飛行機、燃料、弾薬を隠すところは無数にあった。それで当飛行場は戦略的に重要な位置を占めるに至った。

ただ八塊は街ではない、田舎町だ。多くの飛行場関係者を宿泊させる場所に乏しい。それで狙われたのが学校である。そんな中で八塊国民学校は重要な宿泊施設として使われた。菱沼俊雄氏によれば、分廠の出張所員がいた。次が独立整備中隊である。整備中隊は、飛行機の機体や発動機の整備、修理を行う隊、独立中隊は機動的に運用された隊だ。中隊という場合百名前後の員数だが、独立中隊は機動的に運用されている隊である。半数として五十名程度だろうか。

これらに加えて特攻隊員たちも八塊国民学校を使っていた。これは教員用のものである。邱 垂宇さんは、現桃園市八徳国民小学に行かれて資料を得てこ

られた。その一枚に「八徳郷中心国民学校平面図」がある。これには往時の校舎の配置が示されている。「宿」と書かれた建物が六つある。これが教員用の宿舎である。これを武揚隊の将校が使っていた。下士官は近隣の一般家庭に分宿していたものと思われる。

学校の教室は十六あった。これらを整備中隊などが使用していた。在籍する学童たちは学校を日本軍に占拠されて使えない。それで学校から寺院などに机を運んでそこで授業を受けていた。しかしそれも空襲があって休みになることが多かった。

邱家に特攻隊員が滞在していたとのことだが、邱 垂宇さんとの電話では、「長い期間ではありませんでした。五月の一時だったと思います。ずっと終戦まで滞在していたのは軍医の鈴木大尉です」とのことだった。邱家に滞在していた兵隊たちのことは、兄の垂棠さんが「回憶録」に記している。

八塊飛行場の兵站部隊に所属する兵隊が我が家の大部屋を借りていた。軍需品の保管のためだ。これを管理していたのは下士官の伍長一人、もう二人は上等兵だった。彼らは礼儀正しく邱家の生活を乱すようなことはなかった。

父が家に帰ってくると軍用煙草をいつもプレゼントしてくれた。上官の伍長は四十歳でいつも故郷を思い出しては「赤城の子守歌」を歌っていた。残りの二人は、大学卒業前に徴兵された若い兵隊でとても陽気であった。

五月中旬になって兵站部隊が鶯歌鎮に異動になり家を出て行った。代わりに入ってきたのは航空隊の医療班だった。大部屋を診察室として使い、左側の部屋を鈴木軍医の寝室とした。ここは私が共有させても

らっていた。日中は医療のために飛行場に医療器具を持ち込んで、山田軍曹と根本二等兵などの衛生兵が薬を投与したりして施術を行っていた。また鈴木軍医の依頼で看護師経験のある姉が看護師を兼ねて働いていた。

診察に見えるほとんどはマラリア患者で、毎日午前十時頃から高熱が出始め、午後三時か四時になっても熱が治まるだけで、とてもつらい思いをしていた。治療はキニーネを投与するだけで、重症者のみ病棟に入院させていた。

八塊飛行場には二つのタイプの戦闘隊があった。一つは最新の戦闘機を使って敵機を攻撃する戦闘機部隊でパイロットは全員ベテランだ。この隊のリーダーの飯塚大尉は敵機を多く撃墜したが逆に撃墜されたこともある。不時着して機が炎上したのだろう、そのときに受けたひどい火傷の跡が身体に残っている。

もう一つは特別攻撃隊である。古い飛行機に爆弾を積んで米軍の戦艦に突っ込んでいく隊だ。毎晩、飛行場上空を飛んでいた。急降下を繰り返し敵艦に突っ込む練習をしていた。操縦者のほとんどが自分と同じ年齢の十七歳と十八歳の若者だった。いつも笑顔を絶やさず、出撃するときも見送りの人に笑顔で手を振って離陸していった。

邱家には八塊飛行場駐留の軍関係者が出入りしていた。その経過がここに記されている。特攻隊の滞在は期間が短かったと邱 垂宇さんは証言していた。

兄の邱 垂棠さんが言う夜間訓練はとても危険であった。急降下訓練も行ったのだろう。暗い中での有視界飛行はさらに危険度が高かった。滑走路からいくらも離れていないところで墜落事故が起こった。急

降下訓練では一瞬でも操縦桿の操作を誤ると地表に激突した。夜であればなおさらだろう。「〇〇伍長戦死の地」と書かれた墓標に邱 垂宇さんは野の花を手向けたという。きっと顔見知りだったのだろう。

年若い隊員たちは子どもには優しかった。彼らはすでに浅間温泉で多くの子どもにふれ合っていた。子どもが元気をくれることを知っていた。それで日本の子にも台湾の子にも優しくしたのではないだろうか。

邱 垂宇さんは、兄の垂棠さんが飛行場のことを覚えているから聞いてみると言われた。だが、二〇二〇年十二月に亡くなられた。ただ邱 垂宇さんは「兄はメシヌマのことをよく話していた」と言われた。それを聞いて私が即座に思ったのは「飯沼」さん、飯沼芳雄さんだ。

兄の邱 垂棠さんは亡くなられたが、重要な記録を残している。それは八塊陸軍飛行場の役割である。垂棠さんは、「八塊機場有兩個航空隊」と日録に記している。八塊飛行場には二つのタイプの戦闘隊があったと。

一つは戦闘機部隊であり、もう一つは特別攻撃隊である。第八飛行師団はこの両隊による攻撃を戦略として行っていた。当時第八飛行師団参謀だった川野剛一氏は「特別攻撃による一回だけの攻撃で終わってしまうのを惜しんで、その特性を生かして反復攻撃を命じた」と述べている。戦闘機部隊、川野氏はこれを「夜間降下爆撃隊」と呼んでいたと言う。これによる狙いは反復攻撃である。行って帰ってきてまた攻撃する、この爆撃隊の機種は降下爆撃を得意としていた九九式襲撃機で行っていた。しかし、反復攻撃も容易ではなかった。川野剛一氏はこう述べる。

九九式襲撃機の夜間攻撃をむかえた敵艦の対空砲火は、海面に火の海を現出するすさまじいものであっ

た。爆弾のほかに、航続距離をのばすための増補（燃料タンク）をかかえた九九式襲撃機は、被爆するとすぐ燃えるので、「九九式ライター」とさえ呼ばれた。

この鈍足、重武装などですでに旧式機となった機体に生命を託した彼らの攻撃ほど、勇気のいることは稀だったであろう。しかし、九九襲の夜間降下爆撃隊はその全機を失うまで、つまり死にいたるまで何度も反復攻撃をくりかえしたのであった。

（川野剛一「第八飛行師団『誠』特攻隊と夜間降下爆撃隊」『特攻の記録――「十死零生」非情の作戦』光人社、二〇一一年）

八塊陸軍飛行場の歴史はよくわかっていなかった。邱家の垂棠さん、垂宇さん兄弟が記録に残していたり、記憶していたりしていたことから今まで不明だったことがわかってきた。ここには二通りの戦闘隊がいた。一つは特攻隊である。

もう一隊は夜間降下爆撃隊である。昼間は制空権を敵に奪われているので出撃はできない。夜になってようやくこれが可能となった。機種は九九式襲撃機だ、これは五〇〇キロの爆弾を積み込んだ。加えて増補タンクも付けた。沖縄洋上まで行くためだ。九九式襲撃機は夜の闇に紛れて海上に展開している米軍艦船を攻撃した。その対空砲火は凄まじい。日本軍機を感知すると全艦が一斉に砲撃する。照明弾が何百発も打ち上げられる。空には光を受けた砲弾が群れ飛んだ。隙間もないほどだ。が、九九襲の操縦者は百戦錬磨のつわものだ。穴を見つけて急降下し、敵艦に爆弾を放りこむと急上昇する。危うく帰還した者、餌食になって死んだ者もいた。それでも彼らは繰り返し出撃して行った。そういう勇敢な夜間降下爆撃隊の隊員の名前は残っていない。特攻隊員たちは祖国のためによく戦ったと評されるが、こういう死闘を繰り

返した隊員は顧みられることはない。

忘れてはならないのは八塊陸軍飛行場を支えた裏方である。それは日本兵によって構成された航空地区部隊であり、台湾出身者によって組織された特別警備工兵隊である。

彼らは何をしたのか。まず戦闘機の搬出入だ。着陸した機にロープを括り付けて飛行場から離れたところにある林にこれを隠した。戦闘機に積載する燃料や爆弾も運んだ。

興味深いのは弾薬を寺院の建物に積み上げていたことだ。この中に「長くて大きな魚雷もここに隠した」とある。魚雷は形が違うのですぐわかる。筒型で長い、一目でわかる。「兵隊さん、こんなに怖いものを置かないでくれよ」と懇願したのもよくわかる。

これはいわゆる航空魚雷である、雷撃できる航空機は限られている。重爆撃機である。有名なのは爆撃機飛龍である。これが嘉義まで飛来してきたことは記録にはある。魚雷を積載できる爆撃機が八塊まできていたのだろうか。

陸軍八塊飛行場の位置づけが見えてきた。整理する。特攻機と夜間降下爆撃隊の出撃基地だ。それとももう一つが八塊陸軍夜間学校だ。これは飛行第一〇八戦隊の中隊長の鈴木盛雄中尉が操縦に不慣れな少年飛行兵を集めて夜間に学校を開いていた。

八塊飛行場では夜間に特別に飛行訓練を行った。それは容易ではなかった。夜間照明はもちろんない。想像できるのは、飛行場の幅と位置を示す火を点した篝火《かがりび》だ。これも地区部隊によって行われたのではないか。

八塊飛行場を基地としていた夜間降下部隊の機種は九九式襲撃機である。中古機であるゆえに整備は大

変だった。八塊には独立整備中隊が常駐していた。主に九九式襲撃機の整備を行っていたと思われる。ここから特攻機で三十二名が出撃している。誠第三十一飛行隊・武揚隊の使用機はこの九九襲である。未完遂機も含めると八機が使用されている。第七十一飛行隊の七名も九九襲である。八塊からの特攻出撃機は半数がこの機種である。九九式をここに集め、整備していたと考えてよい。

武揚隊は新京で発足したときは十五機だった。無事に機体が台湾に着いたのは三機である。特攻出撃に際して九九襲を使用したが、五機は当地で取得している。なぜ八塊にきたかということが、これで予想できる。その答えは簡単だ。九九襲が手に入れやすかったからだ。

## (3) 童年的偶像 (憧れの人との出会い)

邱 垂宇さんの話である。かけがえのない出会いの話だ。

当時、航空隊の隊員たちは一般家庭とか、学校などの公共施設を宿泊場所として使っていました。あるとき私を可愛がってくれていた担任の葉 承薫先生から誘われました。学校の宿直室を使っていた日本軍の将校のところに泊まらないかと。その人は山本 薫中尉です。葉先生は、「最初に出会ったときに隊長も私も名前が薫だとわかったんだ。名前が全く一緒だったことから気が合ったんだね」と。中尉は航空士官学校を出た人で、名門中学を出た先生とは話も良く合ったそうです。年若い将校はまだ二十いくつかでした。

操縦士の多くは飛行学校出の者が多かったのですが、士官学校出の操縦士は山本隊長だけでした。私は、最初に隊長と出会ったときのことを印象深く覚えています。その顔つき、話しぶりから八塊飛行場の操縦士の中でもとても勝れている飛行士であるように思え、私には憧れの人となりました。

当時、日本帝国は愛国的な教育を強力に推し進めていました。それで国家をあえて批判したり、機密になるようなことを話したりすれば「非国民」と言って非難されました。葉先生は山本薫隊長には敬意を払っていました。それで担任をしている子どもたちに、「我が国はあの人たちが守ってくれている。そのことを誇りにしている」と教えていました。先生は私に「君も将来パイロットになるとよいね」と言っていました。

あるときのことです。山本薫隊長が私に「さようなら」と告げました。帰国して新しい飛行機を台湾に持ってくるということでした。八塊を発って行ったのですが中々戻ってきません。それから二、三週間後に隊長はやっと八塊飛行場に戻ってきました。ところがハンサムであった隊長も形なし、手や腰に大きな傷を負っていました。台湾へ長距離飛行で戻ってくる途中でエンジンが火を噴いたそうです。炎に包まれた操縦席から脱出し、パラシュートで地上降下しました。幸いにも沖縄駐屯軍に救出され一命を取り留めて戻ってきたと聞きました。

山本薫隊長は工場出荷直後の新品の戦闘機を受け取りました。しかし、台湾に回送する途中でこのような重大な故障が発生しました。当時の日本の工業製品の性能が、原材料不足により取り返しのつかないレベルにまで低下していることがこれから容易に想像できます。

中国には「大難不死必有後福」という諺があります。「大変な困難にあっても死ななかったのであれば、その後必ず幸せが訪れる」という意味です。しかし、これは日本軍には役立ちそうにもありません。

一九四五年四月六日から、日本の海軍と陸軍は米軍に対して自らの命を持って体当たりをする特別攻撃隊を編成するように命じられました。その中には八塊陸軍飛行場に配置された隊も入っています。それは誠第百二十飛行隊、誠第百二十三飛行隊、誠第三十一飛行隊などです。五月上旬から連合国の艦船に対して、八塊から飛び発ち二度と還ってくることのない特攻攻撃を始めたのです。

沖縄を攻撃目標として桃園地区（八塊）から出撃する特別攻撃機は午後四時に飛び発ちました。日没直前に太陽を背にして飛んで米国艦隊に奇襲攻撃をかけると、敵側から発見されにくいという点があったようです。私が最も印象深く覚えていることは、操縦士たちは一括りの戦闘集団としてまとまって出撃して行きました。そしてその「戦士」が影形もなくいなくなってしまうのです。

またある日のことです。別の特攻隊員たちが邱家を訪れました。この隊の飛行隊長は出撃後に未帰還機となってしまったのです。そのことを知っている私の父親が「親なき子」だねと言ったのです。隊長がいなくなって皆は取り残されました。この言葉は残りの乗組員の気持ちに響いたようです。皆は気が沈みこんだようで黙ってしまいました。とても気が重いようでした。

五月十三日のことはとてもよく覚えています。

「五月十三日那天・邱垂宇發現連山本中尉也消失了!」

この日、山本薫中尉が特攻出撃して亡くなってしまったことを知らされました。きりりと引き締まった顔で敬礼をする姿が思い浮かんできました。とても悲しく思ったことです。

それは戦後のことです。山本薫中尉ととても親しかった恩師の葉先生が私に言いました。「山本薫中尉は私には打ち明けていたんだよ。『新聞は戦争では日本が優位に立っていると言うようなことを伝えているけれど、それをあまり信じてはいけない』と。……しかし、山本薫隊長は勇んで特攻出撃をして亡くなりました。勝利の望みがなかったけれども彼は自分を犠牲にして何とか国を助けようと思ったのです……」

私はその心意気をとても素晴らしいものだと思いました。

日本軍はこの桃園地区一帯で爆撃を受けたり、事故を起こしたりして犠牲者を多く出しました。米国も当地で事故を起こしました。私はそれを今でも鮮明に覚えています。一九四五年六月十五日のことです。米軍のB-25爆撃機が空爆するために当地に飛来してきました。私から十数メートル離れたところにも機銃掃射した弾が飛んできてとても怖い思いをしました。B-25は編隊を組んでやってきましたが、やがて爆撃を終えて飛び去っていきました。そのとき遠ざかっていた一機が急に煙を吐いて墜落しました。それは大溪へ行く道の途中辺りのようでした。一帯でこの様子を見ていた人たちはびっくりしました。大変だということで老いも若きも皆手に手を取って墜落機を見に現場へと走りました。

私は墜落地点の松樹腳のふもとの池まで走っていきました。その池の中にB-25の機体の半分が水に浸かっていました。アメリカ人五人の遺体が飛行機から運び出されて池の縁に並べられていました。日本人は普段「鬼畜」と呼んで憎んでいるので、彼らが着ていた飛行服はすべて脱がしてしまいました。私は、遺体にかぶせてある筵を剥ぎ取って米国人がどんな素顔をしているのかとても見てみたいと思いました。

日本軍は米国人が着ていた飛行服から自衛用のピストルや地図などを没収しました。私は機関銃の銃弾

ベルトから銃弾を抜き取って記念に持ち帰りたいと切に思いました。このB-25は非常に低いところを飛んでいて墜落してしまいました。ちょうどそこには高圧線が走っていました。目撃していた人たちはこの線に機体を引っかけて墜落したのだと言っていました（米軍の犠牲者は大溪と桃園の間の崎頂というところに埋葬されました。戦後、米軍は調査団を派遣して遺骨を掘り起こしそれを本国に送還させました）。

一人の青年将校との出会いが邱 垂宇の人生を決定づけた。運命の出会いだ。少年は飛行場の建設に携わった。どんな飛行機が飛んでくるのかと思った。二機の偵察機が飛来してきて有頂天になった。そして五年生になった四月、一隊を率いる隊長を知った。山本薫中尉だ。担任の先生と隊長とは薫という名で一緒だった。それがきっかけでもあった。

山本薫隊長は強面だった。年齢は若く二十三歳、満州新京で特攻隊の編制式が行われ、その後、満州国皇帝に拝謁をした。皆、自分たちにかかっている期待の大きさを感じた。若い隊長はなおさらだった。自身が隊員十五人を監督し、統率しなくてはならない。新京を出発して、点々と寄航しながらやっと陸軍松本飛行場までやってきた。機体改造のため四十日もここで過ごすことになった。隊員にはきちんとけじめをつけるように指導した。子どもへのサービスとして旅館上空で宙返りをした隊員をこっぴどく叱りもした。子どもが近づいても「そんな暇はない」と言って退けた。近寄りがたい存在で「隊長さんは怖い人だった」とその印象を語る。

時が来て隊長は松本を発った。だが、台湾に辿り着くまでは大変だった。渡台する過程で事故に遭った。九死に一生を得て八塊に辿り着いた。危難を経て隊長は一皮剥けた。角も取れた。浅間では子どもに対し

てつっけんどんだったが、邱少年に対しては優しかった。表情も穏やかになったのだろう。彼には隊長がまばゆく見えた。

邱 垂宇は彼が軍刀を手入れしているのを目撃した。刀身を抜いて、これにぽんぽんと粉を付けた。そして綿でゆっくりと拭いた。そして、拭い終わると刀身を目の前に上げてにらんだ。心根込めて軍刀を磨くさまを見て、少年は心打たれた。飛行隊長は憧れの人となった。

「操縦も腕が立つらしいよ」

葉先生はそう教えてくれた。

「音だね、風防に音が当たるんだ。風の音だ。その強さとか向きが大事だね。曇っているときはとくに大事だ。耳で音を聞き分けて操縦桿を握る……」

雑談しているとき、隊長は葉先生にそんなことを言っていた。邱 垂宇は空には別世界があると思った。

山本隊長が新しい飛行機を受領に本土に行ったというのは初めて知ったことだった。飛行機が欲しいというのはよくわかる。本土を飛び発って台湾に辿り着くまでにはとんでもない苦難に遭遇した。十四機で松本飛行場を飛び発ったが八塊まで辿り着いたのはたった八人だった。機体は敵機と遭遇し失った。三機だけが無事だった。乗機が欲しいというのは切実だった。それで本土まで機体を受領に行ったのだろうか。

山本中尉は渡台途中敵機に遭遇し、与那国島に不時着した。菱沼俊雄の手記によると、四月二十日に彼の姿を桃園で見かけている。八塊へきたのはその後であろう。そして五月十三日に出撃している。隊長が八塊にいたのは二十日間ぐらいであったはずだ。それで二、三週間留守にしたというのはあり得ない。数

日後に戻ってきたということだろう。どこまで行ったのかはわからない。ともあれ台湾に帰る途中で、沖縄辺りでエンジントラブルを起こしパラシュートで脱出をした。そのときに大きな傷を負ったという。負傷した姿は邱少年の記憶に鮮やかに残ったのだろう。

六月十五日のB25の墜落については、邱 垂宇さんのお兄さんも日記「邱 垂棠回憶録」に書き記している。

六月十五日の正午過ぎ、B25爆撃機の編隊が突然に空襲警報もなく襲ってきた。超低空で木々の梢の上を飛び、搭載火器のすべてで攻撃をし、そして落下傘つきの爆弾を投下して飛び去った。空爆の前兆がなかったために一家は防空壕に身を隠す暇もなく、家の壁の下に身を寄せた。幸いなことに、家族に怪我人は出なかった。

午後二時、埔項に米軍機が墜落したというニュースが入ってきた。私と弟の垂宇は現場に急いで駆けつけた。すると田んぼには百数十メートルも及ぶ滑走痕がついていた。その回りには墜落した飛行機の破片が地面に散乱していた。飛行機の胴体は大きな池の土手に横たわっていた。乗組員の胴体は半分水に浸かっていた。そこに大きな水ヘビがその胴体を通り過ぎて泳いで行った。

日本軍が調査に来て、知り合いの近藤曹長が、乗組員が持っていた狩猟用の猟銃を見つけた。それを手に取って墜落したパイロットの脱出に対する米軍の思慮深い手当に驚嘆していた。このB25爆撃機は撃墜されたのではなく、低空飛行していて高圧線鉄塔に触れたことが墜落の原因だった。

Ｂ25の乗組員が所持していた猟銃は興味深い。三月初めに台中飛行場をＰ47サンダーボルト戦闘機が襲ってきた。これを味方機が撃ち落とした。この機体内から同じ猟銃が出てきた。この拳銃の弾丸について説明書がついていて「不時着したパイロットが、食糧を得るのに、野鳥を撃つための拳銃用散弾である」と書かれていた。これを記録した村岡英夫氏は次のように感想を記している。

私たちは、不時着パイロットに対する生存と脱出のためのこの米軍の配慮には、いささか驚かされた。これが、米軍パイロットの勇敢さのうらづけの一部になっているにちがいない。人命を尊重する米軍と、特攻攻撃が航空攻撃の最後のきめ手として、春秋にとむ有為の青年を、多数、必死突入させた日本軍と、いずれがまともな戦い方か、私は疑問を持たざるを得なかった。

（村岡英夫『特攻隼戦闘隊――かえらざる若鷲の記録』光人社、一九八二年）

同感である。私も本土を襲ってきたＢ29の乗組員の救急救命バックに備えているものを知って驚いたことがある。釣り針だ。無人島に不時着したときにこれを使って飢えをしのげ、いずれ助けに行くからというサインでもある。

後日談になるが、邱 垂宇さんが電話でこういうことを語っていた。

「終戦になってから近藤曹長は私の家にやってきたんですよ。そのときにＢ25の乗員が持っていた狩猟用の小型銃をうちの親父のところに持ってきたんですよ。日本軍は武装解除になりましたから、もう武器は持てないのですよ。将校などは日本刀を持っていたでしょう。これも武器になるわけですから持って帰れ

ないでしょう。それで台湾人の知り合いに皆あげていましたね。そんなことで曹長は小型の猟銃を持ってきたのでしょう。でもうちの親父は受け取りませんでしたよ」

邱垂宇さんはきっともらいたかったのではないだろうか。

## (4) 尾聲(終章)

邱垂宇さんの回憶もこれで終わりだ。

戦後になって台湾の主権者となった国民政府の陸軍は八塊陸軍飛行場にやってきました。そして日本軍がここに残した航空機を接収しました。私は国民党軍が操縦席のナイロンシートベルトを切断して自分たちのものとして使っているのを見ました。縛帯と言いますが、それは操縦席備え付けのものです。個人個人が使うものではありません。日本人と共に暮らしてきた経験から私はそれが一種の「物を粗末に扱うこと」の例として、愚かな行為であることを知っていました。

しかし、国軍は接収した航空機をうまく使うことすら考えていないようでした。しばらくすると、飛行機の機体を鉄くずとして買った商人が、日本の飛行機をすべて壊し、台湾市場で鍋やフライパンに作り替えて売りさばいたのです。

この箇所についての邱 垂宇さんの補足説明である（国際電話で）。
「私は、飛行場を作るときから知っています。また日本の整備員たちがどれほどに飛行機を大事にしていたかを知っていました。だからとてももったいない、残念な気分になりました。しかし、飛行機は国によって操縦法が違うので動かすことは容易ではなかったと思うのですね……日本の戦闘機の車輪は頑丈でした。当地の農民はとても重宝していましたよ。リヤカーのタイヤとしてみんな使っていましたよ。これは随分後々まで残っていました」

やがて青い空と太陽のエンブレムが描かれた国軍のF-51戦闘機も八塊飛行場に着陸しはじめました。しかし、陸軍は徴兵制を取っているため民間の警備員を送り込む必要がありません。門衛に立っているのは素っ気ない軍人です。それで私は飛行場に飛行機を見にいくようなことができなくなりました。

八塊飛行場は中国空軍第五大隊から避難空港に指定されていました。が、当時は中国共産党による台湾への空中脅威は深刻ではありませせでした。それで使用頻度も高くなかったため戦闘機の地上射撃場に変更されました。

一九五七年私は、空軍官校飛行の38期生として卒業しました。そして台中の水湳にある第20大隊に配属されました。空軍では訓練の日々が続きました。そんな中、私は、桃園が当時の陸軍特殊部隊のベースキャンプであることを知りました。旅団のC-46コマンドーは常日頃は桃園龍潭飛行場を本拠地としていました。ここから陸軍部隊を輸送するために輸送飛行を行っていました。一定時間飛行したのちに再び

戻っては龍潭や八徳（八塊からの改名）飛行場で落下傘降下訓練をしました。八徳飛行場は前は土を固めた飛行場でしたが、その後米軍仕様でコンクリートの滑走路に作り替えられました。国軍のF－86戦闘機もここで試験飛行をするようになりました。

戦争は非情だ。近代戦争の花形の飛行機、勝てば味方飛行機は凱旋飛行をして讃えられる。が、敗者の飛行機はどんな最新型であろうとも鉄くずになってしまう。

取材中に聞き取ったある人の回想だ。

「戦後にね、米軍がやってきて松本陸軍飛行場にあった飛行機を一機一機爆薬を仕かけて破壊するのですよ。その音が一帯に響き渡るのです。『ああ、なんともったいないこと』と思いましたよ。家の子は松本中学に通っていて飛行場に動員されたのです。そして行っていた仕事が戦闘機や爆撃機の移動です。飛行機にロープをつけて一機一機引っ張っていっては林の中に隠すのですね。『味方にとっては虎の子の飛行機ですよ。とても大事にした』と言っていました。それがね、戦争が終わるとみんなゴミになって爆破されるのですからね。ドーン、ドーンと音が聞こえてくると何ともせつない気持ちになったものですよ」

## （5）八塊飛行場余話

邱 垂宇さんの八塊飛行場追憶を紹介した。邱さん自身の話ではないが、彼が資料として送って下さったものを補足として一つつけ加えておこう。

三十数機の特攻機が出撃した陸軍八塊飛行場は十カ月ほどで役目を終えた。だが、邱 垂宇さんにとっては思い出深い飛行場だ。しかし、邱さんだけではなく、ここで起こった出来事を今も鮮明に記憶に宿しているという人がいた。これは邱さんが見つけた新聞記事に残されている。そのタイトルである。

我們小學曾是神風基地

「私が勤めていた小学校は、かつては神風が出撃する基地だった」という意味だ。桃園の旧軍飛行場の一つ、つまりは、桃園にあった旧日本陸軍飛行場の一つという意味だ。どこのことかというと次のように記されている。

桃園縣八德市，古名「八塊厝」，雖然地勢平坦，可是乾旱貧瘠，所以光復以前是個人口稀少窮鄉僻壤，地勢較高的「更寮腳」，更是「狗不拉屎」的黃土地帶。不過太平洋戰爭時卻被日本軍方相中，強徵為軍用地，發動本地老少，並從中南部徵用大量「軍伕」，以人工闢建機場，因此老一輩的對此印象深刻。

〈桃園県の八徳市は、以前は「八塊厝」と呼ばれていました。地形は平坦ですが、土地は乾燥していて痩せて不毛であるため、戦争前は人口がまばらで人里離れた田舎でした。「犬さえ糞をしない」と言われたほどです。しかし、太平洋戦争中、日本軍はここを軍事用地として強制収容しました。そして老若男女を問わず地元の人々を動員し、さらに中南部から大量の『軍扶』を募って人海戦術で飛行場を造り上げました。〉

八塊飛行場の建設過程を記したものだ。これを書いたのは傅林統先生である。小学校に勤務され、童話も書いている方である。邱さんと同じように八塊飛行場を造成するときに勤労奉仕にかり出された。八塊飛行場の戦時中の様子を表すものとしては短いものだが貴重である。もちろん原文は中国語である。これを引用しながら、意訳したり、また解説を加えたりして述べていこう。

記録としては、新聞紙名、発行年月日を入れておきたいが、切り抜き新聞記事として邱 垂宇さんが友人の王さんから手に入れたものなので、それはわからない。

その記事の内容だ。

その当時、傅林統先生は国民学校五年生であった。四年生から五年生に進級してからのことだと思われる。それは一九四四年四月から始まる。この頃から造成工事は本格的になっていった。最初は毎日鍬を持って労働奉仕作業を行っていたという。ところが学校を含めた辺り一帯を連合軍の艦載機が連日襲ってくるようになった。それで学校は学童たちに家で待機して警報をやり過ごすようにと指導していた。

敵機が去って警報が解除されるとすぐ家を飛び出た。スコップと竹籠を持って飛行場に「お宝」を掘りに行った。戦闘機が機銃で発射した弾の薬莢である。銅製のこれは高く売れるのである。これを集めて

売って家計の助けにするのが子どもたちの仕事だった。

具体的な日にちである。まず一九四四年十月十日、敵の機動部隊は沖縄を空襲した。続いて台湾北部は十二日から十四日まで空襲を受けた。もうこの頃は飛行場が完成していた。空から形状がはっきり見えたことから襲ってきたものだろう。以後連続して敵機は来るようになった。機銃掃射は何度も繰り返された。その薬莢が飛行場には数多く散らばっていたのだろう。このときのことは興味深い場面だ。想像力が刺激される。その思いも含めて物語風に紹介しよう。


あるときのことである。遊び仲間五人で入るなと言われていた区域の奥へ足を踏み入れた。

僕らはこっそりと木々の間を潜り抜けて行った。するとそこに掩体壕があった、どきどきしながら中に足を踏み入れると輝いているものがあった。一機の戦闘機である。恐怖よりもそのものを見てみたいという気持ちが強く湧いてきた。大空を舞って飛ぶあの怪獣が地上ではどんな姿をしているのか、間近で見てみたいと。それで近づこうとしたときだった。後ろから「おい、動くな、撃つぞ」と言う大きな声が聞こえてきた、僕らは、その場に凍りついたように立ち竦んだ。

「あはははは！　俺は君たちを脅したんだ。まあ、怖がるな」

叱り飛ばしていた言葉は急に笑い声に変わった。それがあまりにも明るく親しみやすいものだったので緊張が解けた。その彼は足音を壕に響かせて近づいてきた。

「怖がらなくていいぞ」

近づいてきたパイロットは若く、賢そうな人だった。

「君たち飛行機は好きか？」

「ええ、とても大好きです」

みな異口同音に言う。こう答えたことで気持ちが軽くなった。

「兵隊さん、飛行機はなぜ飛ぶの？」

つい僕は気安く聞いてしまった。

「とても鋭い質問をするな……ヒミツはな、この羽だよ。フラップというんだ。ほら先端が丸いだろう。この羽が上向きになっている。これが空気を上と下とに割っていくんだよ。つまりは、羽でな、空気を蹴って上に飛んでいくわけだな……ちょっと難しい話だな。わかるかな？　あっはっは」

「うん、難しいけど、面白い……それで兵隊さん、この飛行機は何と言うの？」

「ああ、この飛行機の機種のことだね、これは零戦だ」

「この飛行機は強いの？」

「それは強いさ、もう何機も敵の飛行機を撃ち落としているからね」

「じゃあさ、どうして敵の飛行機がきたときに応戦しなかったの？」

「ああ、敵さんたちは、強いからね」

僕たちは、いつも帝国陸軍は無敵だと先生から聞かされていた。それを信じていただけにこれにはがっかりした。その雰囲気を察してかパイロットは、「だけどな。我々の神風はきっと勝つだろう」と言った。

帰り道、ぼくたちはパイロットが言ったこと、とくに「神風」という言葉については話が白熱した。口から泡を飛ばして意見を言い合った。

この頃毎日のように、飛行場から何機もの戦闘機が飛び発って行き、上空で旋回して、そして消え去って行った。しかし、多くが飛び立っても、戻ってくる飛行機は一機だけだった。このことの意味を村の人たちはみんなよく知っていた。飛行機が飛び発ってぐるぐる旋回しながら飛んでいるときに時折操縦士がハンカチを振る姿が見られた。

「あれは永遠の別れを意味するんだよ」

そんなことを教えてくれる人もいた。当時の村の人たちは、日本陸軍が敵である獣と戦っていることは知っていた。けれども出撃したらもう死んでしまって戻ってこない。そんな神風という悲劇の英雄に対しては深い同情と悲しさを寄せていた。

掩体壕であのパイロット出会って以来、仲間の五人の子どもたちはことさら注意深くなった。それで飛行場から零戦が飛び発って村の上空を旋回していくときにパイロットがハンカチを振っていないかと目を凝らして観察していた。しかし、七月の最終決戦まで白いハンカチを振る姿は一度も見つけることはできなかった。

しかし、あれから時が経って元の飛行場辺りの来るたびに、あの零戦の戦闘機乗りとの不思議な出会いが思い起こされた。

現在、この広くて平らな土地には高層ビルや道路が縦横に走っている。かつての滑走路の真ん中には小学校「八徳区瑞豊国小学校」が建てられている。

私はこの学校が設立された当初、自ら希望して運営に携わった。当地の過去の歴史を知っていたので懐かしく少年時代のことが思い出された。繁栄した賑やかな今の町並みを眺めているとかつてが自然に思い

起こされた。荒れ地だったここを、汗水を流して懸命に鍬で切り開いていた労働奉仕者の群れ、そしてまっ赤に燃える夕暮れの空を旋回しながら出撃していく「神風特攻隊」の飛行機群、そんな悲しくてとても寂しい光景が自然に思い起こされた。

この文章を読むと特攻機に接した子どもたちの様子がありありと浮かんでくる。イメージを交えながら意訳したことは断っておきたい。

現在、桃園市八徳区瑞豊国民小学は存在する。実際に旧陸軍八塊飛行場、その補助滑走路の上に建てられている。

この文章から八塊飛行場の当時の様子がわかる。邱垂宇さんやお兄さんの垂棠さんの文章にあったように、八塊はたびたび空襲に見舞われている。当初は艦載機であった。が、時が経つに連れフィリピンからB25爆撃機も飛来してくるようになった。傅林統先生の話で興味深いのは学童たちの小遣い稼ぎだ。飛行場に行っては「挖取機槍彈頭」を拾っていた。薬莢である。これを集めては売り払っていた。毎日取っても取り切れない。これは敵機が来ては執拗に攻撃していたことを証明するものだ。

掩体壕に隠してあった飛行機と出会う場面はすばらしい。問題は何時のことかということだ。八塊から特攻機が出撃するのは一九四五年五月だ。その頃と考えてよい。このときの第八飛行師団の戦略は分散秘匿である。飛行場から離れたところにある木陰に機を隠していた。少年たちが見つけた掩体壕は爆撃から逃れた少数の壕の一つではないか。

機種については「零戦」だったという。が、八塊は陸軍飛行場だ。海軍の零戦がいるわけはない。「まあ台湾での一般的な認識は特攻というとみな『カミカゼ』で機種は『零戦』です。それでそのように書いたのでしょう」

邱 垂宇さんはそう言っておられた。

「この文章の中で子どもたちが『帝国陸軍は無敵だ』と先生が言ったことを信じているのですよね。だんだんわかってきたのですけど、台湾の子は日本の子以上に、皇国民だったのですよね。邱さんも同じじゃなかったのですか？」

こう聞くと邱 垂宇さんは笑っておられた。

台湾の少年たちは飛行機のことをよく観察している。隊を組んで出撃していった機がたった一機しか戻って来なかった。誘導機、掩護機のことを彼らは言っている、この機が戦場まで案内する、この機の役割でもう一つ重要なことは戦果確認である。特攻隊、各機の戦果を見届けて戻って報告する。誘導機は敵に近接する、場合によっては撃ち落とされることも多くあった。

この文の結末は文学的に描かれている。「盤旋在黄昏的天際，那悲惨凄涼的景象呢？」、神風特攻機は、黄昏の空を旋回しながら空の果てに消えていった、それを見送った少年たちの気持ちが滲み出ている。消えてしまったら二度と戻ってくることはない。それは悲しい光景であった。

# 第4章　邱 垂宇さんと日本

## （1）与那国島救援

邱 垂宇さんと HU16

戦争は終わった。日本も台湾もそれぞれ新しい歴史を刻み始めた。邱 垂宇さんは念願通り空軍の官校飛行学校に入学して課程を終え、国軍の空の護りに就いた。この空軍時代に志願して空軍救護隊に入って数々の救難に当たった。中でも最も思い出深いのは「与那国島救援」であった。なぜならこれは自分の心の中にある故郷との出会いであったからだ。それは日本に他ならない。

一九六八年一月四日、出動命令が下った。乗機はグラマン社製のＨＵ-16、水陸両用艇である。この機長を務めていたのは邱 垂宇さんだ。

新竹基地に待機しているときでした。国軍の戦闘機Ｆ-86Ｆ二機が遭難したと

いう報を受けたのです。それで緊急出動をしました。情報では澎湖《ほうこ》諸島だと聞いていたので、そちらに機を向けました。やがて高度が上がると沖縄の捜索救助隊からのＨＦ無線が聞こえてきました。英語での放送でしたが日本語のアクセントが強く、はっきりと聴き取れませんでしたが、しかし、「もしや」と思って聞いていました。すると「国籍不明の二機が与那国に緊急着陸した」と言うのははっきりと聴き取れました。これは自分たちが捜している二機かもしれないと直感したのです。それで直接日本側に聞いた方がよいと判断しました。英語を介してだとまだるっこしいでしょう。それで小学校に入学したときから習っていましたから、思い切って日本語で呼びかけました。

「沖縄捜索救助隊へ、こちらは中華民国空軍救助飛行隊です。応答願います」

「中華民国空軍救助飛行隊へ、こちら沖縄捜索救助隊です。どうぞ」

しばらくぶりの日本語でしたので懐かしかったですよ。

「与那国島に緊急着陸した二機にはマークがついていませんか？」

「青地に白い太陽が描かれています」

「了解、了解、それは我が方、中華民国空軍の機です！」

他の乗員も応答の調子から内容を理解したようです。コックピットには緊張が走りました。

「ナビゲーションをヨナグニにセットせよ」

私は副操縦士に指示しました。機器に入力すると、すぐに画面の航空図に与那国島へのルートが表示されました。嘉義から中央山脈を越えて花蓮、それから与那国へ一直線です。機を上昇させ山を越えました。このときに機全体が揺れて東に押されるように思いました。高空では強い風が吹いていました。

どうやらF‐86Fもこの風に押し流されて沖縄方面へ行き、慌てて帰ろうとしたところ燃料が不足して戻れない。それで与那国に緊急着陸したように推理されました。

やがて機は海に出ました。そのまま真っ直ぐに東に向かうと、海にぽつんと浮かんだ島が見えてきました。

「ヨナグニジマだ！」

ふと思い浮かびましたね。この近海で山本薫隊長は敵機に遭遇して不時着したことを。同僚隊員をここで三人亡くしています。山本隊長はかろうじて助かって八塊へやってきました。八塊小学校の宿直室での山本隊長との出会いがパイロットへの道を開きました。隊長がここで死んでいたら私の運命も変わっていたかもしれません。

滑走路に近づくと不時着した二機が見えました。一機は滑走路をはみ出てひっくり返って燃え尽きていました。負傷者がいるはずです。もう一機は無事で端に駐機していました。この事故の様子を見てどうするかを考えました。近くの漁港に着水するか、滑走路に着陸するかですね。海だと救難に時間がかかるだろうと思いました。しかし、着陸するにしてもここの飛行場はよく知りません。まず長さが足りるかどうか？　それで副操縦士に対地速度を測れと命じました。滑走路に進入したところで合図をし、抜けたところでまた合図をしました。かかった秒数で長さを測ったところ、アルバトロスHU‐16がギリギリ停まれる二千フィートありました。

もたもたしてはおられませんからすぐに決断しました。強行着陸です。しかし、これは容易ではありません。習熟していない飛行場ですから試しが必要です。頃合いのところでスロットルレバーを引いて速度

を殺し、機を失速させ、そしてフラップを最大限に下げて機を風に預けるのです。これは四回試みました。そして五回目です、最少のスロットルと最大のフラップを心がけ、機首をひょいと上げて「よし！」と突っ込んだのです。すると駐機しているF-86にあわやぶつからんとするところでした。ところが最大プロペラの返転と最大ブレーキが利いて機の三〇メートル手前で停まったのです。胸をなで下ろしましたよ。

与那国空港に降り立ちました。ここで飛びかっていたのは日本語です。戦争前はこの言葉がふんだんに使われていました。ところが、戦争が終わるとすっかり消えてしまいました。当たり前のことですが、ここでは皆日本語を話しています。不思議さと懐かしさとを覚えました。自分も心のうちに眠っていた日本語が起きてきました。

まず診療所と連絡を取って池間栄三医師と話しました。王彬應中尉は重傷ではあるが無事だとのこと。次は患者の救急搬送などの事務連絡ですね。ともかく日本語ができるのが私だけですから、もう孤軍奮闘、そのやりとりは大変でした。しかしそれもこれも皆うまくいきました。医療設備の整っていない島に重傷の中尉を長く置いておけません。池間医師には直ぐに本国の病院に運びたいと伝えました。

すると着陸してから三十分後にもう傷ついた中尉を乗せた救急車がやってきました。これも日本語での意思疎通がうまくいったからでしょう。池間栄三医師もこられました。このときに負傷者にどんな処置をしたかを話されたのです。私はそれをしっかり聴き取ってメモをしました。

島では多くの方にお世話になりました。池間医師及び地元の消防団員・救急隊員です。しかし重傷の大尉は一刻も早く運ばねばなりません。その方々に早々に感謝の言葉を伝えてすぐに機に乗り込みました。すぐに離陸するわけですが滑走路の長さが足りません、そこで私はHU-16機の両側に装備されている

バズーカ（ジェット推進器）装置を使用しました。装置をオンにするとジェット推進装置は力強く動き始めました。これで短距離の滑走でもたやすく離陸できました。洋上に出ると針路を台北に取りました。ところが搬送途中、重症の王應彬中尉は「痛い、痛い」と声を上げました。それで機上の救護士錢宝山曹長は痛みを緩和させようとモルヒネ注射を準備しました。私は、負傷者に短期間に大量のモルヒネを投与してはならないことをよく知っていました。

「すでに与那国では応急措置としてモルヒネは使っている。だから中尉が痛がっていてもモルヒネを打つな！」

機長の指示を聞いた錢宝山曹長は注射器を医療箱に戻しました。私はそれを見て心底安堵しました。やがて陸地が見えてきました。私はスロットルレバーを心持ち前に倒しました。機は速度を上げて一直線に台北松山空港に向かって行きます。着陸すると救急車が来ていました。ただちに中尉をこれに移すと直ぐに発進して空軍総合病院へと運んで行きました、任務はこれで完了しました。

この与那国島遭難事件の顛末を綴った文章にはこう書かれている。「通暁日文也是能従與那國島救回同袍的必要条件」。邱 垂宇さんは言う。

「与那国島で負傷した国軍の同僚を助けるには日本語が欠かせなかったのです。これは私の小さいときの経験が生きたのですね。八塊国民学校に入学したのは日本統治時代でここでは最初から言葉は日本語です。このときに習熟した日本語に二十数年ぶりに助けられたのです」

慈航天使

## （2）『慈航天使』――空軍救護隊訪問記録

この「与那国救援」を含めて「空軍救護隊」に属していたときのことをまとめた冊子に「慈航天使」がある。台湾国防部が邱 垂宇さんに取材してまとめたものだ。「訪談・邱垂宇先生」である。これを読むと邱さんはお父さんに大きな影響を受けている。そのことが「臺籍家庭・日據童年」という見出しで書かれている。それを翻訳して引用しよう。

私は桃園市八徳区出身です。私の先祖は周王朝時代に姜太公が山東省營丘に封じられた時に生まれ、その息子の穆公がこの地で姓を名乗っています。私の父創忠は、一九〇三年に日本統治下の台湾で生まれました。聡明で勉強熱心な青年でした。小学校を卒業後、桃園公学校に一年間通い、毎年五十人の台湾人しか入

学できない台北師範学校に入学しました。貧しい隣人や藩士に同情し、戦死した藩士の家族にお金を与えて援助しました。日本統治時代には「公立学校」で教え、終戦後には大楠國小学校の校長を務め、給料以外には何も取らないという、心の広い、親切な人だったといいます。私の母黄媛は、日本統治下、封建的な考え方を持つ保守的な社会の中で教育を受けられませんでした。しかし、記憶力と計算力が強く、結婚後、父との間に六男五女の十一人の子どもをもうけ、毎日家事をし、野菜を育て、家畜や鶏を育て、子どもの学費を捻出して家族を支えました。両親が亡くなってから二十年以上経ちますが、両親の優しさには感謝の気持ちでいっぱいです。

邱 垂宇さんの父親は、高度な教育を受けた台湾の知識人であり、厳格で謹厳実直な人であった。この父親から受けた影響はとても大きい。邱家は日本との関係はもともと深かった。父創忠は傘の製造と醤油の醸造を手がけて財をなした。父は漢文、日本語文、共に精通していた。「慈航天使」にはこう綴られている。

私が子どもの頃、台湾はまだ日本の統治下にありました。私は国民学校五年生まで日本の教育を受け、一九四五年の台湾返還後に北京語を学び始めました。父の影響で、幼い頃から音楽が好きでした。私は若い頃、機械の勉強をしていて、自由に空を飛ぶことに憧れていました。それで飛行機の音が聞こえると、その飛行機が見えなくなるまで空を見上げていました。

現在の桃園市八徳地区は戦争前、「八塊」と呼ばれ、日本軍はここに八塊飛行場を建設しました。私が小

学生の頃、この飛行場の建設に従事させられました。溝を掘ったり小石を運んだりするのを手伝っていました。飛行場が完成したときに台湾総督自らが来て開会式を執り行いました。

まずここで気づいたことがある。八塊飛行場開港式に台湾総督の安藤利吉が参加した、と邱 垂宇さんは証言されていた。しかし、彼の就任は昭和十九年（一九四四）末である。このことから開港式は年明けの昭和二十年早々に行われたのではないかと推察していた。ここでは飛行場が完成したときに開港式が行われたと記してある。そこで疑問が生じてきた。完工は四十四年十月だった。

このことの確認をしたいが、手紙のやりとりだと一月はかかる。思いついたのはＬＩＮＥである。邱 垂宇さんに次の文を送った。

①八塊飛行場は一九四四年十月に完成しています。このときの総督は、安藤利吉ではなく長谷川清です。開港式を執り行ったのはこの長谷川総督ではないでしょうか。邱さんの記憶違いですか？

②八塊に飛行機が飛来した時、それを目撃しての感動はたとえようもないほどだったのは知っています。「機場完工後・由臺灣總督親自前來主持啟用典禮威。」（『慈航天使』）を読んで思ったのは、機に搭乗してきたのは飛行場の完工検査にきた将校だったと思いました。これが終わって後に長谷川清総督によって開港式が行われたのだと思います。それが十月ですね。邱 垂宇さんの見た初飛行、この後に式典、そんな手順を推理しました。これが八塊飛行場の歴史ですね。

ＬＩＮＥの返答は早い、その日のうちにきた。「きむら先生が示した長谷川清が正確です」と。二点目についても「間違いない」とのことだった。

陸軍八塊飛行場に初めて飛行機が飛来してきた。それは一九四四年十月のことであった。八塊飛行場の歴史がここから始まった。そしてまた一人の少年の未来がこれによって運命づけられた。大事な点は関わりだ。彼は小学生ながら飛行場づくりを手伝い、それが完成して飛行機がやってきた。人生の入り口に立った少年には大きなエポックとなる出来事だった。邱 垂宇さんの精神形成史に関わることである。

## （３）娘錦玉さんの修士論文

二〇二一年六月になって邱さんからまた新しい資料が送られてきた。それは邱さんの娘錦玉さんの修士論文である。国立台湾師範大学に提出されたものだ。そのタイトルは長い、そして難解だ。「一位飛行員從成長階段、空難救援談被助與助人歴程中的生命故事：對災難救援的獻身與反思」である。「どういう意味か？」とＬＩＮＥで問うてもらったところ、邱 垂宇さんからすぐ返答がきた。「木村先生御遠慮なく日本語に訳して下さい！」と。これを受けて意訳した。

人間の成長過程における学び、人を助けたり人に助けられたりしてきた操縦士のライフストーリー：航空災害救援及び人命救助を通しての献身と反省。

一位というのはあるという意味かと思ったが第一番目ということのようだ。まず私が述べたいのは父が飛行士としてどう成長したかについてである、という意味のようだ。つまりこれがメインテーマである。

論文の主題「一位飛行員從成長階段」には興味が惹かれる。一操縦士の成長史である。ここには少年時代の飛行機との出会いが深く関わってくる。彼女は論文をまとめるに当たって父親に取材している。飛行機との出会いは詳しく聞いている。やはり小さい頃、父が初めて飛行機に出会ったところは少年の発達段階の勘所だと捉えている。彼女の論文で私が気づいていなかったことが二点ある。

一つは飛行場造りに携わった学童たちの思いである。彼女はこう書いている。

**我們實際參與飛行場從無到有的整個興建過程，雖然從未見過、也想像不出「飛機」是什麼樣子，但大家心裡都非常期待這一天的到來。**

〈私たちは実際に飛行場の建設に一から携わっていたが〝飛行機〟を見たことも想像したこともなかった。それでその飛行機が飛んで来る日をとても楽しみにしていたのである。〉

飛行場を建設するに当たっては学童も勤労奉仕をさせられた。鍬で土を掘ったり、石を運んだりした。その仕事は小学四年生の学童には辛いものだ。

東京世田谷から長野に疎開した学童も陸軍松本飛行場に動員された。木の根を掘ったり、土を運んだりした。「五月の暑いときでとても苦しい思いをした、二度とやりたくない」と言っていた子もいた。この

ことを知っていたので、台湾の学童たちも同じではなかったかと思っていた。しかし、台湾の子どもたちは違っていた。日が経つにつれ滑走路の形ができてきた。それを眺めながら邱さんも他の仲間もどんな飛行機がくるのだろう、と、とても楽しみにしていたという。八塊は田舎である。そこに見たこともない飛行機がやってくる。子どもたちには未来の希望であった。

もう一つは航空兵への憧れである。これを邱 錦玉さんはこう記している。

**一個個軍裝筆挺，戴著飛行皮帽，加上穿著半長筒的飛行皮靴，更顯出雄糾糾氣昂昂的俊逸風采，看到飛行員挺拔的英姿，那個時候我心裡覺得他們就好像神一樣，真是崇拜的不得了！**

〈子どもたちは飛行機から降りてきた飛行員の出で立ちに心を奪われた。一人一人が軍服を身につけていた。頭には革製の飛行帽、足には半長靴、飛行機乗りのその姿は神々しいものに見え、皆心ときめかせた。〉

日本の子どもたちは映画で見たり、写真で見たりして航空兵は知っていた。台湾の田舎に住む少年たちにとっては驚きだった。心に熱く突き刺さるものがあった。

先述の劉文孝さんがまとめられた「桃園八徳機場的回憶」では訳は載せたが、原文は記していない。この原文の漢字から少年邱さんの感動が伝わってくる。

**怎麼能放過這輩子第一次觀賞飛機的機會，邱垂宇拖著弟弟就跟著狂奔，一路直衝機場而去，守衛的日軍**

可能對飛行場該如何管制也沒有什麼概念，所以到處都有近悦遠來台灣人湧進八塊飛行場裡來看熱鬧；只見負責試航的日本機員正在和地面人員討論著飛航細節，而邱垂宇即使冒著挨罵的危險，也要伸手去摸一摸飛機的蒙皮，感覚覺一下航空機的神奇。

弟の手をひっぱっていくさまが「狂奔」と書かれている。降りてきた飛行士が「討論著飛航細節」飛行場のでき具合いについて討論している。そしてやっぱりいいのは、「感覚覺一下航空機的神奇」である。

この場面のことを邱 垂宇さんに直接国際電話で聞いたことがある。

「邱さんが初めて飛行機に接する場面がありますね。とても素晴らしいものです。ちょっと変な言い方をするかもしれませんが、台湾の航空の歴史の一頁を覗き見るような感じがするのですよ……」

「そうですね、あのとき飛行機が飛んできて飛行機なるものの形を知りましたね。自分の関心がとても深くなりました。あれ以来飛んで来る飛行機は気をつけて見るようになりました。機種とかはそのときはわかりませんでした。しかし観察していると一機一機形が違いますね。それとエンジンの音が機によって違っていましたね。しばらく経つうちに日本のものもアメリカのも見分けられるようになりました」

「機の種類っていうのは大事ですね。機の特徴がわかるとその場面が具体的に浮かんでくるように思うのですよ。最初に飛んできたのは何だったのでしょう?」

「初めて八塊飛行場に下りてきた飛行機は、あれは双発でした。美しい流線型をしていてとても印象に残っています……今にして思うと百式偵察機だったように思うのですよ」

「ああ、新司偵というやつですね。疎開学童もこの機の美しさにみとれたという子もいました。機種がわ

かるとイメージが具体的になってきますね」

この機の愛称は新司偵だ。ほっそりとした流線型の胴体はとても美しかった。初めて間近に接した飛行機に邱 垂宇さんが見とれている姿が目に浮かんできた。

「飛行機との出会いというか、この話を聞いて直感的に思ったことが、私が今まとめようとしている話の根幹に当たるように思うのです。飛行機との遭遇、そして山本薫隊長との出会い、これが邱 垂宇さんの人生に深く関わってきますね。その裏にあるのが八塊飛行場の歴史、単に日本の戦争史だけではなく、台湾航空史にも繋がってくるように思うのですよ」


先に、邱 垂宇さんが初めて飛行機に出会った場面は、後で述べると書いた。すべての材料が揃った。それは「桃園八徳機場的回憶」、「慈航天使」、そして鍏玉さんの論文である。これらを参考にしてその場面を描き残しておきたい。


それは秋のある日のことだった。家の近くで近所の子どもたちと遊んでいると、突然空から聞き慣れない大きな音が聞こえてきた。空を切り裂いていくような音だ。それは次第に大きくなってくる。邱 垂宇は「もしかして?」と思って見上げると、空に不思議なものが浮かんでいる。ハッと気づいた。

「飛行機だ。飛行機に間違いない!」

ブゥォン、音はもっと大きくなった。「やっぱりだ」二機の飛行機の姿がはっきりと見えた。機体を斜めにして高度を次第に落としていく。滑走路方向に向かっている。

「試験飛行だ！」

待ち焦がれていた飛行機が初めて着陸しようとしている。この機会を逃してはならない、家に走った。

「垂祐！」、弟の名を呼んだ。玄関から転がり出てくる。すぐに手を握った。

「走るんだ！」

一散に走った。息が切れそうになる。「もう少しだ！」と自分にも言い聞かせる。そうするうちにやっと飛行場に着いた。

滑走路にはこれまで見たこともないほど大勢の人が集まっている。二人はもうひとっ走りして飛行機に近づいた。

鎌を持ったままのおじさん、腕抜き姿の役所の人、ほおかぶりしたおばさん、仕事を放り出してやってきていた。飛行機を指さして隣の人に説明している人、上の学年、また同じ学年の子たちも顔をほころばせて楽しそうにおしゃべりをしている。飛行機が飛んできたことが誰にとっても嬉しいのだ。

滑走路には二機の飛行機が停まっていた。機体は日に照らされてキラキラと輝いていた。胴体後部に描かれた赤い日の丸が眩しい。

胴体は丸みを帯びていて尾部に向かうにつれ細くなっている。そこに後輪がついていた。その飛行機を見ているうちに心が動いた。

『近寄って、触ってみたい』

思いが押さえられなくなる。辺りを見渡す。一機目の回りは人が多いが、二機目は少ない。

「よし！」と心に決めて機に近づいて行く。鼓動が烈しくなってきた。もう目の前に胴体がある。

『こんな大きな機械がどうして空を飛ぶんだろうか?』

邱はとても不思議に思った。

『これが飛行機だ、ほんものの飛行機なんだ!』

邱 垂宇は恐る恐る機の尾部に手を伸ばした。「きっと柔らかいだろう」と思っていた。機に手を近づけていくとき自分の体が震えた。そしてタッチするが、触れると想像に反して尾翼は硬かった。

「金屬也能飛上天空嗎!（硬い金属も空を飛ぶことができるのか!）」

感動と驚きに包まれた。

邱 垂宇は、これほどの至近距離で飛行機を見たのも触ったのもそのときが初めてであった。何か夢を見ているように思った。


試験飛行の話は何度聞いてもおもしろい。

一九四四年になってサトウキビ畑を切り開いて飛行場は作られた。その頃、八塊は鉄道の駅もない田舎であった。そこに飛行場が作られた。そしてある日、突然飛行機が舞い降りてきた。近代の最先端の機械が空から降ってきた。田舎では衝撃的なできごとであった。国際電話で邱 垂宇さんと話をするといつもこのときのことが話題になる。

「あれはね、忘れられませんよ。ブゥンと音がしたかと思うと飛行機が舞い降りてきたのですね。いっぺんに二機も降りてきましたからね。飛行機からは七、八名が降りてきたのです。すると地上にいた人が集まってきました。飛行場を造っている工兵などでしょうね。お互いに飛行場のあちこちを指差しながら話

していました。そのときはまだ小学四年生でしたけれど、とても好奇心が旺盛でその会話をじっと聞いていましたよ。私自身も機を操縦していたからわかるのです。初めて滑走路に降りたときに大事なのは機に感じる衝撃ですね。だから話題は滑走面が固いとか柔らかいとかの話をしたのだと思いますね……」

試験飛行でやってきたのは百式司令部偵察機だった。これは復座である。七、八人も乗れない。が、操縦席後方の燃料タンクを撤去すれば数名は人を乗せられる。試験飛行には本部のある台北から要員が来ていたのだろうと推測される。台北と八塊間の距離は短いので燃料は余分に積む必要はない。後方空間に人員を押し込めてきたのではないだろうか。

邱 垂宇さんとジャンボジェット

「邱 垂宇さんの言われる『飛行機は硬かった』という表現は素晴らしいですね」

「飛行機は空を飛ぶわけだからもっとふわふわしていると思ったのですよ。ところが触ると硬い、金属が空を飛ぶというのは衝撃でしたよ」

「邱 垂宇さんは、ジャンボジェット、ボーイング747を操縦しておられたのでしょう。これは大きいですよね。あんなものがよく空を飛ぶなあと私は今でも思いますよ」

「ハハ、コックピットに入って操作しているときは全体のイメージはありませんけど、地上から見ているとそんな思いに駆られることはあるでしょう。わかりますよ。747などは新司偵など比べものにならな

いくらいですけど、当時の子どもだった私にはジャンボぐらいには思えましたよ」

「邱 垂宇さんにはあの子どもときに飛行機に出会ったことが忘れられないのですね。『慈航天使』の最後のところに記してありますね……從小我就夢想要翱翔天空、甚至經常在夢裡隻身凌空漂浮」

「私は子どもの頃から空を飛ぶことを夢見ていました。夢の中で一人空に浮かんでは思うままに泳いでいました。そうしているうちに空を自由に駆け回りたいという願いが生まれたのだと思います。それが空軍に入ろうと決意した理由です」

往時の想いを電話口で語られる。

人間、邱 垂宇の成長の原動力がここにある。父親の成長発達段階を論文に取り上げた錦玉さんもこう述べている。

父親透過長期以來勞動服務興建機場的工作，加上村民、友伴們和自己對飛行員專業的敬仰，從小累積對於飛機和飛行深刻而美好的印象，那段時期的蘊釀，在他心目中就已經種下了一粒飛翔的種子。

〈父は飛行場建設では率先して奉仕活動に加わった。このことを通して村人や友人たちと新しいものを造り上げるという目的を共有した。やがて飛行場が完成し、そこに初めて舞い降りてきた操縦者たちが機を操縦するという専門技術を持っていることに深い感銘を受けた。飛行機が空を飛ぶということに対して熱く燃え上がるものを持った。これがきっかけとなって飛行機に乗りたいという思いの種が自分に植え付けられた。〉

「やはり飛行機との出会いが大きかったですね。新司偵を目にしたこと。それに加えて特攻隊の山本薫隊

長に出会ったことがさらに夢を膨らませたのですね。それともう一つあります。日本語に出会ったことが大きいですよね。『与那国島救援』では、日本語ができなければあの困難な任務を完遂することはできなかったと書いておられます。言い換えれば日本と出会ったことが大きな運命の分かれ道で、この巡り会わせがなかったらもっと別の人生を歩いていたということになりますね」

「まあ、そう言われればそうかもしれません……」

## （4）中華航空一四〇便墜落事故

航空機事故としては有名な事件がある。名古屋空港で「中華航空一四〇便」が墜落事故を起こした。それは一九九四年（平成六）四月二十六日のことだ。邱 垂宇さんは台湾から駆けつけた。そして日本の事故調査委員会に協力して事故原因の究明に大きな役割を果たしておられた。

「今でも忘れられないのは名古屋で起こった『中華航空一四〇便墜落事故』ですね。大変な犠牲者が出ましたから」

乗客乗員合わせて二百六十四人も亡くなったという大事故であった。このとき邱 垂宇さんは台湾のチャイナエアライン側の監督者として調査に加わっていた。

ところが日本側は邱 垂宇さんの素性は知らない。しかし、事故調査の過程で日本側が邱 垂宇さんがB747のチーフパイロットも務めた上級パイロットであり、さらに日本語が堪能なことを知った。台湾側

と日本側にとっても非常に有益な存在であった。

「それで事故現場に自由に出入りできる日本の運輸省が作った事故調査委員会のベストを特別に付与されましたね」

事故原因を調べるのは大変だった。日本語が堪能な邱 垂宇さんがいたことで、日本と台湾の意思疎通が円滑に行われた。

事故原因調査は一筋縄ではいかないものだ。しかし、事故調に邱 垂宇さんが加わったことで真相究明に大きく役立った。一万八千七百時間の飛行履歴を持つ邱 垂宇さんは、単に飛んだということだけではなく、航空人として深い洞察力と知識とを持っていた。

とても興味深い事例がある。

事故調査委員会は生き残った乗客から聞き取りをしている。日本人の乗客の一人がこう証言していた。

「パイロットがコックピットから出て白い磁器ボトルを取り出して飲んでいるのを見ました。お酒を飲んでいたのではないですか?」

すでにパイロットは遺体解剖も終わっていた。剖検報告は出ていて、正副の両パイロットから大量のアルコールが検出されていた。

「あれは本当に驚きでしたよ。乗客の証言によって告発が正しいものとして認められた場合は、中華航空側は想像を絶する巨額の補償を求められたでしょう。しかしですね。私は自分の同僚であった者が出発前にアルコールを飲むなんてことはあり得ないと思ったのですよ。人の命を預かって運んでいることに使命感と誇りを皆持っていましたから。だから乗客が証言している磁器ボトルは何だったのか、真剣に考えま

したよ……それで思いついたのは京兆尹です。あのとき大人気だったのが酸っぱい梅のジュースです。それは白いペットボトルに詰められていました。それで確認のために同行していた台湾の職員に言いつけてこれを至急送ってもらうように手配しました。すぐにその現物が届けられました。証言者に確認したところ、これに違いないということになって『パイロットが酒を飲んでいた』というのは間違いだった。このときは本当に安堵しましたよ」

「パイロットの遺体から大量のアルコールが検出されたことについては、もう一つ推理したことがあります。中華航空ではいわゆる免税品は機内でも販売されていました。これらはちょうどコックピットの後ろに当たるコンパートメントに収納されています。墜落したと同時にここが完全に破壊され、中にあった外国製のワインなどの酒瓶が割れてしまいました。これがクラッシュで傷ついた二人のパイロットの胸の傷を浸したと思われました。この推論は日本側が行った検査でも確かめられたため、事故調査の報告には載りませんでした。操縦士が飲酒していたのではないか、という中華航空に向けられていた疑念は完全に晴らすことができました」

もう一つ疑われた大きな疑問があった。

それは機長と副操縦士が席を入れ替わって操縦していたのではないかという点である。

「日本側の事故調が救助隊の報告に疑念を抱いたのですね？」

「ええ、ええ、そうなんです」と邱 垂宇さん。

要点をまとめるとこうである。

墜落した事故機のコックピットから二人の操縦士の遺体の取り出し作業をしたのは日本の航空自衛隊の隊員である。このときにシートベルトから外せなかったので曹長の一人はこれをハサミで切った。二人のパイロットは墜落の衝撃を受けて顔が完全に変形していた。見分けがつかないことから肩章（エポレット）で識別した、三本線は副操縦士、四本線は機長だった。このときに座席の位置が逆だったと彼は証言をしていた。

このことから日本側は副操縦士が座席を入れ替わって機を操縦していたのではないかと疑った。民間航空機規則では、乗客が乗っていない訓練飛行中で、教官が乗務している場合を除き、業務運行をしている場合は座席を代わってはならないとされていた。

「私には、飛行中に座席を入れ替わることは絶対にあるはずもないと思いました。操縦席に座ったら自分の身長に合わせて操縦しやすいように座席の高さを調整するのです。それですぐに台湾の本社に指示をして二人の身長の記録を送ってもらったのですよ。そしたら副操縦士が機長よりも十センチ（背が）高いことがわかったのです。それで私はその数値に基づき、日本側に二つの座席の高さの調整の度合いを調べてもらったのです。すると機長の座席の方が四センチ高く調整されていました。これによって二人が座席を入れ替わっていないことがはっきりわかりました」

邱 垂宇さんの話はおもしろい。推理小説を読んでいるように思ったものだ。

「娘さんの論文を読んで初めて知ったのですが、一九九四年四月二十五日、六十歳で最後のフライトを終えられたのですね。そのときに退職を祝っての茶話会が行われた。ところがその翌日に名古屋で墜落事故

が起こった。それですぐに台湾側の航空技術者の代表として名古屋に飛んで行かれ、調査に関わった。日本との因縁、関わりはいつまで経っても続くのですね」

名古屋での事故があって、邱 垂宇さんは四カ月あまりをホテルで過ごした。この間、日本の事故調の調査にも立ち会った。台湾の実情をよく知っているだけでなく、操縦者として長年蓄積してきた知識があった。自己の体験と知識とを存分に日本語で伝えることができた。日本側は邱さんに深い信頼を持ったと日本人の関係者から私は直接電話で聞いていた。

邱さんにとってこの事故はどんな意味を持ったのか。

娘さんは論文で「華航名古屋空難處理，使父親有機會學習日本政府與軍方如何有效率又人性化地協助災變善後」と述べる。すなわち「父は、中華航空の名古屋航空事故の対応で、日本の政府や自衛隊がいかに効率的かつ人道的な方法で事故後の支援を行ったかを学ぶ機会を得ました」と。もともと堪能だった日本語を通して日本側と意志を交わすことができた。事故を通して事故処理の方法や手法を学んだ。そのことが後に立ち上がる台湾側の航空機事故調査委員会にも生かされることとなった。

名古屋は凄惨な事故現場であった。が、彼はつぶさに現場を見て、台湾側の当局者として誠意をもって情報を日本側に伝えた。その彼の堪能な日本語が事故原因を解き明かす鍵となった。事故は調査を学ぶ機会ともなった。機縁が機縁を生む、母国台湾に事故調が組織されるきっかけともなった。

台湾と日本、特攻隊長山本薫中尉と邱 垂宇操縦士、生きた時代は違う。しかし二人の間には見えざるバトンタッチがあった。特攻隊長は少年に夢を与え、特攻突撃をした。その姿を垣間見た少年は心動かされた。国と人とが境界を越えて、見えざる運命の糸で結ばれていた。

# 第5章　沖縄戦先陣を掌った特攻隊「誠隊」

## (1) 台湾沖縄特攻前史

### 特攻作戦の容認

「私たちが疎開したのは、昭和十九年の八月でした。東京が爆撃されるというので信州松本市郊外の浅間温泉に疎開したのです。ただ緊迫感というのはなかったですね。しかし十月の末になってレイテ戦が始まりました。連日ラジオ放送がありました。私はそのとき六年生でしたが、皆、とくに男子なんかはラジオにかじりついて戦いがどうなるかって固唾を呑んで見守っていました。そんなときに神風特攻隊が敵艦に体当たりしたでしょう。とくに関大尉などは忘れられませんね。戦果を伝える新聞の見出し、先生が読んでくれました。その中に『機・人諸共敵艦に炸裂』というのがありました。今でも覚えています。これを聞いたときは何か大きな衝撃を受けましたね。人間というものは血まみれになって死ぬのだと思い、戦争の恐ろしさを感じたものです。それからしばらく経った三月、宿に特攻隊の人たちがやってきたのですよ。

兄貴分ぐらいの人たちでしたね。あるとき富貴之湯の庭で相撲をやっていて、一人が『かかってこい』というので体ごとぶつかって行ったのですよ。そうしたら袖からにおってきたのは煙草のにおいです。兵隊さんを身近に感じました。特攻隊員というのは煙草のにおいがする人なのだなあと思いましたよ……」

疎開学童の一人から聞いた話だ。

レイテ戦における海軍の特攻戦法、これは台湾の第八飛行師団首脳にとっても衝撃だった。ところが対岸の火事ぐらいに思っていたが、そのお鉢が回ってきた。『戦史叢書』（二四五頁）では、「特別攻撃隊の編成」と見出しをつけ、第八飛行師団の幹部たちの様子を次のように記している。

これより先（著者注：昭和十九年十一月二十二日）、大本営の参謀がフィリピンからの帰途、師団司令部に立ち寄り特攻隊編成についての内話があったが、山本師団長としては命令により特別攻撃を行なう気持ちはなかった。二十二日の協議においても師団長は積極的でなく、決断に苦しむようであったが、作戦主任石川中佐は「この期に及んでは特別攻撃を敢行するのほかない」ことを意見具申し、遂に師団は断固、特別攻撃を実施することに踏み切ったのである。

第八飛行師団の川野剛一参謀は、このときのことをこう回想している。

ひとり自ら心にきめて、敵艦をめがけて体当たり攻撃をした例はそれまでにもあったが、この組織的な、しかも命令による戦法としての特別攻撃が実施されるのを聞いて、師団首脳は粛然として身のひきしまる

のを禁じ得なかった。

レイテ戦の戦いが絶望的になった十一月の末、わが師団にたいしても軍の中央から特別攻撃の一隊を編成するように命令がくだった。そして、十二月には、内地及び満州で編成された特別攻撃隊二隊が、わが師団に配属されてきた。（川野剛一「還らざる特攻第八飛行師団始末記」、雑誌「丸」一九七〇年六月号、潮書房）

ここで述べられている軍の中央からの特別攻撃隊の編成指示は、「と号部隊仮編成命令」だ。十一月二十九日に発令された。『戦史叢書』（二四五、二四六頁）には、各隊の要点について次のように記されている。

| | | 機種 | 人員（操） | 機数 |
|---|---|---|---|---|
| ・第八飛行師団編成 | 「と」号第十五飛行隊 | 九九双軽 | 操八 | 十二（内三予備） |
| | 編成地は鉾田教導飛行団 | | 十九年十二月八日 | |
| ・満州編成 | 「と」号第十六飛行隊 | 一式戦 | 操十二 | 十五（内三予備） |
| | 編成地は満州新京 | | 十九年十二月二十日 | |
| ・内地編成 | 「と」号第十七飛行隊 | 九九襲 | 操十二 | 十五（内三予備） |
| | 編成地は花蓮港 | | 十九年十二月八日 | |

軍の中央は第八飛行師団に配分する特攻三隊の編成を命じた。一隊は満州の第二航空軍であり、一隊は内地、鉾田教導飛行団にである。そしてもう一隊は第八飛行師団に編成させた。これによって外堀が固め

られたといえる。それで「特攻戦法の採用もやむを得ないと覚悟をきめ、その攻撃法に関する研究」（川野剛一氏）を行ったという。

## 第九師団抽出への怒り

第八航空師団は特攻戦法やむを得ずとの苦渋の判断を下した。しかし師団の苦悩はこれだけに終わらなかった。この時期に大きな問題に直面していた。川野剛一参謀はこのときのことを振り返り、「青天の霹靂」だったと述べている。それは「沖縄の32Ａから第九師団を抽出して台湾に転用するということ」である。つまり、沖縄守備隊である第三十二軍から、第九師団を選び取って、これを台湾守備に差し向けるという大本営の方針である。

十九年十一月、第十方面軍が大本営の指示に基づき沖縄本島から第九師団を抽出したことに対し、第八飛行師団は沖縄に対する航空作戦の見地から、この抽出には徹底的に反対し、方面軍および中央に沖縄の地上兵力を強力なものとするよう極力意見を具申し、且つこれを必要に執拗に主張し続けた。師団は、敵の沖縄侵攻を航空で撃砕するためには、有力な地上兵力をもって、沖縄の要城とりわけ重要飛行場をある期間確保維持することが、絶対不可欠の前提要件であるとしていた。従って、第九師団の抽出を知ったときの第八飛行団の驚愕は大きく、直ちに強力な意見具申を行なった。

（『戦史叢書』三五九頁）

第九師団は在満州にあった精鋭だが、十九年七月に沖縄担当の第三十二軍の戦闘序列に編入された。ところが米軍の侵攻が予想されている中でこれを台湾に回すということになった。第十方面軍は大本営直轄の台湾軍を統括する作戦軍である。第八航空師団の上部組織である。それがこの作戦案を容認した。第八飛行師団幹部は誰もが怒った。

この経緯については、参謀だった河野剛一氏が当時を回想して書いておられる。

私は、台湾関係の資料を調べていた。靖国偕行文庫にも複数回訪れた。そのときに偶然氏が残した手記を見つけた。

その表題は「第八飛行師団後方及び 編成主任参謀たりし。　河野剛一」とある。手書きだったところから、記録として大事だと思い、全文を引用できないか文庫側の係に申し出たところ、寄贈された方に連絡を取ってみるということだった。

しかし、寄贈されたのは相当前のことであり、寄贈者と連絡が取れなかったという結果だった。全文引用は著作権上問題はあるが、部分引用は構わないとのことだった。

それで「青天霹靂」とされた部分のみをここに引用するものである。

８ＦＤは、第八航空師団、32Ａは、沖縄守備軍第三十二軍、10ＨＡは、第十方面軍、すなわち第八航空師団の上部組織である。

　８ＦＤ司内においては覚悟も定まり、作戦準備の推進に没頭していた。十二月中旬、突如として青天の霹靂が下った。沖縄の32Ａから第九師団（以下９Ｄと略記）を抽出して台湾に転用するということを８ＦＤ

司が知ったのは９Ｄの船団護衛に関する10ＨＡ命令によってであった。筆者はそのとき戦闘司令所を走った衝撃が今も彷彿として浮かんでくる。参謀長、石川参謀はもとよりそうであったろうと思われるが、筆者の脳裏を電光のように走った思いは、32Ａから９Ｄの抽出→32Ａの作戦方針即ち決戦思想の変更必至→主防衛線の変更縮小→航空基地の放棄→天一号の場合敵基地戦闘隊早期進出の実現→台湾から七百粁を隔てた攻撃の困難化、という一連の連想であった。「なんということを!!」期せずして顔を見合わせて息を呑んだ。「しかも転用先が台湾とは、それではまるで親（10ＨＡ）が、子（32Ａ）が命をつなぐ握り飯を取り上げて自分が食べるようなものではないか、もはや32Ａに対する10ＨＡの統帥は終わりだ。また当然猛反対を予期する故、８ＦＤをかやの外に置いて事を決するとは」戦闘司令所内にはやる方のない憤懣が次々に溢れた。

32Ａの長参謀長は十九年七月頃から沖縄の防衛を精細に検討し、所望の兵力を具申し、中央は珍しくもこれを充足した。しかも敵が比島にかかわりあっている間に築城のための時間の余裕もあった。従って沖縄こそはガダルカナル以来の悪弊を断つものであり。所望の兵力を与えられた長参謀長は石川参謀に対して豪語した由である。「米軍よ、沖縄に来たれ、32Ａは大東亜戦争に一大転機を画すべし。航空など不要なるもそれでは山本（８ＦＤ長のこと、長参謀と同期生）に気の毒故敵輸送船の二、三隻を残しおくべし」などと。

それが今や一ヶ師団を引き抜かれたのである。もともと比島戦のために台湾から兵力を引き抜いたのでそれを充足するためであったが、それが10ＨＡの要請に基づき、中央が32Ａから抽出する旨申し入れたの

に10ＨＡが唯々として受入れたということが特に統帥上の問題を残すこととなった。

果たせるかな９Ｄを抜かれた32Ａは作戦計画を変更し、事実上、沖縄北、中飛行場等を放棄した。８ＦＤでは石川参謀を東京に派遣し、32Ａに対する９Ｄの代替一師団の派遣を要請すると共に、32Ａに対しては飛行場の確保を要求し、10ＨＡに対しては前者を、やむを得ざるも後者を、その責任において実現せしむべきを強く要求した。

９Ｄの代替師団の内地からの派遣についてはいろいろな経緯の後、増派の旨32Ａに通報する段階まで至ったが、日を経ずして宮崎第一部長（参謀本部）の反対により、取り止めとなり万事休した。

９Ｄを抜かれたことは前述の如く自信満々の32Ａ司令部を奈落の底に突き落とし、そのための兵団の配備変更は各部隊にとって営々として構築した陣地を棄て新たに第一歩から始めることであり、既にセメント等の築城材料は欠乏しており、志気の阻喪、まことに辛い思いであったろうと、８ＦＤ司内、暗然とした記憶が未だに生々しい。

中央は32Ａに対し、代替兵力の補填はせず、飛行場の保持だけは強くこれを要求した。10ＨＡも中央の指示により要求したが、32Ａは事実上冷たくこれを拒絶した。

中央は内地防衛を、10ＨＡは自らの所在する台湾を重視し、沖縄を軽視するのならば、32Ａは戦える限り戦うも、自らの最期は自らが選ぶに任すべし、という心境になるのもまことに止むを得ないことであったろう。

かくて中央、10ＨＡの32Ａに対する統帥は自ら之を放棄することとなった。沖縄戦の途中において、敵は損害の大に堪えかねて沖縄攻略の中止を具申する事態すら起こったことを思えば、「９Ｄの抽出なかり

せば」の怨み、縷々として尽きないものがある。

特別攻撃戦法について苦悩の末、前述の如くようやく思い定められたかに見えた飛行師団長と参謀長は、9Dの抽出による32Aの作戦方針等の変更、中央、10HAの有様を思い、作戦の前途を按ずるとき、再びこの戦法の採用について苦悩が起こったかに見受けられた。しかし、天号航空作戦が示され、8FDに十一隊の特別攻撃隊の配属が通達され、また広く陸軍航空の実力など思うとき、やむなしと決するほかはなかった。しかし、さきの台湾沖航空戦を反省しつつ、戦局の将来思うとき、孤高独往こそわが進むべき道であったとの決意を固めていった。

（「第八飛行師団後方及び編成主任参謀たりし。河野剛一」）

第八航空師団参謀としてつぶさに現場の状況を見聞きしていただけに論述が生々しい。結果論ではあるが、「9Dの抽出なかりせば」どれほど戦況が好転したろうかと悔やんでも悔やみきれない。9D抽出による失敗、そしてあの十月の台湾沖航空戦の失敗、日本側の誇大な戦果の判断によって大本営は敵が壊滅したと信じた。その誤った戦果報告を天皇に奏上し、これをねぎらう天皇の勅語も発表された。国民は「アメリカ機動部隊せん滅」の大勝利に湧き返った。が、実は敵の損害は軽微だった。参謀は大本営の戦略に危うさを感じていて、第八航空師団は、「孤高独往」の精神で行かなくてはならぬと思った。

## （2）誠第十七飛行隊（三月二十六日）

昭和二十年（一九四五）三月、台湾および南西諸島の航空作戦を統括する第八飛行師団に二十四日至急報が入った。敵機動部隊が慶良間諸島に侵入したとの報だ。沖縄侵攻作戦の開始だ。直ちに師団長は二十五日に、石垣島に待機している誠第十七飛行隊に命令を発した。

第八飛行師団命令
一　司偵隊ノ捜索ニヨレハ慶良間群島周辺二〇粁圏内洋上ニハ大型空母二ヲ含ム機動部隊アル外　那覇西方海面ニハ戦艦数隻ヨリナル有力艦艇遊弋中ナリ
二　師団ハ明二十六日早朝一部ヲ以テ敵機動部隊ヲ攻撃セントス
三　第九飛行団長ハ明二十六日早朝誠第十七飛行隊ヲ基幹トスル特別攻撃隊ヲ以テ慶良間群島周辺ノ敵機動部隊ニ対シ左ノ如ク攻撃スヘシ

（『戦史叢書』四〇四頁）

まず用語解説からだ。第九飛行団と出てくるが、第八飛行師団傘下にあって、台湾宜蘭及び宮古島以西の南西諸島を統括する部隊のことである。後に第二十二飛行団が出てくるが、こちらは台湾東南部を統括する部隊である。

次に当日出撃した隊についてだ。

三月二十六日、午前四時前、星々が満天に輝く中、石垣東飛行場に黒々と並んだ戦闘機が一斉にエンジ

ンをかけた。その音色は音が違う。機種が違うからだ。一群は重い、もう一群はやや軽い、前者は復座の九九式襲撃機、後者は単座の三式戦飛燕である。

整備員が手をくるくる回す。車輪止めが外された合図だ。まず、誠第十七飛行隊のキ五一の六機が動きだす。続いて独飛第二十三中隊の三式戦の八機がその後に続く。飛行場には二種類のエンジン音が合わさって囂々と響き渡る。

先頭機が地を蹴って飛び発つ。脚が宙に浮いた。見送りの整備員、仲間が手を振る。特攻本隊の六機の戦闘機は一周してきて、機を左右に振って別れの合図を送り、やや白んだ東の方へと飛び去っていった。爆音はたちまち消えて静かになった。消え去った彼方の空を眺めていた者たちの耳にいつものように潮騒が響いてきた。

誠第十七飛行隊の特攻本体隊六機、そして独飛第二十三中隊の直掩機（直接掩護機）の八機は慶良間列島西方海上の敵空母群に特攻攻撃を敢行した。特攻四機と直掩機六機が未帰還となった。この二隊の出撃は、陸軍沖縄特攻の初陣であった。

出撃機についてわかりにくいので解説をする。二十六日払暁石垣島から二隊が出撃した。一隊は第十七飛行隊の六機である。これが特攻本隊である。もう一隊は独飛第二十三隊の八機である。いわゆる直掩、直接掩護する機である。本体を誘導したり、護衛したり、また、戦果を確認して報告したりもする。この八機は誘導に二機、直掩に六機がついていた。特攻機の燃料は片道だけだが、八機の直掩機は帰途の分も積んでいた。だがこのうち六機は帰還ができなかった。「陸軍沖縄戦特別攻撃隊出撃戦死者名簿」には、第十七飛行隊の四名と独飛二十三隊の六名が記載されている。

初陣を掌った隊に対して第十方面軍司令官、安藤利吉が贈った「感状」にはその戦果が記されている。

早暁索敵至難ナル状況下克ク六隻ヨリ成ル敵空母群ヲ沖縄西南方洋上ニ捕捉シ果敢ナル體当リ攻撃ヲ決行シテ大型航空母艦、中型航空母艦、戦艦各一隻撃破ノ嚇嚇タル戦果ヲ上グ

彼らが飛び発った石垣島旧白保飛行場跡には誠十七飛行隊を率いた隊長の碑が建っている。表面にはこう彫られている。

大日本帝国陸軍　第八飛行師団第十七飛行隊
伊舎堂用久中佐と隊員の顕彰碑

裏面には遺詠が記されている（出撃した隊員の名も刻まれている）。

指折り待ちに待つたる機ぞ来る
千尋の海に散るぞたのしき

石垣島は伊舎堂隊長の生まれ故郷だ。遺詠は出撃三日前の二十三日に詠まれている。彼は故郷の潮騒を聞きながら出撃をずっと待っていたようだ。「千尋の海に散るぞたのしき」には万感の思いが滲み出てい

る。彼は陸士五十五期生の二十四歳であった。

第八飛行師団の初陣を掌った隊長はこの突撃で二階級特進した。これを「臺灣新報」は七月十六日付の記事で紹介している。


〝この隊長、この部下〟二階級特進　伊舎堂中佐の俤【某基地大室特派員報道班員発】

今回二階級特進の恩恵に浴した誠第十七飛行隊隊長伊舎堂用久中佐は、陸士出身の神鷲である。顔全体の線が太く見るからに剛毅な感じのする隊長であった。併し、その部下に対しては情愛を持って接して好く慕われていた。今ここに部下たちの談話により中佐のありし日の姿を偲ぼう。

隊長殿には全く頭が下がります。部下はみんな「うちの隊長のためなら喜んで命を捨てる事ができる」と云って居た。自分らの前進した基地には隊長の実家があり、お父さんや妹さんもいらっしゃる。それなのに隊長は家に帰らぬ。みんなで一度家に帰ったらと云っても『戦争しているんだ』と云っては自分らの訓練をされていた。いよいよ出撃が迫った秋《とき》、隊長は始めて全員を連れて実家に行った。お父さんは日露戦争の勇士だそうですが、隊長殿がお父さんに盃を差し出したところ、お前はもう天子様の子だ。ああ勿体ないと眼に涙を浮かべて隊長殿の盃を戴いていたが、これには皆が感動した。そして、『よし隊長といっしょにやるぞ』と新たな決意が沸き上がって来た。

この劇的対面を最後に隊長は部下と共に敵空母群に突入、畏くも感状上聞に達するの大戦果を挙げたのである。

この記事は三月二十六日から四カ月近くも経つ七月十六日の新聞で紹介されている。この頃は米軍が優勢で日本の敗色も濃厚になってきていた。そういう状況の中での戦意昂揚という意味合いもあって記事を載せたのだと思われる。

「出撃が迫った秋」の秋は、「とき」と読む。そうしなくてはならない時期の意だ。先に、石垣島の学童が台湾に疎開したことを紹介したが、特攻基地があって爆撃の怖れがあったからである。

## （3）誠第三十二飛行隊（三月二十七日）

因果は巡る糸車、この車がカタリと音を立てて回り始めたのは武剋隊隊員の誰かのせいに違いない。自身、今特攻に関して五冊目を書いているが、武剋隊と出会ったのが発端だ。

三月二十六日に続いて翌日二番手で出撃したのがこの武剋隊だ。隊員は十五名である。二十年三月、米軍の沖縄への侵攻が迫ってきていた。第八飛行師団は誠隊各隊に九州に集結するように急かしていた。ところが、隊は機の整備が終わっていなかった。それでやむなく廣森達郎隊長は隊を前半九機、後半六機に分けて出撃することを決断した。

彼は部下をとても大事にした。部下は隊長を「軍神」とまで呼び、その後に続きたいと願っていた。それゆえ隊員を分けるとなると辛い。この隊長が率いて先に出る場合は、特攻緒戦となる。名誉がかかっ

ているだけに失敗は許されない。悩んだ末に隊長は決断した。

前半隊は、林一満少尉、清宗孝己少尉、出戸栄吉軍曹、今西修軍曹、嶋田貫三軍曹、今野勝郎軍曹、大平定雄伍長、伊福孝伍長に自分を入れての九人である。

後半隊は、結城（金）尚弼少尉、小林勇少尉、時枝宏軍曹、古屋五朗伍長、佐藤英實伍長、佐藤正伍長の六人とした。

操縦士起用については少年飛行兵の扱いが一つの目安になる。前半は一名なのに対し後半は三名だ。前半はいわゆる航養出（航空機乗員養成所）五名を据えての手堅い布陣である。人選には隊長の思いが籠もっていたように思う。

まずこの前半隊だ。これは松本陸軍飛行場を三月十八日に発った。浅間温泉から陸軍飛行場までは距離がある。機体点検などがあるので前日の十七日に九人は宿を発ったのではないかと思われる。出撃の第一段階は、チンチン電車から始まる。松本電気軌道浅間線だ。

「武剋隊の廣森隊長が浅間を出て行かれるときは浅間駅から電車で行かれましたよ。学童と一緒に見送りに行きました。駅に着いてみんなと記念写真を撮りました。そのときの写真はまだ持っていますよ」

武剋隊の将校は浅間温泉目之湯に宿泊していた。ここには世田谷の駒繋国民学校の学童が疎開していた。これを引率していたのは中村初子先生だ、学校を出たばかりの二十二歳だった。

この先生とは不思議な縁で知り合って話を聞くことができた。一歳年上の廣森隊長は彼女の部屋に毎晩のようにきて話をしたという。

「女将が心配して部屋の外でわざと大きな足跡を立てていましたけど。そんな変なことはしませんよ。隊

長さんだって真面目ですよ。手一つ握っていませんからね……」

往時を彼女はよく覚えていた。

「特攻に行かれてからお手紙をもらいました」

「どんなことが書かれていたか覚えていないでしょう」と私。

「いえ覚えていますよ。『浅間ではお世話になりました。達郎』とだけ書いてありました」

短い言葉に思いが詰まっているように思えた。

「その手紙はまだ持っていますか？」

「いえ焼き捨てました。そんなの持っているとお嫁に行けないでしょう」

廣森達郎隊長は『戦史叢書』には人物像が紹介されている。勇猛果敢だった彼の逸話が書き記されている。肖像画、そして「廣森達郎中尉の血書」の写真も収められている。特攻史の一頁を飾る人物である。特攻隊長の出会いと別れ、若い中村初子先生にとっては大きな衝撃だっただろう。廣森隊長の手紙を持っているとお嫁に行けないと言った。関心は愛なり、私は彼女の隊長に対する慕情を思った。取材で出会ったとき彼女は八十八歳、旧姓のままだった。未婚であった。

浅間温泉駅で学童と一緒に記念写真を撮った。その写真は見てみたい。この件で連絡を取ったが電話は通じなくなった。彗星のように現れて忽然と姿を消した。取材結果をまとめた一冊『鉛筆部隊と特攻隊』も彼女に渡せていない。

彼女との出会いは不思議だった。今思うと天からの使者だったのではないかとさえ思った。戦史で語られる隊長は勇猛果敢、お国に尽くした英雄として一点の曇りもない。その彼の陰に潜む人間らしさを彼女

浅間温泉駅風景（矢花克己氏提供）

は私に伝えに現れたのではなかったか。

さて、話を戻そう。浅間温泉からの出発についてである。

目之湯を出たのは三人である、隊長の廣森達郎中尉、林一満少尉、清宗孝己少尉だ。近くの梅の湯には伊福孝伍長がいた。彼も加えて四名で駅に向かった。この後を学童がぞろぞろとついていく。

始発駅の浅間温泉駅は洋風の二階建てだ。そこに着くと一両の電車が待っていた。隊長は入り口で立ち止まって学童たちの方を見た。軽く頷いて三人の将校に目配せをした。すると皆、前に出てきて長靴をカチリと鳴らして整列をする。

「中村先生、大変お世話になりました。ではこれから行って参ります」

飛行服に飛行帽を被った廣森隊長が手短に挨拶をして敬礼をする。途端に腰の軍刀がカチンと鳴った。別れの場は張り詰めている。子どもたちは真剣な眼差しで隊長を見つめている。いつもの笑顔はない。

「みんな元気でな」

一言いい残して電車に乗り込んだ。すぐに運転士がフットゴングを踏む。カンカンと鳴る。グゥンとモーターが唸る。電車が駅を離れる。「さようなら」子どもたちは手がちぎれるほどに振る。四人も手を振る。窓辺に見えていた隊長の顔も遠くなっていく。それでも子どもたちはやっぱり手を振っている。

戦時歌謡に『暁に祈る』がある。伊藤久男が「手柄頼むと　妻や子が　ちぎれるほどに振った旗」と歌う。「ちぎれるほど」はせつない。妻や子が別れゆく父に向かって懸命に手を振る。この語に思いが溢れている。戦争はどうにもならないもの。廣森隊長らが浅間温泉駅をチンチン電車で出ていくとき子どもらは「ちぎれるほどに手を振った」手柄頼むと手を振ったのではない。子どもらの隊長への思いである。彼は勇猛果敢な特攻隊長として知られている。が、疎開宿では子どもたちには優しかった。一緒に歌をうたい、踊りもした。子どもたちとの別れの思いは「ちぎれるほど」に現れている。

廣森隊長は「めんこい仔馬」が好きだった。彼はこれをリクエストした。歌がはじまるとみんなと一緒になって踊った。「明日は市場かお別れか　泣いちゃいけない　泣かないぞ」という一節がある。隊長は己の身をこの歌に重ねて歌っていたのではないか。

浅間温泉駅を出たチンチン電車は次に中浅間駅に停まった。ここからは千代の湯旅館組の五人が乗り込んできた。出戸栄吉軍曹、今西修軍曹、嶋田貫三軍曹、今野勝郎軍曹、大平定雄伍長だ。これで九人が揃った。

電車がフットゴングを鳴らして発車する。するとすぐに左手の旅館から声が飛んできた。二階の窓に鈴なりになって子どもたちがハンカチを振っている。千代の湯旅館にいる代沢国民学校の学童たちだ。

「今西さん、お歌をありがとう」と立川裕子さん。

「出戸さん、靖国神社に行きます！」と男子。

靖国神社に会いにきてくれと彼は学童に言っていた。

「今野さん、お元気で……」と言ったのは田中幸子さん。「生きて帰ってきたならばお嫁さんになって」と彼女は言われていた。

窓から子どもは思い思いに叫ぶが、たちまち電車は遠ざかっていった。

三月十八日、松本飛行場を発った九機は、すぐに南に向かわずに、いったん北へ進路を取った機首を松本浅間温泉に向けた。学童たちにお別れにきて、温泉上空を数度旋回し、最後に機体を左右に揺すってから南に向かった、機影はたちまちに雲の中に消えた。

機は列島を南下した。各務原から豊後水道、日向灘上空を経由し、宮崎新田原飛行場に着いた。さらに熊本健軍飛行場に飛び、ここから沖縄中飛行場に進出した。そしていよいよ三月二十七日早朝、学童から贈られたお人形を操縦席に吊り下げた九機は、敵艦船に向かって突撃した。

この二十七日の出来事は翌朝二十八日に新聞の第一面を飾った。「十機十艦よく屠る」。直掩の独飛第四六中隊の二機を加えた誠第三十二飛行による戦果をこう伝えた。

今西修軍曹は浅間温泉では千代の湯に宿泊していた。松本飛行場を飛び立った彼は、九州熊本の健軍飛行場に三月二十五日に辿り着いた。このときに宿に泊まっている代沢国民学校の「鉛筆部隊」宛てに手紙を書いた。

われわれも命令により、ただいまより沖縄にむかって出撃します。〇〇では、道ばたにれんげや菫の花が美しく咲き、桜も咲いています。桜を一ひら同封しました。

手紙では場所がわからないようにと「〇〇では」とあるが、これは健軍飛行場である。翌二十六日に隊は沖縄中飛行場に飛ぶ。そして二十七日未明に出撃した。父親に宛てた今西軍曹の遺書が残っている。

遺書

父上様
戦局ハ真ニ切迫シテ来マシタ。
修ハ本日命令ヲ受ケ只今ヨリ出撃シマス。
任務完遂ヲ期シテ居リマス。
長イ間御養育下サレマシタコトニ対シマシテハ
厚ク御礼申シ上ゲマス。
今ハ何モ申スコトモアリマセン。
遺品ナドハ京都ノ方へ送ッテ戴ク予定デス。
呉レ呉レモ御身大切ニ。
皇国必勝、皇道無窮ヲ信ジマス。

九州デハ早サクラモ咲キ、ウグイスノ声モ聞キマシタ。
大君に仕へまつれと吾を生みし
　吾がたらちねぞ尊かりけり
　三月二十五日二十三時五十分
　　　　　　　　　　　　修拝
父上様

出撃は二十七日である。しかし書いた日付は二十五日だ。手紙にある通り「戦況は切迫」していた。沖縄にも無事飛べるかわからない。手紙も届くかどうかもわからない。それで日本本土最後の夜に手紙を書いたようだ。当夜、二通遺書を書いた。まず疎開学童に宛てたものを書き、そして最後に父親に宛てたものを書いたと思われる。

# 第6章　八塊から出撃した特攻隊

沖縄特攻は三月二十六日に始まった。第八飛行師団所属の戦闘機は、九州各地からの出撃は早かったが、台湾からの出撃は遅かった。

台湾本土から沖縄に向けて各飛行場から特攻機が出撃している。全体では百三十五人である。これを機とは言い換えられない。一機に二人搭乗していく場合があるからだ。

各飛行場からの出撃者数（「陸軍沖縄戦特別攻撃隊出撃戦死者名簿」記録されている数）を記す。宣蘭：三十七人、八塊：三十二人、台中：三十一人、桃園：十五人、花連港：十五人、龍潭：五人である。これら出撃基地は地勢的な点も重要だ。宣蘭、八塊、桃園、龍潭は台湾北部に位置する。距離的には沖縄攻撃をする場合には好都合だ。それでこれらは北部に集中している。八塊が枢要飛行場となったのは特攻攻撃に都合がよいということが影響したものだろう。

台湾島内、八塊以外の各基地の最初の出撃日はこうである。

・宣蘭、四月十一日、飛行第十九戦隊の三機

・花連港、四月十二日、誠第十六飛行隊の一機
・桃園、四月十六日、誠第三十三飛行隊の一機
・台中、四月二十八日、誠第三十四飛行隊の四機
・龍潭、五月三日、誠第二十戦隊の五機

八塊の場合の最初の出撃は五月四日だ。全体の中では遅い。八塊は一九四四年十月に完工した。もうこの月に艦載機による空襲を受けている。翌年五月になって特攻機が出撃するようになった。他飛行場より出撃が遅くなったのは準備が万全に整っていなかったのだろう。

## (1) 誠第百二十飛行隊他の出撃

八塊からの最初の出撃は、誠第百二十飛行隊である。乗機はキ八四、四式戦闘機、愛称は疾風である。大東亜決戦機とも呼ばれた。この機は昭和十九年に制式採用された最新鋭機である。疑問に思うのはこれがどうして台湾に配置されたのかということだ。

台湾南部には屏東陸軍飛行場があった。この飛行場周辺の掩体壕には多くの四式戦闘機が隠されていたという。飛行第二十戦隊の隊長だった村岡英夫少佐が整備隊長の横田大尉に調査をさせた。するとこういう返答が返ってきた。

「屏東飛行場の周辺に分散させられている四式戦は、数十機にのぼる。この『疾風』は、南方軍への補給機であるが、空輸を担当している陸軍航空輸送部のパイロットたちは、台湾から南は危険なのであまり飛びたがらず、くわえて『疾風』は故障も多く、大部分は故障と称して停留しているものです」

（村岡英夫『特攻隼戦闘隊──かえらざる若鷲の記録』光人社、一九八二年）

南方の前線に送る新鋭機が屏東周辺の掩体壕に放置されたままになっていた。もったいないということでこの機を動かして飛行第二十戦隊の飛行機としたという。

誠第百二十飛行隊もこの流れを汲むものではなかったかと思う。この新鋭機五機が八塊陸軍飛行場に降り立ったとき、この帝国陸軍の新鋭戦闘機に飛行場の兵員は皆目を見張った。

誠第百二十飛行隊は、八塊飛行場からは七機が二日にわたって出撃している。特攻完遂機は五機である。五月四日の誘導機には二式複戦一機がつき、これに二名、誠第百二十三飛行隊加治木利秋少尉（操縦）、飛行十戦隊偵察将校碓氷正雄少尉（航法）が搭乗していたが「この誘導機は誘導任務を終わり、戦果報告後に慶良間列島南方の艦船に突入した」（『戦史叢書』五五九頁に注記）

誠第百二十飛行隊　　搭乗機　四式戦

昭和二十年五月四日　畠山富雄少尉　22（東京）　特操1期

堀田明夫軍曹　20（山口）　少飛11期

昭和二十年五月十二日　　田中瑛二伍長　17（神奈川）少飛15期

荻野光雄軍曹　20（京都）少飛12期

特攻未完遂：生還　　東局一文伍長　18（石川）少飛15期

〃　　森山正春　　少飛15期

〃　　阿部久亀　　少飛15期

この戦隊は、台湾中部の北港飛行場において結成された。ここには第百八教育飛行隊があり航空乗員の訓練を行っていた。この部隊に昭和二十年三月二十二日第八飛行師団より特攻命令が下された。編成に当たり例によって調査が行われた。「熱望する」「希望する」「希望しない」の三択だ。百二十三名全員が特攻隊を志願したという。

特攻要員の主任教官を務めていた田形竹尾准尉が誠第百二十飛行隊の特攻発令式の模様を記録している。学校の校庭に非常召集のラッパで呼び集められた。前列には「航空服に身を固めた操縦者百二十三名」が、後列には「約六百名の地上勤務の将兵」が整列した。

戦隊長小林少佐は、第一種軍装に略章をつけ、右手に特攻隊名簿を持って、副官小林大尉を従えて部隊の正面に立った。その表情は、今にも泣き出しそうな苦悩の色濃い、今までみたことない、厳しい表情であった。

「ただいまから、師団命令に基づき、特攻命令を伝達する……」

小林戦隊長の声は、極度の緊張でふるえている。命令を聞く将兵も、せき一つすることなく、死んだように静かである。

「陸軍少尉畠山富雄、誠第百二十飛行隊長を命ず」

畠山少尉は、大声で、

「はい！」

と答えて五歩前進する。続いて、

「陸軍軍曹堀田明夫、同伍長萩野光雄、同田中瑛二、同東局一文、誠第百二十飛行隊付を命ず」

「ハイッ。ハイッ。ハイッ。ハイ」

と、まるで進級命令でも受けるように、平静の心境と態度で畠山少尉の横に一列に整列した。


（田形竹尾『永遠の飛燕――愛機こそ、戦友の墓標』光人社NF文庫、二〇一五年）


誠第百二十飛行隊の隊員は三月二十三日に嘉義駅から急行列車に乗って台北へ行き、師団司令部に出頭した。乗機を受領したのは台北松山飛行場だ。ここを離陸して八塊に辿り着いた。

田形氏は北港の神社で一人の特攻隊員が懸命に祈っている姿を見かけた。それは萩野光雄伍長であった。何を祈ったのかとても気になったという。嘉義駅へ見送り行ったとき、別れ際に何を真剣に祈ったのか聞いた。すると彼はこう答えたと。

「はい、笑わないでください。私は飛行機には一年半しか乗っていない。飛行時間も三〇〇時間足らずで、

操縦者としては、まだ半人前です。しかし、名誉ある特攻隊員として、同期生の先陣を命じられた以上、大型空母か戦艦に命中するようにと、祈ったのです。先輩を前にして、空母や戦艦では、欲が深いと笑われはしないか。と思ったので、誰れにも話したくなかったのです」（同著）

どうせ特攻に行くのならでかいのをやっつけて死にたい。若い特攻隊員の多くが思ったことである。しかし、特攻隊員はみな同じではない。さまざまな事情を抱えていた。その一人が東局一文伍長十八歳である。彼は在日朝鮮人で本名が尹在文である。

興味を持って彼の出自を調べてみた。京都で生まれて石川の大聖寺で育った。「錦城小学校に通い、ハーモニカが好きで、いつもそれを吹いていた」（山口隆『他者の特攻――朝鮮人特攻兵の記憶・言説・実像』、社会評論社、二〇一〇年）とある。

経歴を読んで直感的に思ったことがある。錦城小学校は鉄道駅に近いところにあるのではないかということだ。調べると北陸本線大聖寺駅から約一キロのところにあった。家も線路に近いところにあって、折々に汽車を眺めに行った。間違いなく汽車に憧れていた。なぜそう思うのか。「ユンチェムン（尹在文）は小学校（国民学校）を卒業すると東京の岩倉鉄道学校に進学した」（同著）とあるからだ。地方の少年は上りの汽車を見て鉄道に憧れる。きっと機関士を夢見たに違いない。実際卒業後、満州に渡って満鉄に入る予定だったが、戦局の悪化でこれは閉ざされた。その挫折があって鉄道を諦め飛行機乗りに変更した。少年飛行学校を受験し、これに受かった。幼少時からの乗り物への夢が叶った。知覧の教育飛行隊で訓練をした後に台湾の北港の第八教育隊に配属になった。そして特攻隊員に選抜された。

機関車乗り、飛行機乗りになりたいというのは少年の夢であるが、特攻となるとここに特別の色が付いてくる。特攻隊員は「国体を護持するための御楯」となる者だ。しかし、彼の国柄は二つある。朝鮮と日本である。心の中では葛藤があっただろう。彼には妹がいた。その彼女がこういったという。

ユンチェムン（尹在文）の妹は、不確実だが「兄は日本が勝てば、日本人になれると思っていたのではないか」という。在日朝鮮人の子どもの場合、日々の生活の中で、被抑圧民族として差別のほかに、マイノリティとしての差別が加わり、子どもながらに、「日本人になれば差別から逃れられる」と考えたとしても何ら不思議はないだろう。（同著）

少年は夢を追っていったが、行き着いたところは差別だ。特攻に行って散華すれば日本人になれる。悲しい現実だった。

さて、誠第百二十戦隊の五月四日の第一陣について『戦史叢書』ではこう記録している。

誠第百二十飛行隊の畠山富雄少尉ほか特攻機二機は誘導一機と共に嘉手納沖に進攻、艦種不詳一隻を轟沈、同じく艦種不詳一隻を炎上させたと報じた。また、この攻撃を誘導した誠第百二十三飛行隊の誘導機は特攻機と共に突入した。

（『戦史叢書』五四四頁）

ここで言う第百二十三飛行隊の誘導機には同隊の水越三郎伍長二十歳（少飛十四期）が乗っていた。こ

のことについては菱沼俊雄氏が「飛行第一〇八戦隊激闘記」の中で逸話として記録している。
昭和二十年五月三日、彼は八塊国民学校に滞在する武揚隊隊員や山本薫隊長などと交歓し、翌四日に花園に戻ってきた。そのときのことをこう記している。

その日の午後、特攻隊の水越三郎伍長が兵站の娘さんに散髪をしてもらっているのを見たが、いかにも淡々とした様子だった。

夕刻の五時ごろ、キ四五夜戦（屠龍）で出撃する高村見習士官を見送った。彼は着任後、わずか二日しかたっていない。もっとも長沢見習士官とともにうちの部隊にくるまえ、司偵の飛行第十戦隊の特攻要員として、しばらく待機していたらしい。

高村の顔は、黒眼鏡をかけたためかよけいに青白く見えた。しかし、我々と敬礼を交わしながらも、落ち着いた態度で申告やあいさつをすませると、機上の人となった。操縦は水越伍長で、兵站宿舎でも明朗快活な存在として知られていた。

彼ら二人は八塊上空で離陸する特攻隊群と合流して沖縄にむかい、戦果を確認した後、特攻をおこなうという重大任務が課せられていた。したがって爆装機である。

だが、出撃後は、攻撃前に敵機にやられたのか、あるいは無線機がだめになったのか、ついに高村機からは通信がないまま、沖縄の海に散ってしまった。

（菱沼俊雄「飛行第一〇八戦隊激闘記」『壮烈「重爆戰隊」炎の空に生きる――陸軍爆撃隊空戦記』（証言・昭和の戦争・リバイバル戦記コレクション15）光人社、一九九一年）

誠第百二十三飛行隊の水越三郎伍長機は二式復座戦闘機「屠龍」である。後部座席には通信士として飛行第一〇八戦隊の高村光春見習士官が乗っていた。機は花園飛行場を発って八塊上空で誠第百二十飛行隊の三機と空中集合して沖縄に向かった。直掩機、直接掩護機で目的地に機を導き、戦果を確認する機であったが、爆装が施してあった。それで仲間の戦果を見届けた後に突撃した。通信士の高村見習士官からは無線連絡はなかった。

五月四日、誠第百二十飛行隊は沖縄突撃を敢行した。このとき、沖縄を統括していたのは第三十二軍である。ここが敵に対して五月四日に大攻勢をかけるということで、第八飛行師団はこれに協力するために誠隊を複数隊出撃させている。

誠第百二十戦隊の二機は、五月十二日に出撃した。このときのことを『戦史叢書』では次のように記録している。

十二日、誠第百二十飛行隊の特攻五機は誠第百二十三飛行隊の二式複戦誘導のもとに十六四〇、八塊から出撃、沖縄周辺の敵艦船を攻撃し空母二隻を撃破（うち一隻撃沈の算大）、艦種不詳一隻を撃破したと報じた。わが方の損害は萩野光雄軍曹ほか特攻一機、誘導（特攻）一機であった。

（『戦史叢書』五五九頁）

説明はわかりにくいが、こういうことだ。八塊から出撃したのは五機である。誠第百二十飛行隊四機と誠第百二十三飛行隊の一機である。

前者は、荻野光雄軍曹、東局一文伍長の二機だ。これは特攻突撃を完遂した。だが、森山正春伍長と阿部久亀伍長は、機の不調で帰還した。また誠第百二十三飛行隊の加治木利秋少尉機の二式複座戦闘機一機、屠龍は直掩機だ。これは爆装を施していて、先陣の戦果を見届けて特攻突撃を敢行した。この機には通信士として飛行百八戦隊の碓井正雄少尉が搭乗していて特攻戦死している。

先に誠第百二十飛行隊の先発隊は、沖縄第三十二軍の総決起ということでこれを応援するために飛び発ったと述べた。ところがこの沖縄第三十二軍の攻勢は失敗に終わった。このことによって第八飛行師団は戦略の変更を余儀なくされていた。

第八飛行師団は、いわゆる先島諸島の宮古島や石垣島から師団傘下の特攻機を出撃させていた。現地で采配を揮っていたのは第九飛行団である。ところが先島諸島が危なくなってきた。米軍の沖縄侵攻によって宮古、石垣へは敵機が空から攻撃してきた。加えて沖合に展開する母艦などの艦船から艦砲射撃が加えられるようになった。第九飛行団をそのまま先島諸島に配置しておくことが困難になった。それで飛行団を台湾に転進させた。

第九飛行団の臺灣転進に伴って、師団は新たに第二十二飛行団に戦力を増強して、両飛行団を並列して攻撃を実施するに決し、十三日師団命令を下達して、五月十七日以降の沖縄攻撃を準備させた。
機動飛行場として八塊および龍潭が第二十二飛行団に配当された。
師団命令により五月十三日、第二十二飛行団の指揮下に入れられた部隊は次の諸隊であった。
飛行第十七戦隊

誠第二十六戦隊
誠第二百四戦隊
独立飛行第二十三中隊
独立飛行第四十八中隊

（『戦史叢書』五五八、五五九頁）

これによって八塊飛行場と龍潭飛行場とが第二十二飛行団の指揮下に入った。配属機を八塊と龍潭から沖縄特攻に出撃させた。この二つの飛行場は特攻出撃基地として重要性を増した。結果として沖縄特攻の出撃は八塊が三十二名で、龍潭は五名だった。第二十二飛行団は主には八塊を使った。

## （2）誠第三十一飛行隊他の出撃

誠第三十一飛行隊は昭和二十年二月十日、満州新京で他三隊とともに編成された。翌二十一日にここを飛び発った。朝鮮経由で本土に渡り、九州から東進して各務原に着き、さらに奥地の松本陸軍飛行場に着いた。約四十日あまりをここで過ごし、三月末に飛び発ち、九州の新田原飛行場に着いた。兄弟隊の武剋隊は、二十七日に沖縄特攻の初陣を飾り大きな戦果を挙げた。誠第三十一飛行隊武揚隊は、師団命令によって上海経由で台湾に前進しろとの命令を受けた。渡台は困難を極めた。機は三機、人員は八名がようやく八塊に辿り着いた。そして出撃がめぐってきた。五月十三日である。新京を発ってもう九十日も経過

していた。待ちに待った出撃である。
武揚隊は、二隊に別れて出撃した。

誠第三十一飛行隊
昭和二十年五月十三日

搭乗機　九九式襲撃機
山本薫中尉　23（徳島）陸士56
五十嵐栄少尉　24（山形）幹候9期
柄澤甲子夫伍長　21（長野）航養14期

昭和二十年五月十七日

高畑保雄少尉　22（大阪）幹候9期
宮崎義次伍長　19（大阪）少飛14期　＊飛行百八戦隊 高畑機に同乗
五来末義軍曹　19（茨城）航養14期

## 五十嵐少尉の遺書

新田原を発った武揚隊は誠隊の本拠地台湾を目指した。しかし中国大陸を経由しての渡台は困難を極めた。途中、事故や敵機の襲撃があり、十三機のうち八塊に辿り着いたのは三機、八人だけだった。
第一陣は五月十三日だが、本当はもっと前に出撃するはずだった。それは五十嵐少尉が残した遺書に記述されている。

父上様、母上様、敵機動部隊を明朝に控えて
最后の便りを書きます。内地を離れて既に一月近く経過しその間、敵機に遭遇して同僚を失ったり、海上にてエンジン不調になり海上に突っ込んでいく部下を見たり、敵の銃爆撃を受けたり、波瀾に満ちた日々を過ごしてきましたが愈愈明朝二十七日基地を出発、爆弾を抱いて敵を攻撃する事になりました。行方不明だった隊長以下六名も三名だけ無事に帰還し一緒に出撃します。

顧みて二十五年、随分御心配をおかけしましたが今回出撃することに依り何とか年来の不幸を償うことが出来るやうな気がします。天長の佳節や靖国神社の祭りを前に出撃し得る幸福を感じて居ます。

敵機の活動が盛んな為一緒にまとまって攻撃する事が出来ず出発は一緒でも攻撃は各自ばらばらにする筈ですから或いは我々の戦果を確認することが困難かもしれませんが、しかし乍ら桀は誓って敵の重要なる敵の一艦を屠る事に自信を持って居りますから御安心くださ い。どうぞ私の成し遂げる事を信じて下さい。

自分が死んでも遺骨は勿論髪の毛一本残すではありませんが然したとえ何も残らなくても自分の魂は永遠に生きて居る事と思って下さい。日本の国に飛行機がある中自分は何時迄も空を飛んでいると思って下さい。自分の飛ぶ所を見て戴けなかったのは残念ですが、松本で兄さんを乗せて飛んだのがせめてもの慰めです。満州出発以来日記をつけようと思ったのにそれも出来ず自己々傳を書きつけたのも途中でやめてしまうし今にして思へば残念な事ばかりで相変わらず筆無精な自分であった事が思はれ最後まで自分は不完全な人間でありましたが、しかし、亦少なくとも体当り直前の自分はいくらかでも立派な人間になり得る事だと思ひます。

自分が大刀洗を卒業して満州に行くとき芳賀の家の前で撮った四人の寫真を一枚兄さんから貰って飛行服の中に入れて持って来ましたが今では皺が寄ったり折れたりして居ますが何時も飛行服のポケットに入れています。父上や母上の写真を持って征くのは勿体無い気がしますがどうぞ御許し下さい。〇〇〇このまま持って征きます。

台湾はまだ四月の末だと言ふのに物凄く暑いです。砂糖は澤山ありますので結構結構で一寸皆様には申し訳がない位いです。二年ぶり珍しく外語の同級生でスペイン語出身の□山と言ふ友達がおり毎日学生時代の事等を話して愉快に過ごしました。

攻撃を明早朝に控へて居りますので書き度い事等も澤山ありますがこの辺でやめておきます。又他の知人や世話になった方に便りする時間もありませんから何卒よろしく御傳へ下さい。

只今夜の十時ですが飛行場の方からは出撃準備の為の飛行機試運転で発動機の音が轟々と聞こへて来て居ります。我々も士気は彌が上にも挙がって居ります。

では最后の便りを之で終ります。父上様、母上様どうぞ御身体に充分御留意下さい。

さやうなら

昭和二十年四月二十七日　夜　台湾にて　　榮拝

父上様　母上様

これによると出撃は四月二十八日だったようだ。第八飛行師団は傘下の特攻隊を二十七日、二十八日と

続けて出撃させている。

二十八日、南西諸島方面晴、臺灣北、西部薄曇であったが、臺灣東部には依然雨が残った。師団はこの日も前日に続き沖縄の敵艦船を攻撃することに決め、第九飛行団の特攻機六機および誠第三十四、同第百十九飛行隊の特攻各六機で沖縄周辺の敵大型艦船を攻撃するよう部署した。

（『戦史叢書』（五三一頁）

二十八日に誠第三十四飛行隊は、四機が台中飛行場から、誠第百十九飛行隊は、四機が花園飛行場から出撃している。この二隊と連動した作戦に誠第三十一飛行隊も加わって出撃する予定だった。だが、行かなかった。

理由としては、台中、花園、八塊は地理的には離れている。八塊の天候が悪かった。あるいは、機の準備ができていなかった。そのようなことが考えられる。

五十嵐栄少尉は、八塊国民学校の宿舎で遺書を書いている。そのときに飛行場では夜を徹して乗機の整備が行われていた。九九式襲撃機だ。これらの飛行機は、日中は周辺の竹林などに秘匿されていた。恐らく夕方になって敵からの空襲の怖れがなくなってから航空地区部隊の手によって、戦闘機は飛行場に運び込まれた。そして整備員によって整備された。中古機の九九式襲撃機はいくら調整してもうまく作動しない。容易に想像できることは飛行機の整備ができなかった。これに尽きるのではないか。

台湾は本土から離れている。当地に飛んできただけでも部品は消耗するが、代替の部品もない。機そのものも寄せ集めだ。満足に動く機がない。整備員は機を飛ばそうと懸命に努力したがそれは叶わなかった

のだろう。

遺書には松本滞在中のことが書かれている。このときに隊員は一時休暇が与えられた。遠距離の場合は親族が松本にやってきた。五十嵐栄少尉の故郷は山形県米沢である。ここから兄が松本まで出向いてきた。このときに弟は戦闘機に同乗させた。九九式襲撃機は復座である。後部偵察員席に兄を乗せて松本上空をめぐったようである。

五十嵐少尉の遺族は家にあった手紙などを知覧特攻平和会館に寄贈したようである。先の遺書も知覧特攻平和会館所蔵のものである。

もう一枚、武揚隊隊員が五十嵐少尉の兄に贈った寄せ書きもある。これも手紙と一緒に寄贈されたものであるようだ。まず隊長が「武揚隊」と書き、「隊長　山本中尉」と記し「捨身断行」と力強くサインをしている。この下に「一機屠萬」と記しているのは長谷川少尉である。最末尾には「為敬兄　五十嵐信夫」と記し、兄に贈った短歌が添えてある。

とこしへに花は咲くらむ靖国に
われ空征きて帰り来ずとも　栄

武揚隊が泊まっていた宿舎の富貴之湯で書かれたものに違いない。結局、出撃は半月ほど延期になって五月十三日となった。

五十嵐少尉には出撃を前にした遺筆がもう一つある。

一死報皇恩
一機屠一艦
七生滅醜敵

特別攻撃隊武揚隊を唱ふ

命を賭けて契りたる
我ら十五の血の朋ぞ
身は雲染めつ日乃本の
御楯となりて國護る
此ぞ吾等が武揚隊
磨きし腕も錬える魂も
この日この時この為ぞ
大和男子の生甲斐は
身をぞ砕きて名に生きる
征くぞ吾等武揚隊

出撃を前にして
遺為敬兄
昭和二十年五月五日節句
武揚隊陸軍少尉
五十嵐　榮

この武揚隊隊歌はいつできたのだろうか。菱沼俊雄氏は、「山本薫君の霊前に捧ぐ」という手記の中でこう述べている。

五月三日はヒットラーの戦死やベルリン陥落の悲報を聴き、夕刻鈴木中尉の飛行機で八塊に参りましたが、其の夜は山本君達と一緒に寝みました。其の夜は色んなことを話し合ひ、又高畑少尉、五十嵐少尉が作詞作曲した武揚隊歌を教へて貰つて合唱致しました。

新京発足特攻四隊は、大本営が関東軍、第二航空軍に下命して編成され、第八飛行師団に配属された。大本営直轄部隊は別格であったと言える。新京では満州国皇帝に特別な拝謁を賜った。各機には機付きの整備兵がついた。隊員自身も誇りを持っていた。隊歌を作ったのはその証しだろう。

先にこの特攻四隊の一つ扶揺隊について述べた。この隊は、満州第二十四教育飛行隊から選抜されている。この隊の教官である元村勉少尉が新京出撃に際して「扶揺特別攻撃隊を送る」と題して「若桜の歌」

を贈っている。これが隊歌として記録されている（菅井薫『憧れた空の果てに』、鳥影社、一九九九年参照）。

一つあれば二つある。実際「武揚隊隊歌」はあった。恐らく「武剋隊」にも「蒼龍隊」にも隊歌はあったろうと想像できる。

扶揺隊は、関係者が作った。武揚隊は、隊員の高畑少尉、五十嵐少尉が作った。手がかりになるのは、「命を賭けて契りたる／我ら十五の血の朋ぞ」である。隊員が十五名揃っていたのは松本である。満州新京からやっと内地、松本、ここの温泉に辿り着いてようやく安堵した。仲間同士がお湯に浸かったり、酒を酌み交わしたりして同輩意識が生まれた。

そんな中で隊歌をという機運が生まれて、高畑少尉と五十嵐少尉とが作詩作曲した。私はその場面を想像した。途端に思いついたことがある。それで電話をかけた。

「富貴之湯旅館にピアノかオルガンはありませんでしたか？」

「ピアノは覚えがありませんがオルガンはありました」

疎開当時をよく覚えている秋元佳子さんに尋ねたのである。推理である。雲の上では曲は作れないが温泉ではいくらでも作れる。浅間温泉で作ったのではなかろうか。

「大和男子の生甲斐は／身をぞ砕きて名に生きる／征くぞ吾等武揚隊／って歌聞きませんでした？」

「いや、覚えはありません」

私の妄想はしぼんでしまった。

## 隊長山本薫中尉の新聞記事

第八飛行師団命令が発出された。「誠作命甲第三百二十五號　誠部隊命令　五月十三日〇八三〇　台北」、誠部隊長は山本健児少将である。命令項目は六項目あるが、第三十一飛行隊に対するものは以下だ。

誠第三十一飛行隊ハ本十三日出動可能ハ全力ヲ以テ一九二〇乃至一九四〇ノ間ニ沖縄周辺ノ敵艦艇ノ索メテ攻撃スベシ

本攻撃間誘導及戦果確認ノ為獨立飛行第四十九中隊ノ軍偵一機ヲ配属ス

（手描き命令書の写し）

五月十三日、出動可能な全機、五機が出撃することになった。発進時刻は十六時三十分だ、いわゆる薄暮出撃だ、突入機からは敵艦船が見え、敵からは見えにくい、最適な時間であった。このときに一機が付いた。誘導機であり戦果確認機でもある。機種は軍偵、すなわち特攻機と同じキ五一、九九式襲撃機だ。ところが、この機も「遂に還らなかった」という。戦果確認としての「火柱六本」は沖縄の地上部隊である「球部隊」が行ったようだ。

その出撃の様子を菱沼俊雄氏は手記にこう綴っている。

山本君は隊員と共に飛行場ピストに近い天幕の前に整列すると（十六時過ぎ）陽焦けして引締まった顔も態度も磔岩毅然として参謀長に対し敬礼し、「武揚隊山本中尉以下五名、各機搭乗、只今より出発。沖

縄周辺の敵艦船を索《もと》めて攻撃致します。」と平常と変わらぬ落ち着いた元気で力強い声で報告され、参謀長も「御成功を祈る。」と応えられました。

それから祖国の方を拝して参謀長の発声で天皇陛下万歳を三唱し、又山本中尉の発声で武揚隊万歳が唱えられました。乾盃を了えた後、山本中尉以下、特攻隊の勇士は、整列する将兵の前を答礼しつつ過ぎて飛行機の方へ歩み寄りました。隊員は飛行帽の上に日の丸の鉢巻を締め、山本君の左手に肥前忠吉の名刀がしっかり握られて居りました。私と鈴木中尉は山本君としっかり手を握りました。感激が電気の様に身体の中をジーンと走りました。御互《おたがい》の眼と眼が一瞬一切の必要な言葉を話し合ったのです。山本君はニッコリして「後は頼むぞ」と云われ、私達も自然に「うん、我々も直ぐ後から行く。」と答えました。小学校の先生や兒童《じどう》、内地人も本島人も日の丸を手にして並んで居りましたが、親身の世話をされた之等の人達の眼には涙が光って居りました。今迄行を共にして来た整備班の村上少尉以下も何とも云えぬ気持だったことでしょう。隊員は機上の人となり一しきり爆音を轟かせて試運転を終るとそれぞれ手を左右に振って車輪止めを外させ総て出発線に就きました。キ51の各両翼には二五〇粁爆弾が二発懸架《けんか》されて居ります。山本中尉は各機の整置の終了を見届けると此方《こちら》に顔を向けニッコリ微笑されました。そうして右手を高く上げると前に振り出発の合図をされました。隊長機は弦を放たれた矢のように滑走を始め直ぐ尾部もピンと上に上がりました。轟々たる爆音を残して一機又一機大地を離れて中空に舞い上がって行きます。五来軍曹もマフラーを靡《なび》かせて手を振りながら離陸して行きました。最後に誘導機も離陸しました。時に五月十三日十六時三十分、上空で大きく旋回しつつ高度を取り隊形をととのえた編隊は、やがて真一文字に沖縄の空を目指して遙かなる雲の彼方に機影を没しました。見送りの人達はいつまでもじっと北の空を

仰いで立ちつくして居りました。誰の胸にも言いしれぬ感激が湧いていたのです。

八塊からの出撃場面がよく描かれている。見送りには小学校の先生や児童とある。隊員が滞在していたのは八塊国民学校である。その低学年の子どもがお別れにきたのではないかと想像される。

後にもう一つ知ったことがある。このとき山本薫隊長は胸に遺骨を抱いていたことをである。このことは偶然に知った。「臺灣新報」に載っていたのである。この新聞との出会いもたまたまである。一連の特攻関係の取材では不思議なことがたびたび起こった。その一つでもある。この経緯は、後に述べることにして、先に新聞記事から紹介をしよう。

昭和二十年五月十七日木曜日に「臺灣新報」に載った記事だ。見出し記事には「部隊長」とあるが、これは誠第三十一飛行隊隊長山本薫中尉である。

部下の遺骨を抱き　部隊長、敵艦に突入【某基地にて篠崎報道班員発】

沖縄周辺の残存敵機動部隊をめがけて今日も天翔けて征った。基地に於ける部隊長は首を長くして戦果報告を待っているが、之までの例から云っても直掩機からの確認報告が遅れるような時に限って大戦果があがっている場合が多いと云う。この日この基地から飛びたった山本薫中尉を隊長とする○特攻隊武揚隊も必ずやその名に恥じない嚇嚇たる戦果をあげている事であろう。それにしてもこの壮挙を送った将兵にとってこの日は格別胸を打たれるものがあった。人々の目を惹き熱い血潮を湧き立たせたのは隊長の胸に

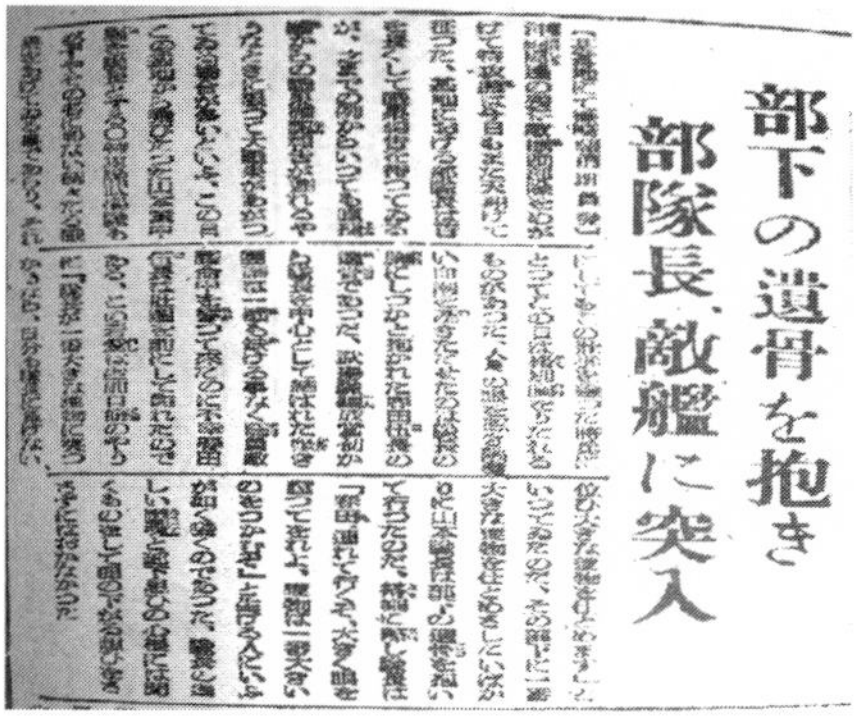
部下の遺骨を抱き
部隊長、敵艦に突入

台湾新報記事

しっかと抱かれた春田伍長の遺骨であった。武揚隊編成当初から隊長を中心に結ばれた堅き団結は一機も欠ける事なく総員敵艦命中を誓って来たのに不幸春田伍長は壮図を前にして斃れたのである。この若鷲は生前口癖のように「隊長が一番大きな獲物に突っかるなら、自分も隊長に負けない位い大きな獲物を仕とめます」といっていたのだ。その部下に一番大きな獲物を仕とめさしたいばかりに山本隊長は部下の遺骨を抱いて行ったのだ、搭乗に際して隊長は「春田、連れて行くぞ、大きく目を見張っておれよ、獲物は一番大きいものをつかむぞ」と生ける人にいうが如く囁くのだった。隊長の逞しい闘魂と部下思いの心根には聞くものをして頭の下がる想いをさせずにはおかなかった。

武揚隊は、二月十日満州新京で発足した。ここを発って朝鮮半島を経由し九州に着いて、さらに北上し松本陸軍飛行場に飛んできた。二月二十日のことだ。ここで三月末まで滞在した。この間、隊員は毎日飛行場に通って訓練を行った。急降下、緩降下などの降爆訓練である。訓練では地表にT字板を設置してこれをめがけて地上すれすれまで急降下し、機を引き起こす。引き上げのタイミングが難しい。操縦桿の引き起こしを誤って殉死する隊員もいた。

春田正昭伍長の詳しい記録はない。「三月九日、松本飛行場で殉死」とあるだけだが、飛行場であったとするならば訓練中であろう。彼は真面目で人一倍訓練熱心だった。「大きな獲物を仕とめたい」と隊長や他のものにも言っていたのだろう。

山本薫隊長は部下の死に遭遇して深い悲しみを持った。

「よし、俺がお前の代わりに一番大きな獲物を仕とめてやろう、見ていろよ」

そんな意気込みを持って部下の遺骨を抱いて出撃した。

隊長は、出撃するに当たって母宛の遺書を書いている。

愈々　晴の特攻隊長として出撃、
途中死んだ部下もあります
その仇討ち、
近頃、つくづく死ぬは悲しむ事にあらず、
悠久の大儀とは何かと言う事を悟り
喜んで死ねます
修養はむつかしいものですね
薫も今やっと完全な人間となる事ができました
　　薫より

「台湾新報」の記事を見る前は、死んだ部下というのは長谷川信少尉、西尾勇助軍曹、海老根重信伍長の三人だと思っていた。それが、彼らに加えて春田正昭伍長もいた。この四人を背負っての出撃行だった。すべての煩悩を隊長は吹っ切ったようだ。「完全な人間」となっての出撃は母を安心させるためのものでもあったろう。

五月十三日、誠第三十一飛行隊は出撃可能な機で飛び発った。隊長の山本薫中尉、五十嵐栄少尉、高畑保雄少尉、五来末義軍曹、柄沢甲子夫伍長の五人だ。ところが、高畑機と五来機は不調を来たし、やむなく八塊に帰還した。

### 武揚隊第二次出撃

高畑保雄少尉、五来末義軍曹は四日後に改めて出撃した。菱沼手記には、このとき高畑機の偵察員席に同乗して特攻出撃した者がいたことを記録している。飛行第百八戦隊の宮崎義次伍長である。個々の特攻兵の思いはある。「一機一艦」、操縦士一人で空母一隻を沈めるのが願いだった。ただ現実には特攻機は不足していた。特攻隊員になっても機がなければどうにもならない。宮崎義次伍長は十九歳だった。兄貴分の高畑少尉二十二歳に懇願したのであろうか。同乗出撃はやむにやまれない方法だったのだろう。菱沼氏は、従者であっても特攻に行ったことに変わりはない、とその出撃した十九歳を思いやっている。彼は無線通信の任務を立派に果たし、「我敵空母に突入す」と打電して散ったと。

このときに出撃した五来末義軍曹は馴染み深い人である。因縁物語のキーマンである。武剋隊後半隊の

六人は、四月三日に九州新田原から出撃をする。この中に時枝宏軍曹がいた。彼は浅間温泉では千代の湯旅館にいた。共に過ごした学童からは深く慕われた。そのことが忘れられず、子どもたちに「時枝は元気に出撃していった」と伝えてくれと五来軍曹に言伝てを頼んだ。生真面目で誠実な彼は時枝軍曹の思いを手紙に書いて学童たちに送った。

この手紙に「自分は同じ任務についている武揚隊の五来軍曹です。富貴之湯に泊まっていました」と記してあった。この記述によって私は武揚隊が滞在していた旅館が富貴之湯であることを知った。浅間温泉には東京世田谷の学童が疎開していた。それでこの旅館にはどこの学校が疎開していたのかを調べた、すると東大原国民学校であることがわかった。ここに疎開していた人を探し出せば当時のことが聞けると思った。

ところが、人探しは容易ではなかった。それでも苦労して当事者を探し、ようやく当時の話を聞くことができた。

「隊長さんは怖い人で、『おじちゃん遊ぼう』と低学年の子が行くと、そんな暇はないと突き飛ばしたんですよ」

山本薫隊長の第一印象は、怖い人だった。世田谷の疎開学童は悪印象を持っていた。武揚隊は浅間温泉を発って台湾八塊に着いた。ここでも隊長は小学生に出会った。邱 垂宇さんである。が、隊長はこの少年に強いインパクトを与えた。それはすばらしくかっこいい飛行機乗りという印象である。

さて、五来軍曹に話を戻そう、先に「台湾新報」の話をした。偶然に見つかったものだ。影印本は、かすれたり薄かったりして読みにくいものであった。これを隅から隅まで丹念に見た。何と五来軍曹がここ

に出てくるではないか。それは驚きであり、感動だった。

出撃前に飛機献金　〝後は大きな獲物〟と微笑　【某基地にて報道班員発】

わが○特攻隊武揚隊はさきに部下春田伍長の遺骨を抱いて敵艦に命中、護国の鬼と炸裂した隊長山本中尉ほか○機を空の最前線に送ったが更に十七日敵艦隊に突入し同隊の高畑保雄少尉と五来末義軍曹のあげた空母一隻撃沈其他の戦果が十八日確認された。武揚特攻隊のこの日の任務は、他の航空部隊と協力、慶良間列島北方に遊弋する仮装空母○隻を基幹とする敵護送艦隊主力の撃滅であったが、小癪にも立ち向かって敵機を退けながら、わが高畑機は空母を見事捕捉し『われ空母に突入す』の通信を最後に突入、続いて五来軍曹も大型艦に命中炸裂したのであったが、このことは十八日の司偵機帰投によって確認されたのである。わが司偵機の報告によれば、前日○隻あった空母が一隻他艦種不詳の軍艦船一隻計二隻減っており、付近洋上一面には夥しい重油が浮いていることが確認されたのである。

なお五来軍曹は出撃に当り『特攻機の製作費に充ててくれ』と百五十円を戦友に託し『これですることは全部すんだ、後はでっかい獲物を捉むことだけだ』と心持ち頬を紅潮させて大空を仰いだが、その顔には何の屈託もなくただ最後の瞬間まで敵を殲滅せずんば止まずの気迫が満ち満ちていた。

（昭和二十年五月二十日（日）付「臺灣新報」）

もう長年五来軍曹にはつきあってきた。その実家はどこか探しもした。茨城県久慈郡久慈町出身だ。検

索で探すとどこもここも五来だらけだ。実家のあったところの五来クリーニング店に電話をかけてみた。「特攻に行かれた五来さんはわかりますか?」と問うたところ、縁もゆかりもない人だった。その人はとても親切な人で、方々電話をかけてくださり、ついに軍曹の親戚を突き止め、連絡してくださった。

君が為　南十字星の下遠く
花と散るらん　大和ますらを
五来軍曹

松本浅間温泉で五来軍曹が書き残した遺墨である。台湾からは南十字星が見えた。当地に着いて夜これを見たときには深い感銘があったのではなかろうか。ご遺族にはこの写しを送った。彼の妹さんはだいぶ前に亡くなられた。病弱な妹に宛てた彼の遺言である。

五来末義軍曹

お前も俺の妹だ。荒鷲の妹だ　小さな物を相手にせず……大空を相手にせよ
兄は大君の為に喜んで死して行くが、心は　魂は　お前とどこまでも行く　いつまでもお前を護って行く。悲しい事つらい事があつたなら兄を呼べ　兄の貯金少しではあるが何か父上様の仏前に供え……

五来軍曹は、出撃前に持っていた所持金をいわゆる「飛機献金」に託した。これはなにも彼一人だけではなかった。特攻隊員の多くが拠金した。これには彼らの思いが籠もっている。五来軍曹は、本当は武揚隊での全機出動のときに隊長と共に行きたかった。出撃途中に機が不調を来たし、八塊に舞い戻ってきた。悔しかったに相違ない。

台湾には機が不足していた。あったとしても中古のオンボロで満足に飛び発てないものばかりだ。修理しようにも部品がない。せめて新造の機がありさえすれば苦労をすることもなく出撃できたはずだ。後に続く仲間にはそういう新鋭機で行ってもらいたい。そういう切なる願いが彼にあっての飛機献金であった。

## 武揚隊松本長逗留の謎を解く

一切の恩愛を断ち切って特攻に出撃する。特攻隊員に与えられた使命である。長居をすれば情も湧く、ゆえに前線へはすばやく直行して、即刻出撃する。ところが武揚隊は、なかなか松本を出ることができなかった。ついに滞在が四十日もの長きにわたった。必然的に人との接触が多くなり未練も湧いてくる。いざ出撃となるとすべての関係が消滅してしまう。ここに言いがたい感情が湧いてきた。誰もが千々に思い乱れた。そこに悲しみや哀切が生まれもする。言わば、長逗留が数々の逸話を生んだ。

長期滞在が引き起こした温泉と隊員と人の物語である。それゆえに、武揚隊がどうして当地に長く留まることになったのか、前々から深い疑問を抱いていた。ところが、今回偶然に一つの新聞記事に行き合った。先に示した「部下の遺骨を抱き　部隊長、敵艦に突入」である。読んだとたん、ずっと抱いていた疑

問が晴れたように思った。

まず経緯の確認だ。満州新京発足の、特攻四隊は発足後にどこで爆装改修をするかは決められていた。扶揺隊は奉天、残り三隊は内地の各務原である。この割り当ては機種に関係するようだ。扶揺隊は九七戦、中島飛行機製、蒼龍隊は一式戦、川崎航空機製、武揚隊、武剋隊は三菱製の九九式襲撃機である。九七戦を除いて各務原は飛行機製作工場に結びつく。各務原には陸軍航空廠があり、三菱重工業各務原格納庫があった。川崎航空機は飛行場に隣接していた。

前にこの爆装改修のシステムについて、知覧特攻平和会館の初代館長故板津忠正さんに問い合わせたことがある。そのときに「母港改修」のことを指摘しておられた、つまり製造工場に帰って整備をするのだと。各務原飛来の三隊はどうやらこれが当てはまりそうだ。

しかし、当時の不利な戦況があった。太平洋側の中京地区は、米軍による空襲の怖れがあった。それで武揚隊と武剋隊はここを離れ、爆装を松本で行うことにした。これも機種が関連しているように思われる。九九式襲撃機の製造に関わった三菱は松本に疎開してきていた。機種関連でいえば、後で触れる第五航空軍も松本に爆装改修にきているが、やはり機種は九九式襲撃機だ。松本の航空分廠には整備員として三菱関係の社員が入っていたのではないかと推察される。

爆装改修は何のために行うのか。一つは沖縄までの長距離を飛ぶためには燃料タンクの増槽が必要だった。もう一つは両翼に二五〇キロずつの爆弾懸架をするが、そのための構造強化作業があった。機は九九式襲撃機、老朽機で壊れやすい。それでこの爆装改修には慎重を要した。

爆装改修には約二週間程度かかる。この間、太平洋側にいれば跳梁跋扈してくるB29に襲われる可能性

があった。そのことから危険の少ない山岳地帯の松本で改修を行うことになった。

二月二十日に松本に着いた隊は、ただちに「航空分廠に整備を依頼した」という。しかし、その爆装改修は思うように進まなかった。ここが、諸設備が万全でない地方飛行場であったからだ。要員や部品の不足、またそこに整備機の増大などの問題も起こってきた。

この改修は十五機一遍に行う訳ではない。順次行われる。それでこの間、交替で待機飛行機を使って飛行訓練が行われていた。隊員は、毎日温泉から飛行場へ通った。同じ志を持った者同士が生活を始めれば関係は深まっていく。武揚隊の隊歌では「命を賭けて契りたる／我ら十五の血の朋ぞ」と歌われる。仲間意識がさらに密になったのは浅間温泉での共同生活だろう。

一方、第八飛行師団では直轄隊の到着を今か今かと待っていた。ところがなかなか到着しない。それで師団は河野剛一参謀を本土に送りこんで実情を探らせた。彼は、「大刀洗、明野、松本等の基地を回り、三月十日に立川に着陸した」こうして、「『と』第三十二廣森隊等の数隊を掌握し、それぞれ新田原に前進集結するよう指示した」（『戦史叢書』三六八頁）。

川野参謀は三月初めに台北を出発している。まずは新田原に行ったが一隊も掌握できず、主だった基地を回り、松本へ来て武揚隊と武剋隊を捕捉できた。

参謀は浅間温泉まで行ったに違いない。そしてここに滞在している両隊の隊長に面会しようとした。九日か十日である。しかしこのとき、武揚隊の山本薫隊長は東京に出張していなかった。それで武剋隊隊長廣森達郎中尉に会い、「至急新田原に集結せよ」と檄を飛ばした。武揚隊には隊長代理の誰かに伝えたはずだ。

直に命令を受けた廣森隊長は気が急いた。思案の挙げ句隊長が決断したのは分散出撃だ。全機の整備を待っていたのでは時間がかかる。それで、改修が終わった機から出る。つまり前半、後半の二隊に分けて出撃することにしたのである。前半隊は三月十八日だ。続いて後半隊が出る。これによって天号作戦の緒戦に前半隊は間に合った。

さて、武揚隊の方である。こちらは三月九日に事件が起こった。記録では「松本飛行場で戦死」とある。飛行訓練中に春田正昭伍長が事故を起こして死亡した。急降下訓練での引き上げ失敗で多くが亡くなっている。死因はこの可能性が高い。この日隊長は不在だった。彼は東京に行っていた。

武揚隊隊員は松本での爆装改修期間中に帰郷が許された。それぞれ頃合いを見計らって帰郷した。隊長の故郷は四国小松島だが、彼は東京に行った。母親が郷里から出てくることを聞いていたことから、四国には行かず、東京の知人の家を訪問した。特攻隊長として特別な思いがあったのだろう。いずれは自身が祀られる靖国神社へ参拝したのではないか。その東京にいる隊長へ直ちに訃報を知らせる電報が打たれた。

翌三月十日は東京大空襲だった。東京は混乱していた。が、空襲を受けた割には鉄道の被害は大きくなく、十一日にはもう大方の汽車は動いていた。行きは東海道線経由だったが、帰途は中央本線だったと思われる。三月十四日には母親に手紙を出していることから、少なくとも十三日には松本にいたようだ。恐らく隊長の到着を待って、春田伍長は荼毘に付されたのだろう。骨上げの際に隊長は幾つか骨を拾って布袋に包んだ。

武揚隊隊員にとって同僚が事故死したことは、大きな衝撃だった。隊長にとっては、もっとそれが大きかった。出撃に際して春田伍長の骨を抱いていたことからもわかる。

この事実から、私は、武揚隊の出撃が遅れたのは、これが原因だったのではないかと思った。その推論を述べる前に、武揚隊の出撃までの経過を以下に記しておく。

○武揚隊の松本関係の動向

・二月二十日　各務原飛行場から松本飛行場へ到着。
・三月九日　松本飛行場で春田正昭伍長が戦死（事故死）
・三月十日　東京大空襲。山本薫中尉は東京の知人宅に滞在していた。
・三月十五日　春田正昭伍長初七日。
・三月二十五日　第八航空師団命令。誠第三十一は上海経由で台湾に前進せよ。
・三月二十七日　山本薫隊長は故郷小松島へ訪問飛行をし、空から父親の墓参をした。
・三月二十八日　山本薫隊長は菱沼俊雄中尉と岐阜長住町駅前（新岐阜）でばったりと出会う。
＊山本薫中尉は各務原へ連絡任務があって飛び、ついでに故郷訪問飛行をした？
・三月二十八日　武揚隊吉原香軍曹が滞在旅館富貴之湯上空で宙返り飛行を敢行した。
（出撃間近となって学童への腕見せ披露だと思われる）
・三月二十八日　松本高女卒業式「特攻機が卒業を祝って飛来する」との学校の案内。
松本高女生は武揚隊の慰問に来ている。それへのお返しだったと考えられる。
・富貴之湯での壮行会　学童を前にお別れの歌を隊員が大広間の舞台に上がって披露した。
期日は不明だが、三月末であることは確かであろう。

・四月三日　宮崎県新田原の兵站宿舎「八紘荘」。
台湾へ武揚隊を誘導する菱沼俊雄中尉が山本薫隊長と出会う。

以上のことから武揚隊の松本出発は、三月末日だったと言える。

武揚隊の長期滞在が数々のドラマを生んだと述べた。もっと早く出撃できていれば武揚隊に関わる隊員たちの運命は大きく変わっていた。新田原着は三月末だ。第八航空師団は九州から直接誠隊を出撃させるために三月二十七日に福澤丈夫参謀を新田原に派遣し、そして指揮を執らせた。武剋隊後半隊は新田原から四月三日に出撃した。これも彼の采配によるものだった。

もう数日新田原着が早ければ、台湾へ行かずに沖縄に直行できた。だが間に合わず、台湾へ行くことになった。その渡台途中に敵機と遭遇し、長谷川信少尉、西尾勇助軍曹、海老根重信伍長を失ってしまった。そして運命転変、武揚隊が台湾に行ったことで邱 垂宇さんと出会い、私はこうして物語をまとめている。

春田伍長の初七日は三月十五日だ。宿舎の富貴之湯でしめやかに行われたと思われる。隊員は一人欠けて十四名となった。隊長はこう決意を述べたのではないか。

「でっかいのをやっつけたいという春田伍長の思いを我々が引き継ぎ、つつがなく特攻出撃を行う。兄弟隊の武剋隊は近々分散出撃をするそうだ。しかし我が武揚隊は、心は一つだ。整備が終わったら、即刻全員で出撃しよう」

隊長には分散出撃の考えはなかったようだ。じっと耐えて待った。出撃が迫ってきたときに隊長は、各

務原に連絡出張に出かけた。出発も迫ってきている中、なぜ各務原まで行ったのだろうか。考えられることは一つ、春田正昭伍長の事故の顛末をまとめ、各務原の部隊に報告にいったのではないか。

出撃が結果として大幅に遅れてしまったのは、部下が急死したことが大きい。隊員たちにとっても仲間の死は大きな衝撃となった。葬儀などの後始末もあった。それで予定していた段取りがうまく行かなかったのだと思う。

飛行機乗りにとって大事なのは滞空時間である。皆操縦に完全には慣れてはいない。少しでも多く機に乗って習熟をしたいが、仲間の急死で数日間は訓練ができなかった。いわゆる練度不足も起こった。三月二十五日には、第八飛行師団から台湾行きも指示された。長距離の洋上飛行には慣れていないことから皆不安に思うこともあった。そんなこともあってギリギリまで松本に残って訓練を行ったともいえる。

三月も末になってようやく爆装改修も終了した。それで出撃の準備が整った。いよいよ浅間とはお別れである。疎開学童との別れ、慰問にきた女学生との別れ、それから世話になった旅館の人々との別れもあった。長く居た分、去りがたくもあるが、別れはめぐってきた。武揚隊は分散宿泊をしていた武剋隊とは違って同一旅館に宿泊していた。立ち去るときは皆集まってお別れ会ができた。大広間で壮行会が行われた。

隊員たちにとって同宿していた女子学童は別れがたいものであった。それで若い隊員たちは相談して、彼女らを思慕する歌を作った。その夜限りで消えてなくなるものだった。ところがこれを、一言一句全部覚えていた女子がいた。

歌の内容は鮮烈だった。これを聞いた一人の少女がそのすべてを記憶に残した。やはり武揚隊の長期滞

在が大きく影響している。出で湯に長く浸かれば、人との接触が長ければ、この世への未練も深まってくる。事実、隊員は当地に疎開してきた学童とは深い交流を持った。中には旅館の若い女性と抜き差しならない関係に陥った者もいた。
いずれにしても春田正昭伍長の急死は武揚隊の運命に大きな影響を及ぼした。

## （3）飛行第二〇四戦隊

### 苦闘特攻二〇四戦隊

飛行第二〇四戦隊のことである。情報が少ない中で、この戦隊については多くの資料を得ることができた。二人の方のお陰である、一人は鈴木豊さんである。第二〇四戦隊の一次隊の隊長を務めたのは栗原義雄少尉で、彼の叔父である。もう一人は中田芳子さんである。彼女は昭和二十年当時、十四歳のいわゆる湾生だった。このときに第二〇四戦隊の隊員たちと知り合った。これが機縁となって、戦後特攻隊員だった中田輝雄軍曹と結婚をした。この彼女を紹介してくれたのが鈴木豊さんだった。

飛行第二〇四戦隊　　搭乗機　一式戦「隼」
昭和二十年五月二十日　　栗原義雄少尉　22（埼玉）　特操1期

小林脩少尉　22（香川）　特操１期
田川唯雄軍曹　18（岐阜）　仙本　＊仙台本科１期
大塚喜信伍長　19（神奈川）少飛13期
井澤賢治伍長　20（兵庫）　少飛13期

第二〇四戦隊は苦難を重ねた戦隊だ。八塊飛行場出撃の特攻隊の中で歴史が一番古い。昭和十七年四月に西満州の白城子付近の鎮西で組成された。武剋隊や武揚隊が編成された平台飛行場の近くである。この後にビルマ、タイなどに進駐し、さらに比島決戦にも参加したが、戦隊はここで戦力を消耗し、それで内地に戻った。水戸東飛行場である。ここで戦力回復に努めた。具体的には人員の補充（特別操縦見習士官や少年飛行学校修了者など）、乗機の改変、戦隊は一式戦、隼を用いていたが、これを一式戦三型に改変中で、順次立川から受領していた。

昭和二十年に入って戦隊は「二月十五日までにサイゴンに前進せよ」との大本営命令を受領した。機体の改変が終わっていなかったことから先発隊、後発隊と分けて発進することにした。それでまず主力は二月三日に戦隊長村上浩少佐が指揮を執り、二十七機で水戸東飛行場を新田原に向け発進した。しかし、受け取った飛行機も故障が多く、試験飛行中にエンジン故障で他の飛行場に不時着することが多かった。それで前進中にも機が墜落して殉職者も出していた。

飛行第二〇四戦隊は台湾では五月二十日に一次が、七月十九日に二次が出撃する。こちらには水戸東からの後発隊の隊員が多く含まれていることから、この動きを中心に述べたい。幸いにも後発隊の飛行隊長

の高橋渡氏が「私の二〇四戦隊記——後発隊記録」（飛行二〇四会編『元飛行第二〇四戦隊戦友会誌・総集編』一九八八年）に経緯を記録している、これを参考にして紹介しよう。

隊は一式戦三型を十五機ようやく入手して待機していた。だが二月十六日、敵機動部隊から発進した艦載機に襲われた。これによって数機が被害を受けた。応急措置をして整備が完了した十二機で新田原に向けて二十一日に進発した。ところが悪天候に遭遇したり、機が不調をきたしたりして着いたのは二十四、五日頃であった。

新田原でも手間取った。三月十八日整備の終わった八機で済州島に前進した。この先発隊のうち栗原義雄少尉、小林脩少尉、大塚喜信少尉、伊沢賢治伍長の四名は五月二十日出撃の隊員だ。また、渡井香軍曹は七月十九日出撃の隊員だった。

後発組となったのは、「山口、塚田、中田の三機」だ。塚田方也軍曹は二次の特攻隊員として出撃している。

先発八機は済州島に二泊し、ここから上海に飛んだ。悪天候の中、台湾海峡を渡り、ようやくのことで台中飛行場に着いた。

ちょうどこの頃、敵機動部隊が沖縄侵攻を始めた。第八飛行師団は石垣島に待機している誠第十七飛行隊に三月二十五日に特攻出撃命令を発した。

この三月二十五日朝に第二〇四戦隊の後発隊長高橋渡大尉は八飛師より電話を受け、「八飛師に転属になったので本隊追及は中止」との指示を受けた。翌二十六日には「台北以北にある二〇四戦隊の隊員は第

八師団司令部付きを命ずる」との大本営命令を知らされた。改めて高橋隊長は師団命令で誠二〇四戦隊長を命ぜられ、台北集結を指示された。

台北では「自隊の訓練と共に彼らの特攻教育及び攻撃部隊出発時の上空援護等を実施した」そうしているうちに未着の仲間が続々と集結してきた。「更に田部井曹長指揮の整備小隊約二十名が専属されて飛行部隊らしくなり大いに意気があがった」と記されている。戦隊で大事なのはやはり整備員だ。戦争も末期になり部品消耗、部品不足で満足に機は動かなかった。そういう中で整備員が揃ったことによる安堵感は大きい。二〇四戦隊の乗機は一式戦三型だ。整備員はこれに対応できる者たちであった。

台北では配属機も含めて十七機の大勢力となった。このことから「整備能力を越え、徹底した夜間分散に損傷も発生するので他飛行場へ移駐を要望した」という。そうしたところ師団から四月二十日過ぎに「上大和を使用との命令があり移駐した」と。

花蓮港には三飛行場があった。花蓮北飛行場（北浦）、花蓮南飛行場（南浦）、そして花蓮港の南の上大和飛行場だ。こちらは秘匿飛行場と呼ばれた。ここには飛行場中隊が駐屯していたが整備については万全でなかった。「山間の一五〇〇×五〇位の滑走帯は草の高さ一米近く離陸時に危険を感じ、天候の不良もあって訓練もままならぬ」なかった。それで「花蓮港への移動を申請、五月初めに転進した」という。これは北飛行場であろう。そしてここでの特攻編成について「戦隊記」はこう記す。

花蓮港展開後我等も特攻隊組成を命ぜられ止むなく栗原、小林、三島少尉、田川軍曹、大塚、伊澤両伍長を指名、出撃は八塊からとのことで十七日頃移動した。誘導確認機は古参の藤井曹長に命じた。私も予

備機をもって鈴木中尉を胴体に乗せた山口機とともに移動した。八塊での試験飛行中三島機が中歴の海岸に不時着大破入院の事故があったが、他の六機は参謀長以下の見送りを受けて、二十戦隊の上空哨戒の下、出陣式を行い、二五〇瓩爆弾二発を抱き滑走路一杯使って離陸、藤井機誘導の下、栗原少尉を先頭に三機二機の編隊で飛行場上空を通過、大屯山《だいとんざん》の東に飛び去った。

この戦果については、『戦史叢書』は次のように記録している。

第二十二飛行団は五月二十日、誠第二百四戦隊の特攻隊が一六五〇、八鍊基地から沖縄に出撃、栗原義雄少尉ほか四機が敵艦船に突入し、輸送船四、艦種不詳一隻を撃破したと報じた。(『戦史叢書』五八七頁)

具体的には駆逐艦サッチャーに第二〇四戦隊が大きな損傷を与えたとされている。

第八飛行師団特攻隊戦果調査表には、「直掩隊」の乗員氏名欄に「藤井曹長」とある。そして「未帰還者氏名」として出撃者五名の他に括弧づきで「曹長　藤井　繁幸」の名が記されている。直掩機の藤井機は敵の弾に当たった、「被弾自爆したらしい」(『私の二〇四戦隊記』)とも推察されている。この場合は単なる戦死として扱われる。

「戦場の兵士にとって漬物というのは欠かせないものなのですよ。一切れの福神漬けが故国を思い起こさせ、戦意昂揚をもたらしますからね」と鈴木豊さん。彼は漬物研究家である。

戦争と漬物、考えたこともなかった。しかし、大事なことである。朝鮮から引き揚げてくる人が収容所で足止めを食らう。何となく暮らしているうちに子どもが日本語を忘れてしまった。言葉を忘れると自分が誰だかわからなくなってしまう。それで慌てて子どもに国語の授業をすることにしたという。外地にいるときに必要なのは自己確認だ。漬物が自分の国を思い起こさせてくれる。彼は自衛隊も海外に行くときは漬物が必須だ、そう教えてくれた。

鈴木豊さんは物心つき始めた頃から特攻に深い関心を持ったという。私が書いた『と号第三十一飛行隊（武揚隊）の軌跡』を読んだことから台湾の特攻について知りたいとコンタクトがあった。

「叔父さんの遺書みたいなものはないのですか？」

「いやそれがないのですよ。叔父はきっと書いて実家に送っているはずなのですよ。ところがないのです。家族が処分をしたのではないかと考えています。戦後になって実家の近くに進駐軍が駐留してきたんですよ。それでまずいということになって焼却処分をしたのではないかと思っているのですよ」

「八塊から出撃した山本中尉の実家は四国小松島なのです。やはり進駐軍が来るというので手紙とか遺書とかは蔵の奥にしまったと言っていましたね。幸いそれは焼却されずに済んで残っていたものだから私は見せてもらいました。やはり現物が残っていると正確なことがわかります。それと書いた人の具体像も浮

かんできます」

「ええ、私も叔父の書いたものは読みたかったです」

「栗原少尉は南方戦線から戻ってきての戦力回復中のメンバーですね。一回目は新田原から台湾の屏東飛行場に飛んでいます。二回目は新田原から済州島、平壌から上海、そして台湾、武揚隊と同じコースですよね。腕が確かでないとなかなか行けません。飛行時間も豊富だったから隊長となったのでしょうね。乗機は一式戦ですね。栗原義雄隊長らの第二〇四戦隊、第一次は八塊から出撃しています。第二次が七月十九日に出撃していますがこちらは花蓮港からなのですね」

「そう、叔父の仲間がやはり出撃しています」

「花蓮港飛行場から沖縄特攻に向かったのは全部で十五機ですね。こちらは飛燕とか隼などの新鋭機が出撃しています。第二〇四戦隊の乗機はやはり一式戦三型の最新鋭です。この戦隊の本拠地は花蓮港です。それなのにどうして八塊にきたのかここら辺りはとても興味深い問題だと思います」

「確かにそうですね」

「戦友会誌を見ると同僚が花蓮から八塊に見送りにきています。花蓮港から八塊に行くのは相当に大変ですね。中央山脈を越えて行かないといけないでしょう。だから多分飛行機できたのだろうと思うのです。ここらへんは推測するしかないのですが、八塊と花蓮港というのはたがいに補完的な関係にあったのではないかと考えています。終戦末期の戦況が影響しているように思えます」

「具体的にはどういうことですか?」

台湾の航空隊を指揮したのは第八飛行師団である。発足したのは昭和十九年六月十日だ。東京で編成された。同月に台北に進駐し台湾軍の隷下となった。翌月、作戦に関しては連合艦隊司令長官の指揮下に入ることとされた。このときに台湾の三飛行場、宜蘭、屏東、花蓮港が根拠飛行場となった。字義どおりに言えば、対米戦に向けて必要物資を備え、これを支援する重要飛行場ということだろう。「台湾近海を通過する輸送船団の掩護と、フィリピン島に転進する航空部隊の整備その他の援助に任じた」（『沖縄方面陸軍作戦』戦史叢書第十一巻）宜蘭及び花蓮港飛行場は東海岸にあった。沖合を輸送船団が通過すると同時に沖縄へ向かう敵機動部隊の航路でもあった。

事実、昭和二十年四月十二日、花蓮港飛行場から飛び立った誠第十六飛行隊上野強軍曹は花蓮港沖合へ出撃し、特攻戦死している。

飛行第二〇四戦隊の一次隊の五名は八塊から、一方二次隊の四名は花蓮港飛行場から七月十九日に出撃している。やはり疑問に思われるのは、なぜ一次隊は沖縄に直行しないで八塊に飛来してきたかということだ。花蓮港は東海岸にあって八塊へ来るには中央脊梁山脈を越えてくる必要がある。特攻機にとって目標地点までの距離は大事だ。考えられることは沖縄までの距離である。調べてみると沖縄と花蓮港、八塊間はそれぞれ六五〇キロほどで距離に差はない。

一次隊は五月十七日頃に花蓮港北飛行場から八塊に移動し、三日ほど滞在し二十日に出撃している。その理由は推測できる。当時の住人の証言が参考になる。

清本和子さんは、昭和二十年台湾東海岸太平洋に面した小都市花蓮港小の六年生だった。彼女は艦載機がたびたびやってきて機銃掃射を受けたと証言している（『孫たちに伝えたい私の戦争体験～台湾からの引き揚げ

〜」『武蔵野から伝える戦争体験記録集（第Ⅱ集）』武蔵野市発行、二〇一二年）。

花蓮港は、沖合を通る敵機動部隊から飛び発った艦載機による空襲を受けていた。狙いは軍事的拠点、飛行場である。第二〇四戦隊はこの空襲による特攻機の破損を避けるために八塊に飛んできたのだろう。

「艦載機からの襲撃を逃れるためなのですね？」

「そうですね。『私の二〇四戦隊記』に書いてあったでしょう。五月二十日一次隊が八塊を出撃していくとき『二十戦隊の上空哨戒の下、出陣式を行い』と。これは間違いなく艦載機の襲来を警戒しての上空哨戒でしょう。このことからも八塊を避難的な飛行場として使っていたことが証明されます。そう言えば、鈴木さんの娘さんは八塊も花蓮港も行かれたのですよね」

「そうそうそうなのですよ……」

鈴木さんのお宅では娘の祥子さんも特攻のことを調べている。

「……ここにはちょっとした事情がありましてね。娘は元気に勤めに出ていたのですけどね。三十代になって急に免疫系統の病気を発病しましてね。これですごく落胆して生きる希望もなくしてしまったのですよ。私はそれを見かねたのですよ。それで特攻に行った大叔父さんは消息がよくわかっていないのでそれを調べたらどうかと言ったのですよ。病気で塞ぎこんでいるよりもずっといいと思って。ところが娘は私の提案に乗ってきたのですよ。最初はパソコンなどで調べていたのですけどね、段々外にも行くようになったのですよ。知覧とか、靖国とかにも行って調べたのです。そうすると人との交流ができてきますね。そんなことで精神的な鬱屈から解放されて、今では大叔父のことを調べることが生き甲斐になっています

……」

いい話だと思った。私自身も特攻隊員のことを調べてきた。その過程で気づいたのは、多くの人が彼らを密かに思慕していたことだ。彼らを想うことで抱えている苦しみから脱却できたという人もいた。武剋隊の今野勝郎軍曹に、「生きて帰ってきたらお嫁さんになって」と言われた疎開学童の田中幸子さんは、彼を追慕して関係先をあちこちめぐっていた。そうすることで抱えている苦悩から救われもした。

「私は特攻兵の方々に足を向けて寝られませんよ」

生前彼女はよくそう言っていた。思慕することで元気をもらえたと。鈴木さんの娘さんも大叔父さんが心の杖となっているようだ。

「遺書などの具体物があれば大叔父さんのイメージは明確になるのでしょうけどもね。私の場合も遺書などの証拠品があれば書きやすいのですけどね。そう都合よく出てはきませんね。でもね、ちょっとした記録から想像をするのですよ。例えば、栗原義雄隊長の乗機が八塊を出てどちらへ行ったかということが書かれていますね。大屯山方向に飛び発ったと。台湾本土とお別れする、最後の山です。イメージがかき立てられますね」

八塊飛行場の主滑走路は北東方向を向いている。出撃した五月二十日、離陸してそのまま行くと台北市街を眼下にする。一番機は隊長機、栗原義雄少尉は懐かしく眺めただろう。先々月台中から台北松山飛行場に飛び、第二〇四戦隊はここに逗留し、そのときに宴会をしたあの「梅屋敷」。ここで集結してきた隊員と飲み合った。台北高女の女子学生がお酌にきてもくれた。ここでのそんな日々もあっという間に過

ぎて今は台北上空だ。やがて左手向こうに山が見えてくる。大屯山だ。台北滞在中は何度も目にした山だ。これを左に見て洋上に出て、一気に東の沖縄に向かう。山ともお別れだ。無線機は外されていて通信はできないが、僚機には手で合図ができる。隊長は大屯山を指さして両翼を左右に振った。部下は了解の合図を手で送ってくる。それを確認して前を見ると海原が見えてきた。台湾とはこれでお別れだ。栗原はもう一度大屯山を見遣って、そして手を振った。


「そうですか。大屯山はそういう山でしたか？　で、いま出てきた台湾高女の女子学生というのが中田芳子さんですね」

「そうそう、鈴木さんに紹介してもらった彼女です」

「話がうますぎませんか？」

「いえそんなことはないですよ。離台のときは、きっと皆別れがたかったと思いますよ。知覧の場合は開聞岳ですね。あの山を見送って自分にけじめをつけていたともいいますから……」

　この中田芳子さんとは、鈴木さんの娘の祥子さんが、飛行第二〇四戦隊のことを調べる過程で知り合った人である。

## 湾生中田芳子さん

中田芳子さんは御年九十歳だ。彼女は湾生、台湾で生まれ育って、戦後になって日本に引き揚げてきて

いる。著作に『十四歳の夏――特攻隊員の最期の日々を見つめた私』（フィールドワイ、二〇一二年）がある。この特攻隊員こそが飛行第二〇四戦隊に属していた者たちだ。

昭和二十年春、彼女は十四歳、台北第一高等女学校に通っていた。第二〇四戦隊は常陸から仏印へ着任の途中、台湾に立ち寄った。が、ときは三月末、戦況は風雲急を告げていた。米軍の沖縄侵攻が始まったのだ。そんな最中に本土から飛来してきた戦隊は、急遽天号作戦、沖縄戦に組み込まれた。このときに台北への集結が指令され、ここに集まった。宿舎は、高級料亭『梅屋敷』だった。中田芳子さんは接待にたまたまここに呼ばれた。これが第二〇四戦隊の隊員との出会いとなった。彼女のご主人も隊員であった。ここでの馴れ初めが彼女の人生を変えた。

水戸を二月に発った飛行第二〇四戦隊の後発隊は、台湾に寄港したとたんに第八飛行師団に編入された。いったんは台北に集結した。これが三月の末だった。一月ほどは台北に滞在し、四月二十日過ぎに花蓮港へ向かう。台北にはおおよそ一カ月間滞在した。

中田さんの家では兄三人はすでに出征していた。残った三姉妹は台北第一高等女学校に通っていた。あるとき「梅屋敷」から家に電話があって、「特攻隊員二十名ほどが泊まっている。明日の夜、宴会を開くことになっている。お宅に年頃の娘さんが三人いるらしいが、みなさんのお話し相手によこしてくれないか」と頼まれた。

中田さんはこのとき高女二年生、十四歳だった。年端もいかない少女である。この年齢が却って幸いしたのだろう、可愛い女の子として彼らにとても好かれた。

宴会がきっかけとなって、彼女は飛行二〇四戦隊の若者たちと知り合った。その後も彼女は続けて遊び

に行っていた。この「梅屋敷」は台北中心部にあった。ところがここに頻繁に敵機が来るようになっていた。空襲の怖れがあったので郊外にある「台電クラブ」へと彼らは移った。家からは遠くなったが、彼女は自転車でその後も行っていた。

台北滞在中隊員は毎日夕暮れになると松山飛行場に出かけている。それは訓練のためだった。彼女は隊員を迎えにきたトラックに自転車ごと乗せてもらって帰宅していたという。飛行場は敵に狙われていた。昼日中、大っぴらに飛行訓練はできない。襲われる可能性があった。それで敵の目をくらますために薄暮を利用して操縦訓練を行っていた。

彼女は暇を見つけては「台電クラブ」を訪れていた。この行為は慰問と言っていいだろう。私自身、特攻隊員に接した高女生や疎開学童の女子には何人も取材している。いずれは死ぬであろうという若いお兄さんたちには、誰もがせつない想いを持っていた。中田さんも同じだ。彼らと共に過ごしながら「いずれは私の目の前から消えていく人たち、互いにそれとわかっていながらもそれを表面にださないまま、過ごす時間」と書いている。濃厚な時間だったといえる。

彼女は第二〇四戦隊の若い隊員たちの多くとふれ合っている。可愛らしい彼女が彼らのマスコット的存在になっていたようだ。信頼もおいていた。第二〇四戦隊から第二六戦隊に編入された高田豊志伍長からは、「俺のマフラーと寄せ書きのハンカチを田舎のおふくろに届けてほしい」と頼まれている。彼女は戦後四十六年経って富山の実家に届けている。

あるとき「台電クラブ」で軍事慰問団による演芸会が開かれた。出し物はあまり面白くなかったようだ。このときに退屈した二人の隊員が中田さんにちょっかいを出してきた。彼女に蜜柑を転がして気を引いた

ようだ。それが塚田方也軍曹であり、中田輝雄軍曹であった。後者は後に中田芳子さんの旦那さんになる、特攻に行きそびれてしまった隊員だ。

私は八塊出撃の飛行第二〇四戦隊のことをまとめていた。このとき私の関心は八塊出撃の一次隊にあった。それで中田芳子さんには、一次隊で出撃した隊員の中で覚えている人はいないかと問い合わせをした。するとしばらくして手紙を戴いた。メールよりも筆、「この書き方が一番慣れている」と。流麗な字で書かれたお手紙をいただいた。

・栗原義雄少尉

彼は特操一期生、階級は少尉である。中田さんが接したのは航空養成所系の軍曹や少年飛行学校出の伍長たちである。栗原少尉は別の部屋にいてあまり接触する機会はなかったようだ。それでも「栗原さんに関してはとても寡黙なので、想い出の中では優しいお兄さんという印象です。学校の先生をしていらしたようでとてもしっかりした方でした」。

飛行第204戦隊栗原義雄少尉

・田川唯雄軍曹

忘れられないのは田川唯雄さん。身体はどちらかというと小兵だったのにその豪快さはピカ一でした。エネルギーの塊みたいにいつもワクワクをかくさず、とにかく行動力

のある人でした。ですから私が「ウチに遊びに来ない？」と誘うと一も二もなくついて来て、父と差し向かいでこれまた豪快にお酒を飲んでいました。

その行動的な所作の反面、とても優しいお顔、端麗な引き締まった面差し。

飛行第204戦隊田川唯雄軍曹

台北の松山から朝早くご出発なさった光景を今も鮮明に覚えています。すごい低空飛行で台北の私の家の真上を何回も旋回なさるのです。いつ出撃かなどは全く語らずにいらっしゃったので、それが田川さんとわかるまで、（あ、どなたか特攻隊の方だ）と思っていたのですが、あまりにも低空で私の家の真上。「あ、田川さん！」そう気づいた時のあの悲壮な思いは今も心に焼きついています。

## 中田輝雄軍曹のこと

八塊や花蓮港は飛行第二〇四戦隊が出撃した飛行場である。この隊員たちへの深い思いをいまだに忘れられないで持っているのが中田芳子さんである。彼女の旧姓は徳丸だ。元特攻隊員の中田輝雄軍曹と結婚して中田姓となった。ご主人は平成十二年（二〇〇〇）七十四歳で亡くなられた。しかし、彼女は生涯、戦争の影を背負って生きてきた。その結婚生活は決して楽しいものではなかった。ご主人は「生き残った

特攻兵」である。本人のみならず奥さんもこのことを背負って生きてきた。

戦中、特攻隊員は生き神さまとして扱われた。が、生きて還った者はたちまちに国賊扱いされた。

「お前が特攻に行かなかったから日本は負けたのだ！」

戦後、特攻帰りは肩身が狭かった。使命を持って戦いに望んだが、戦には負けた。特攻に行く必要がなくなった。突然はしごを外されたと言える。やり場のない怒り、誰にぶつけようもない。彼らは目標を失った。粗暴になって暴れ回る者もいた。「特攻崩れ」と社会からさげすまされもした。そういう辛い戦後を生きてきた。中田芳子さんは「生き残った特攻兵の苦しみ」を書いておられる。

「当時、自分の意志ではどうにもならない時代であったとは言え、出撃が天候に左右されて延期になった後、四人のうち一人だけが変更されていた」

昭和二十年七月十九日、飛行第二〇四戦隊は第八飛行師団の命令に基づき、織田保也少尉、笠原卓三軍曹、塚田方也軍曹、渡井香伍長の四名が特攻出撃した。このときに中田輝雄軍曹は出撃するはずであったが、悪天候に妨げられて延期された。再出撃となったとき中田軍曹は下ろされて代わりに笠原卓三軍曹が出撃した。

中田軍曹は出撃命令を受けた。これで死ぬことが決まった。命令は受けても思い迷うことはあったろう、誰だってこの世への未練はある。それでも考え抜いた挙げ句、特攻に行って死ぬ。心に固く決めた。ところが行けなかった。無念でならない。このときの経緯を『十四歳の夏』では、夫から聞いた話として彼女はこう書いている。親友である塚田方也軍曹を見送ったときのことだ。

エンジンがかかり、プロペラが回りだした時、思わず機体によじ登って固い握手を交わしたと言います。「俺もすぐ行くからな！」、爆音にかき消されまいと、大声でどなると、親友の塚田さんは黙ったまま、何度も頷いていたそうです。

機が調達されれば、それに乗ってすぐにでも出撃する。熱い気持ちを親友に伝えた。が、機はあてがわれることはなかった。無二の親友は特攻突撃した。自身は生き残った。特攻に行き損なった自分、彼はこれを大きな痛手として一生背負って生きた。その苦しみを中田さんは私への手紙にこう綴っていた。

彼は塚田さんの逝かれた時点で自分自身の青春も、そして人生も閉ざしてしまった。そう思わずにはいられないような余生を過ごしました。

〝十四歳の夏〟には書けずにいた、夫の内面。ほんとうに今思えば私たち夫婦のそれは壮絶な戦いでした。生きることに意味を感じられない。例えば美しい朝わたしたちは「ああ、生きていて素晴らしい！さあ、今日も！」そう思えるはずです。

でも主人は踏み出す一歩がみつけられなかった。それもずっーと。これは誰に何と説明しようもない……そう「ジレンマ」でもないし自責でもない、強いて言えば心の破壊？

それほど「自分だけが生きている」ことが辛かったのだと思います。

「特攻に行くはずだったけど行けなかった」ご主人が長年苦しんだ問題だ。しかし、過去の時間は取り戻

せない。なぜといくら問うても、この問題に解決法はない。

特攻出撃が決まっていたが、行けなかった。生き残った多くの元特攻隊員が苦しんだ。軍部は本土決戦においては総力を結集して戦おうとした。その一つが特攻だ。操縦員の速成養成を行った。あげくには二枚羽根の練習機を使って特攻に出撃させせようともした。私自身取材したことがある。陸軍長野飛行場で特攻機に乗るべく二枚羽根の赤トンボで操縦訓練をしていた人だ。その彼も訓練が終了した後に特攻に行くはずだった。けれども結局は終戦を迎え、その機会はめぐってこなかった。その心の空白に彼も苦しんだ。

何かの都合、機の不調、体調不良、そして、突然訪れた終戦。これらの事由で多くの特攻要員が目的を果たせなかった。

人は命を持つ、誰もが明日を願う、戦争になれば兵士は明日を知れない命に直面する。それでも生還の見込みはある。が、特攻隊員に希望はない。彼らの命は「十死零生」と形容される。行けば死ぬ、死の選択を強いられたのが特攻である。

中田輝雄軍曹はその特攻隊員に選ばれた。ところが行く機会を失った。それが悔しくてならなかった。それは終生つきまとった。その苦悩にずっと付き添ってきたのが中田芳子さんだ。彼女は自分を「最後の語り部」だという。歴史という大きな流れの中で、一つの事跡、夫の未発特攻に苦しんできた。連れ合いをも苦しめた特攻である。

あの戦争からは日々遠ざかっていくが、月日が過ぎたとしても苦しみが癒えることはなかった。特攻に行きたくても行けなかった。その苦しみを背負って中田輝男さんも、芳子さんも生きてこられた。記憶に刻んでおかなくてはならないことだ。

第204戦隊記念写真（中田芳子さん提供）

## 忘れ難きあの一枚の写真

中田芳子さんの著作『十四歳の夏』は副題を～特攻隊員の最後の日々を見つめた私～としている。この物語の基軸となっているのが一枚の写真である。同書の冒頭に掲げてある。ここには飛行第二〇四戦隊の十九名の隊員が写っている。

特攻隊員を撮った記念写真は数多くある。だが、何度も取り出してみようと思う写真はあまりない。ところがこれは違う。この隊に関わった人たち、戦友や遺族は折に触れてこれを取り出して見たに違いない。愛蔵の写真とでもいうのだろう。中田さんは、「あの一枚の写真の貼られたアルバムを前に悄然と肩を落とし、ひとり晩酌の盃を傾けていた在りし日の夫の背中」（『十四歳の夏』）と描いている。

彼女は、この写真を「大切な《一枚の写真》」だと言っている。写真のキャプションには「台湾・花蓮港で出撃

直前の特攻隊員たちの写真」とある。が、不思議である。出撃を目の前にしているのにそういう緊張感は伝わってこない。ビール瓶を手に持つ者、頭にタオルを巻いている者、すっかり寛いだ様子だ。口を開けている者もいることから歌をうたっているのかもしれない。みなご機嫌である。

彼女は著した本の「あとがき」では、「亡き夫を含めたあの日の若者たちへの《鎮魂の書》として捧げたい」と記している。「あの日の若者たち」は写真が撮られた日であろう。実際にあの日、あの時、隊員たちが互いに熱い仲間意識を持って生きていたことがこれからつぶさに感じ取れる。彼らが湛えている笑みには一人一人の個性が感じられる。この隊員の多くは戦死してしまった。しかし、生き残った者もいる。戦が果てた後も強い絆を持っていた。中田さんはこのことをこう書き記している。

今、私の手元に、夫たちの属していた二〇四戦隊（通称ニ・マル・ヨン）の名簿が残されています。平成七年に最後の会誌として作られたものですが、この戦隊だけでも戦没者は五十人近くに上っております。戦後も生存者の結束は固く、「二〇四」にちなんで、毎年二月四日、靖国神社に全国から隊員が集まり、慰霊祭を欠かさず続けていました。

何があっても毎年二月四日に東京に集まってくる。ある者は東北から急行「津軽」で、ある者は九州から急行「高千穂」で上京した。ネクタイを締めた男たち、色は黒く、額には深い皺が刻まれていた。九段の急坂を神社へ向かうとき大鳥居が見えてくると誰もが一礼をした。

「おおい、帰ってきたぞ」

当夜の宴席では「久しぶり！」と笑顔を交わすが、近況報告では仲間の訃報に涙することが多くなった。そして必ず話題になるのは花蓮港で撮ったあの写真だ。

「隊長はやっぱり隊長だな。独りだけしっかり軍服を着て真ん中にドカンと座っているものな！」

一枚の写真が思い出を蘇らせる。

「皆、口開けて楽しそうにしているけど、歌、歌っていたのか？」

「ああ、野口雨情が作った『花蓮港音頭』というのがあった。あれを歌ったんだよ…」

「そうだ、そうだ。花蓮港は帰れん港、俺達は帰ってきたけど、帰れないやつもおった」

そう言っては涙を流す者もいる。

中田芳子さんは『十四の夏』の冒頭にこれを掲げている。これには全員の名が記されている。鎮魂のための記名であろう。これを記す。

前列左から：三島中、小林脩、栗原義雄、高橋渡、田川唯雄、大塚喜信、伊沢賢治

後列左から：笠原卓三、織田保也、鈴木吉平、山口文一、藤井繁幸、山下、堤誠、原口三郎、中田輝雄、田部井、塚田方也、山脇研一

写真のキャプションには注がある。「山下・田部井両氏の名前は確認できませんでした」と。彼女はご主人が亡くなった後も同期会に参加している。そんなときに確認して回ったのだろうか。私は、中田さんにこの点を問い合わせてみた。すると写真の裏面が送られてきた。ご主人が各隊員の苗字をここに書き残

していた。これで各人の名前を確認し、「飛行二〇四会名簿」からフルネームを割り出した。そして記録したのだとわかった。

ここには宴会が行われた場所が記されていた。「20、5、15　於台湾花蓮港新川」と書かれていた。宴会が行われたのは昭和二十年五月十五日だった。

ここはどこなのだろうか？　もしやと思って台湾の邱　垂宇さんに問い合わせてみた。するとしばらく経って回答があった。

應該是33／34年7月於花蓮今南京街郵局附近，新川酒店。

33／34年は昭和19／20年、新川酒店は当時新川カフエ（大正から昭和にかけて流行した女給をおいた洋酒酒場）

現在の花蓮港の地図で見ると南京街というのは今もある。中心繁華街である。ここにあったお店、「新川」で壮行会を開いたようだ。

飛行第二〇四戦隊は、特攻隊を二隊出撃させている。一次隊は五月二十日八塊から出撃した。花蓮港を発ったのは五月十七日頃とある。とすると十五日はまさに一次隊が出撃する直前だったということになる。壮行会であったことは間違いない。それは席順にはっきりと現れている。

前列には隊を率いる高橋渡大尉が写っている。彼は真ん中に陣取っている。左隣には二人小林脩少尉、栗原義雄少尉、右隣には三人田川唯雄軍曹、大塚喜信伍長、伊沢賢治伍長が座っている。一次隊の五人である。後列には、一次隊の直掩隊、誘導機の乗員藤井繁幸曹長も写っている。

誘導で死んでも特攻戦死にはならない。彼の写真は知覧特攻平和会館にも飾られることはない。私は顔立ちが整ったその好青年を改めて見なおした。

この写真には物語が詰まっている。これを見ると深い追懐の思いが湧いてくると彼女からは聞いていた。中田芳子さんにとっては忘れることのできない、「大切な《一枚の写真》」である。

## 織田少尉の遺書

この《一枚の写真》はメディアで取り上げられている。そのタイトルは、「太平洋戦争・65年目の真実『どうしても伝えておきたい一枚の写真』」だ。二〇一〇年八月十四日にBSジャパンで放映されたドキュメンタリー番組である。

この番組の製作過程で思いがけない真実を中田さんは知った。彼女はご主人が亡くなって九年後の二〇〇九年にテレビ局から取材を受けた。

この番組を撮るためにテレビ局は引き合わせを企画した。二次隊で特攻戦死した織田保也少尉の弟さんが中田芳子さんを訪ねてくるという設定だ。弟さんはこのときに兄の遺書を持参した。

中田さんはこの遺書を読んで驚いたという。私も深い感銘を受けた、と同時に別のことに気づいてハッとなった。

この文面は『十四歳の夏』に収められている。

昭和二十年六月十八日

神威特別攻撃隊隊長を命ぜられて

織　田　少　尉

二十有三年　御両親様皆様の御被護の内に大した病気・傷害も無く、幸福なる半生を得た事を感謝致します。然も専門教育をも受け、相当の知識を得、漸く一人前の社会人としての資格を得る迄の御両親様の御苦労の程、保也は泣いて感謝してゐます。個人的にみて何等皆様の為に為す事なく散るは恩愛の情にひかれて心残る事無い事もないですが存知の如き情勢下、親子の情をふりすてて、国家の為悠久の大義に生きる事をお許しください。

然れども何等御両親様に孝養のまね事も出来ず、又皇恩の万分の一にも報ひる事の出来ないのを残念に思ふ次第です。

中田、塚田、渡井等の御両親の身を考へては貴君等は武運の幸を喜んでいるが、感無量なるものがあります。唯々敵機動部隊に命中を祈って下さい

両親に宛てた隊長の遺書である、彼は特操一期生の二十一歳である。学徒出陣組である。早くに親を置いて先に死んで行くことを両親に詫びている。心中には様々な思いが去来する、それを「恩愛の情にひかれて心残る事無い事もない」と述べる。本音が覗き見える。しかし、そういう雑念を追い払い、彼は「国家の為悠久の大義に生きる」と述べた。両親を安心させるためであったろうと思う。

まず、中田芳子さんが「目が釘付けになってしまった」点である。それは、「中田、塚田、渡井等の御

両親の身を考へ貴君等は武運の幸いを喜んでいる」という件だ。これによって中田、塚田、渡井の各隊員も六月十八日に「織田少尉を隊長とする『第二次神威攻撃隊』の一員として」出撃するはずだったと彼女は知った。正式に特攻下命を受けていたことが明らかになった。夫の言っていたことは本当だったのだ、と知った。

次に私がハッとなった点である。それは六月十八日に特攻出撃せよとの下命があったことである。

このことは六月段階における戦況と密接に関わってくる重要な事柄である。まず六月七日、『戦史叢書』(六〇九、六一〇頁)ではこう記されている。

第八飛行師団の沖縄敵艦船攻撃中止

六月七日、第八飛行師団司偵の捜索によれば沖縄方面の敵艦船は著しく減少していた。そこで師団は一時沖縄方面への攻撃を中止して、六月中旬以降の攻撃を準備させた。

事実に当たる。台湾からの特攻機の出撃だ。六月六日に飛行第二十戦隊(四機、龍潭)、飛行二十九戦隊(三機、台中)、誠第三十三飛行隊(一機、花園)の八機が出撃している。これを最後にして七月十九日まで沖縄への敵艦船への攻撃は途絶えている。

次に六月十日頃だ。第八飛行師団は諸情報を総合し、「敵は日本本土上陸を準備するため先島列島」などを「領有しようとする企図が次第に濃化している」として「十六日には、先島および南部臺灣方面の敵艦船への攻撃を準備するため、下表のように丙編制の特別攻撃隊一五隊を編成した」(『戦史叢書』六一三頁)

と述べる。ここに下表とあるが、これを①としてまた、関連を持つ表を②としてここに掲載する。

この表の見方だ。編成担任部隊の枠を三つに分けている。第一番目は、第九飛行団（略称は9FB）だ。これは「臺灣宜蘭及び宮古島以西の南西諸島」を管轄区域とする。第二番目が第二十二飛行団（略称は22FB）だ。これは「臺灣南東部」を管轄区域としていた。この二隊に含まれない隊、二隊は第八飛行師団直轄ということだろう。

| 編成担任部隊 | | 兵力基準 | 期日 |
|---|---|---|---|
| 第九飛行団 | 飛行第二十四戦隊 | 四機三隊 | 六月十八日 |
| | 飛行第百五戦隊 | 四機二隊 | 六月十八日<br>六月二十日 |
| 第二十二飛行団 | 飛行第十九戦隊 | 四機二隊 | 六月十八日<br>六月二十三日 |
| | 誠第一隼飛行隊 | 四機二隊 | 六月十八日 |
| | 独立飛行第二十三中隊 | 四機一隊 | 六月二十三日 |
| 飛行第二十戦隊 | | 四機三隊 | 六月十八日 |
| 飛行第二十九戦隊 | | 四機二隊（既編成含マス） | |

①丙編制の特別攻撃隊十五隊

この表には、期日が書き込まれている。一つが「六月十八日」であり、もう一つが「六月二十日」、そして「六月二十三日」である。これは特攻下命が下った日である。

先に示した織田少尉の遺書の日付は六月十八日になっているが、表に書かれている期日と全く一緒である。だが、ここには第二〇四戦隊の名はない。しかしこれは容易に言い当てることができる。第二十二飛行団の枠に記されている隊だ。この飛行団は「台湾東南部」を管轄している隊である。ここには三隊が示されている。一つは「誠隼・第一飛行隊」とある。これは後に掲げた表②「六月

# 六月六日ニ於ケル戦力表

| 機種 | 戦隊 | 飛行機 保機管数 | 飛行機 甲 | 飛行機 乙 | 飛行機 丙 | 操縦者 甲 | 操縦者 乙 | 操縦者 丙 |
|---|---|---|---|---|---|---|---|---|
| キ四三 | 20FR | 28 | 3 | 13 | 12 | 15 | 9 | 10 |
| | 24FR | 15 | 4 | 9 | 2 | | | |
| | 26FR・204FR 誠隼 | 19 | 6 | 7 | 6 | 8 | 3 | 8 |
| | 8FRK | 5 | 3 | 1 | 1 | | | |
| | 誠16F | 11 | 10 | | 1 | | | |
| | 計 | 78 | 26 | 30 | 22 | 23 | 12 | 18 |
| キ四四 | 8FRK | 12 | | 7 | 5 | | | |
| | 計 | 12 | | 7 | 5 | | | |
| キ四五 | 3FRL | 10 | 5 | 3 | 2 | | | |
| | 計 | 10 | 5 | 3 | 2 | | | |
| キ六一 | 17FR | 10 | 5 | 3 | 2 | 5 | 1 | 2 |
| | 19FR | 11 | 3 | 4 | 4 | 10 | 10 | 10 |
| | 105FR | 20 | 9 | 7 | 1 | 10 | 7 | 6 |
| | 23Fcs | 14 | 7 | 7 | | 2 | 3 | 9 |
| | 計 | 55 | 24 | 21 | 10 | 27 | 21 | 27 |
| キ八四 | 29FR | 37 | 13 | 13 | 11 | 10 | 8 | 26 |
| | 8FRK | 16 | 11 | 1 | 1 | | | |
| | 誠120F | 2 | | 1 | 1 | | | |
| | 計 | 55 | 24 | 15 | 16 | 10 | 8 | 26 |
| キ一〇二 | 3FRL | 2 | 2 | | | | | |
| | 計 | 2 | 2 | | | | | |
| キ五 | 41Fcs | 4 | 3 | 1 | | | | |
| | 42Fcs | 6 | 2 | 1 | 3 | | | |
| | 43Fcs | 3 | 1 | 1 | 1 | | | |
| | 47Fcs | 8 | 2 | 4 | 2 | 2 | 0 | 11 |
| | 48Fcs | 2 | 1 | | 1 | 3 | 4 | 2 |
| | 9Fc | 5 | 2 | 3 | | 16 | 0 | 9 |
| | 誠20F | 9 | 12 | 4 | 1 | | | |

| 機種 | 戦隊 | 飛行機 保機管数 | 飛行機 甲 | 飛行機 乙 | 飛行機 丙 | 操縦者 甲 | 操縦者 乙 | 操縦者 丙 |
|---|---|---|---|---|---|---|---|---|
| キ五一 | 誠31F | 3 | 2 | | 1 | | | |
| | 誠71F | 7 | 2 | 4 | 1 | | | |
| | 計 | 42 | 19 | 18 | 11 | 9 | 4 | 22 |
| キ四六 | 10FR | 16 | 3 | 9 | 4 | 9 | 6 | 10 |
| | 計 | 16 | 3 | 9 | 4 | 9 | 6 | 10 |
| キ五四 | 108FR | 13 | 9 | 2 | 2 | | | |
| | 計 | 13 | 9 | 2 | 2 | | | |
| キ二七 | 8FRK | 6 | 4 | 1 | 1 | | | |
| | 誠116F | 6 | 6 | | | | | |
| | 誠117F | 15 | | 12 | 3 | | | |
| | 誠122F | 8 | 8 | | | | | |
| | 計 | 35 | 18 | 13 | 4 | | | |
| キ七九 | 8FRK | 4 | 2 | 1 | 1 | | | |
| | 誠115F | 6 | 6 | | | | | |
| | 誠118F | 14 | 11 | 2 | 1 | | | |
| | 誠122F | 5 | 5 | | | | | |
| | 計 | 29 | 24 | 3 | 2 | | | |
| キ五五 | 誠121F | 10 | 10 | | | | | |
| | 8FRK | 9 | 2 | 2 | 5 | | | |
| | 計 | 19 | 19 | 2 | 5 | | | |
| キ四八 | 誠 25F | 10 | 6 | 3 | 1 | | | |
| | 108FR | 9 | 7 | | 2 | 12 | 15 | 9 |
| | 計 | 19 | 13 | 3 | 3 | 12 | 15 | 9 |
| | 合計 | 390 | 179 | 126 | 85 | 90 | 66 | 113 |
| 総計 | | 390機 | | | | 269名 | | |

備考　本表操縦者中ニハ病気入院等所謂其ノ他ノ人員ヲ含マサルモノトス

表②「六月六日ニ於ケル戦力表」

六月上旬沖縄方面に対する作戦中止時に於ける第八飛行師団態勢要図

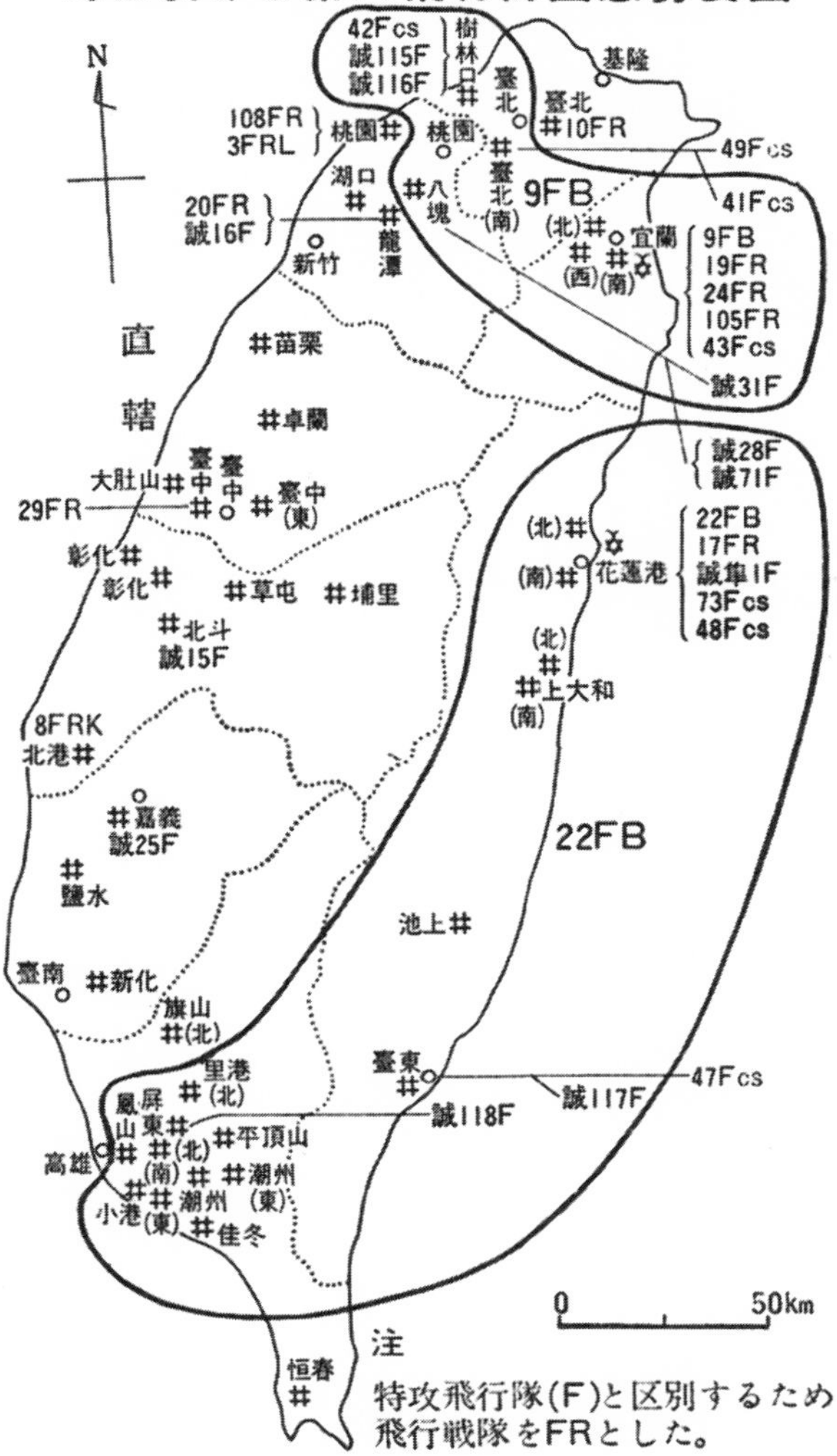

六日ニ於ケル戦力表」で容易にわかる。機種とある欄の最初に「キ四三」とあり、隼である。ここに（26FR・204FR）誠隼とある。すなわちこれは誠第二十六戦隊・飛行第二〇四戦隊という意味である。

先の表に基づいていうと、花蓮港を本拠地とする誠第二十六戦隊と飛行第二〇四戦隊に六月十八日付で特攻下命が下りたということだ。機種は隼で各隊四機である。ということは、日付の前後は多少あるが六月十八日を中心にして、全体では十五隊六十名に特攻命令が下っていたということになる。

織田少尉の遺書は、思いがけず失われた戦史の一ページを開く結果となった。六十名の隊員に六月十八日に特攻下命が下りていたということ。また、中田輝雄軍曹に『第二次神威攻撃隊』の隊員の一員として特攻下命が下りていたということである。

特攻命令を受けて織田少尉は遺書を書いた。下命されたときには誰でも思いが去来したはずだ。織田少尉は、「恩愛の情にひかれて心残る事無い事もない」と述べた。ここは内面の葛藤を暗示するものだ。この内面を襲う問題は誰にもつきまとった。苦難、苦悩を通して各自が結論を導いた。中田軍曹も同じだったろう。その葛藤はあったにせよ、最後には心の裡に熱い闘志を秘めて、「よし、仲間の塚田とともに征くぞ」と決意を固めた。ところが最後になって思いは果たせず、笠原卓三軍曹に代わられてしまった。なぜそうなったのか。中田芳子さんも気がかりであった。『十四歳の夏』ではこう書かれている。

「天候悪化による出撃延期、さらに続く人員の入れ替え」、その話は夫から、私もほんのすこしだけは聞かされていました。

それでも半信半疑でいたのです。まさかそんなことが、人間一人の生命《いのち》に関わるようなそんな重大なこ

とが、いくら上官とはいえ、その采配ひとつで組み替えられるわけがない。夫の思い過ごしではなかったのか、私はずっと思い続けていた。

「特攻に行くはずだったが行かなかった」このことは本人のみならず彼女をも苦しめてきたことだ。だが、織田少尉の遺書によって疑問が解けた。

私は夫が他の生き残った特攻隊員に比べ、異常なまでに過去に拘泥《こうでい》しつづけたその理由《わけ》の確かさを、そのとき初めて知ることになったのです。

それは終戦の日から数えて、すでに六十五年の歳月が流れ去った二〇一〇年八月、夫が亡くなって丁度十年あまり経った日のことでした。

織田少尉の遺書は彼女の生涯の疑念を晴らすものとなった。

中田軍曹の代わりに行ったのは笠原卓三軍曹だ。彼は二十六歳、一緒に行った者で一番年齢が高い。出身は下士官操縦学生だ。一般現役入隊者から選ばれて操縦教育を受けた者である。この頃は操縦に不慣れであったり、摩耗した機の扱いがうまくいかず帰還してきたりする機が多くあった。最終的に人員を選別するに当たり、操縦年数の多い者を選んだのだろう。

徳丸芳子さんは昭和二十八年五月に中田輝雄さんと結婚した。その心境を彼女は「結婚相手はやはり彼以外には考えられなかった。それは運命というよりも、次々と目の前から消えていった人たちの縁を失いたくない気持ち、それが大きかった」と述べる。

台北の「梅屋敷」で逢った第二〇四戦隊の隊員、彼女は多くの隊員から可愛がられた。その彼らは彼女の記憶に面影だけを残し次々に消えて行った。彼女にとっては熱い青春だった。しかしもう誰もいない。ところが中田軍曹は生き残った。亡くなっていったあの若者たちにつながる唯一の人である。その彼と連れ添うことができた。だが、夫とのつきあいは苦しかったという。行くはずであった特攻から外されたことが彼をいつも陰鬱にさせていたからだ。

## 二次特攻再編成

昭和二十年七月、第八飛行師団は、特攻機として使える機をかき集めた。そして、辛うじて十二機を揃え、八塊と花蓮港と龍潭の三つの飛行場から出撃させた。言わば洗いざらい特攻である。そのうちの一隊が第二〇四戦隊の四機一隊である。隊員全員四人が特攻戦死している。他隊では故障や事故が起こり、戦果はさんざんだったが、同隊は特攻を完遂させ、戦果も挙げた。

当初の計画では花蓮港から二隊八機が出撃する予定だった。それが一隊四機となった。出撃に当たっては再編成が行われた。そこで当人の希望は生かされなかった。その選定には人が関わっていた。

中田芳子さんは、『十四の夏』をまとめ上げた。「夫の残した二〇四戦隊の戦友会誌など、わずかな記録

を頼りに書いた」という。やはり手がかりになったのは《あの一枚の写真》であろう。何度も見てはイメージを高めたのではないだろうか。これを眺めていると人間関係図が物語として浮かんでくる。私でさえ中田さんの視線が想像できたほどだ。

まず後列左から二番目の男だ。頭にタオルを載せて大きく口をあんぐり開けて笑っている、塚田方也軍曹である。台北駅で別れるときに手をつかんで離さなかった人だ。夫の大親友だった。つぎは左から四番目、彼も肩にタオルを巻いてやはり笑っている。中田輝雄、夫である。夫婦生活では見せなかった快活な笑顔がそこにある。視線は前列に飛んで、制服をまとった隊長に行く。悠然と構えている。次に左隣の独り真顔の栗原少尉をチラリと見て、後列左端の笠原卓三軍曹に、これは一瞬だ。今度は後列四人目に行って視線は止まる。それは山口文一准尉である。

中田夫妻が新婚一年も満たないときに世田谷の木造アパートを訪ねてきた人がいた。それがこの山口准尉だ。歴戦の強者、戦隊の創設から終戦まで生き抜いた唯一の操縦者だ。総撃墜機数は十九機、そのうち六機は大型機である。隼のベテランパイロットで「日本陸軍航空隊のエース」とも言われていた。戦後自衛隊に入って活躍していた。奥さんもこの山口さんに可愛がられていた。このときは奥さんの手料理でもてなしたそうである。

しかし、夫の中田輝雄は和むことがなかった。次第に彼は不機嫌になって、かつての上司の出現を迷惑がっていることがありありと見えたという。そんな夫を見て奥さんは推察したのである。「あの日、出撃中止になった後、一度白紙に戻してその後再編成を組んだ時、搭乗員選びに当然山口准尉も加わっていたのではないでしょうか?」と。さらにこう述べる。

夫はそのことを知っていたに違いないのです。自分はこの人の手によって生き残りの運命を与えられたのだ。そしてそこに大きな重圧を感じたのではないでしょうか。しかも元上官、命を救ってもらったという負い目から、どうにも逃げ切れなかったのではないでしょうか。

彼女はこれを「運命のいたずら」と述べている。当人は死にたかったのにこいつのお陰で死ねなかったという思いがある。一方、夫の親兄弟は全く違う。中田芳子さんはこう述べる。

親兄弟にしてみれば、「運がよかった!」、「よくぞ助けてくださった!」という感謝の思いしかないのです。それは当然ではないでしょうか。言ってみれば、究極の身内のエゴイズムと言えるかもしれません……でもそれを誰がとがめ立てできるというのでしょう!

『十四歳の夏――特攻隊員の最期をみつめた夏』は、あの夏、昭和二十年の夏と区切った。しかし、時は連綿と続いている。彼女は元第二〇四戦隊の生き残りと添い遂げた。それは元特攻隊員の夫との苦闘の日々であった。夫は仲間と共に特攻に行くはずだったが行けなかった。彼はそれを十字架のように背負って悶々と生きてきた。彼女はその彼との生活を「壮絶な戦い」だったと述べている。彼女自身「いつも心の中では絶えず夫の無気力さを攻め続け、背を向けて生きてきた」と告白している。しかし、振り返ってみれば、憎悪に満ちた時間も愛はあった。彼女は述懐している。「今でも私は夫と共に過ごせたことを幸

せに思いますし、来世また生まれ変わっても結婚する相手は夫以外には考えることができません」と。

中田さんは自分の思いにけじめをつけるようにこう書いている。しかし、日常という日々は希望よりも絶望を際立たせる。奥さんにしてみればくよくよすることなく今を生きればいいと思った。ところが、それはできなかった。そういう主人を憎しみもしたが、憎と愛とには距離はない。憎しみの裏返しが愛、生まれ変わっても夫以外に相手は考えられないと。特攻における生と死とが二人を近づけたと言える。特攻に絡む生と死の物語は過酷である。もう七十七年も前のことである。しかし、苦しみの片鱗は思い出として今に生きている。

私は、八塊飛行場を中心に取り上げて述べている。そんなことから中田芳子さんには八塊から出撃した特攻隊員の逸話を、とお願いしていた。しかし、中田さんにとって一次と二次との隊員を飛行場で分けられるわけがない。

飛行第二〇四戦隊の本拠地は花蓮港である。たまたま一次隊が八塊にきてここから出撃していった。二次隊は花蓮港からだった。この期日が七月十九日である。この日、陸軍最後となる特攻出撃が八塊と花蓮港と龍潭から出ている。ここからわかることがある。第八飛行師団は最後の特攻を出すに当たって、編成担任部隊を三つに均等に分けたことである。すなわち、第九飛行団は八塊から四機一隊、第二十二飛行団は花蓮港から四機一隊、第八飛行師団直属は龍潭から四機一隊を出撃させた。

最後の特攻戦略を担ったのがこの三つの飛行場であった。このことは歴史から忘れ去られている。

飛行第二〇四戦隊の織田隊長の遺書から特攻下命が六月十八日に出たことがわかった。第八飛行師団は沖縄の次は先島諸島や台湾が狙われるとの考えから、このときに特別攻撃隊十五隊、各四機を編成した。ところが一月後の七月十九日に特別攻撃隊が出撃したが、これは三隊、各四機、都合十二機であった。言わば十五隊が大幅に縮小され、六十名に出されていた特攻下命は、十二名に減らされたということである。ごく普通に考えれば、どこかで下命が解除された、そして新たに特攻隊が再編成されたと考えていいだろう。特攻出撃するとすれば事前の準備が必要である。六十機出動するのと十二機ではだいぶ異なる。

六月七日第八飛行師団は司偵機を飛ばして敵情を探った。すると敵艦船は著しく減少していた。それで沖縄敵艦船への攻撃を中止した。引き続き偵察機を飛ばしていた。ただこの場合も、計画は伝えねばならない。いついつに特攻機を飛ばすのでどこを狙えば効果的かという指示をして、その報告を待って出撃させる。

出撃は七月十九日だった。初旬までには割り振りを決めていただろう。また飛行師団内部での調整も必要だった。結果だけから見ると第九飛行団、第二十二飛行団、そして飛行団直轄、それぞれに出撃機を四機一隊として割り振っている、いわゆる丙編成である。

先に六月に十五隊に特攻下命をしている。基本はここから選んだように思う。しかし、第九飛行団は違う。当初は飛行第二十四戦隊に四機三隊を、また、飛行第百五戦隊に四機二隊を割り振っていた。

飛行第二十四戦隊はノモンハン事件、さらには比島作戦に従事している隊だ。三月には宮古島に進出し

ている。六月には宜蘭で待機していたようだ。やはり六月十八日に特攻下命を受けている。機種は一式戦と四式戦の混成部隊だった。

飛行第百五戦隊は、四月の段階では石垣に進出して特攻機の直掩などに当たっていた。六月の段階では宜蘭に戻っていて、ここで十八日、二十日に特攻下命を受けている。機種は三式戦（飛燕）である。

上旬段階でこの二隊は宜蘭を本拠地としていた。宜蘭は台湾陸軍の中核飛行場であった。ここから出撃した特攻機では三十七名の特攻戦死者を出している。第九飛行団としては、すでに特攻下命がなされている両隊の四機五隊、二十名の中から四名を選びたかったのではないかと思われる。ところが実際は、誠第三十一飛行隊と誠第七十一飛行隊の混成部隊を組成して、これを八塊から出撃させている。宜蘭待機部隊を外して八塊にしたのは何か特別な事情があってのことに違いない。一番考えられることは敵襲である。昭和二十年六月中の台湾空襲状況集計では毎日のように爆撃機Ｂ24、Ｂ25、戦闘機のＰ38、Ｐ51などが飛来してきて全土が襲われている。考えられることは、待機機数が多い宜蘭では特攻機の分散秘匿があまりうまく行っていなかったのではないか。それで出撃予定機が被害を受けた。こちらの機種は一式戦や三式戦で新しい。

一方、ローカル飛行場で機の秘匿場所も多い八塊には残存戦闘機があったようだ。しかし、こちらにあったのは九九式襲撃機という中古機だ。これに乗れる者ということで操縦者を集めた。それが誠第三十一飛行隊と誠第七十一飛行隊の混成部隊である。いかにも間に合わせという感は否めない。成功を期すならば宜蘭の新鋭機が望ましい。ところがそうならなかったのは何かの障害が生じたからであろう。

第八飛行師団直属は先の十五隊編成時には飛行第二十戦隊と飛行第二十九戦隊の二隊を選んでいたが、

このうち前者を選んだ。当初決めていたのは四機三隊であった。それでこのうちから四機一隊を選んで再編制したものだろう。飛行場は龍潭で機種は一式戦であった。

問題は第二十二飛行団である。例の六月の十五隊特攻編成では、三隊を選んでいる。まず一番目が飛行第十九戦隊、二番目が誠第一隼飛行隊、三番目が独立飛行第二十三中隊である。このときはいずれも花蓮港を本拠地としていた。

飛行第十九戦隊は、四、五月の段階で十六機も出撃させている。独立飛行第二十三中隊も八機を出撃させている。よってもう余力がなかったように思われる。

誠第一隼飛行隊とされたのは誠第二十六戦隊飛行第二〇四戦隊だ。前者は五月十三日三機、五月十七日に四機、計七機が花蓮港から出撃している。二〇四戦隊は第一次で五機を出撃させている。こちらは余力があるとみられたのか第二次隊に四人が選ばれた。

出撃に当たっては恐らく調整が行われたのであろう。このときに中田輝雄軍曹に代わって笠原卓三軍曹が選ばれた。

中田芳子さんが言われるとおり、慎重に人選が行われた。ここに操縦のベテランの山口文一准尉も加わったと思われる。やはりこの段階では操縦年数がものを言ったと思われる。それでメンバー変更となったのだろう。ところが、中田軍曹はこれに納得ができなかった。

先に花蓮港から誠第二十六戦隊が五月十七日に四機出撃したと書いた。この操縦は特操一期生の四人であった。この隊を誘導したのが同戦隊に所属する坂本隆茂中尉である。「技倆未熟の彼等は、飛び上がる

のがやっとのこと、長距離飛行など思いもよらない」（「沖縄特攻」『特攻』第七号、一九八九年）と記している。十分な訓練ができていない特攻隊員にとって沖縄に飛ぶことがいかに大変だったかがわかる。だが、困難であっても中田輝雄軍曹は行きたかった。それは腕に自信があったからであろう。彼は新田原を二度経験している。ここは外地へ行くときの拠点飛行場である。一度目は仏印に渡ったとき、二度目は台湾来訪の折である。この長距離移動は腕がないと乗り切れない。彼は塚田方也軍曹と同期生だ。共に逓信省印旛航空乗務員養成所本科一期生である。叩き上げの操縦士だった。その自分が特攻から外され、笠原卓三軍曹が代わりに就いた。しかも若い十九歳の少年飛行兵の渡井香伍長もメンバーに入っていた。彼のプライドが許さなかった。

そしてもう一つ、「あの一枚の写真」である。彼はこの中で満面の笑みを湛えている。他のメンバーも同じだ。皆の明るい笑顔に感じられるのはそこに流れている紐帯感であり、連帯感である。特攻に行く仲間を送る会であるが、送られる方も屈託なく笑顔をみせている。本土から離れた花蓮港で皆が熱い心を通わせている。そういう仲間といつまでも同列で居たかったという思いも中田軍曹にはあった。

この笑みについてはやはり鈴木豊さんが中田芳子さんに「あんなに楽しそうな表情でいられるのはなぜでしょう?」と問うたという。このことについて彼女は私への手紙でこう書いている。

あれは、当時の社会情勢というか戦中の空気を知る者にしか判らない「何か」……そう今となっては説明不可能な「時代の姿、世の中のありよう」だったと思います。

説明しろと言われたらわからない、あのときにあそこに流れていた空気である。説明がつかないものだと。しかしそこには寛げる空気が流れていた。彼女は「諦観」ではないかとも言う。すべてを諦めた中での自由であったのかもしれないと私は思った。

夫はガンを患って亡くった。奥さんの知らないうちに辞世の歌を書き残していた。

幾山河越えて　戦の友がらと
空にて逢わん　五十年《いそとし》すぎて

中田軍曹が飛行第二〇四戦隊に入ったのは昭和十九年八月、それは「タイ・ドムアン飛行場において戦力回復に励んでいるときだった」（『在隊回顧』元飛行第二〇四戦隊戦友会誌・総集編）と彼は記している。これによるとフィリピン戦線でも迎撃に参加している。いったん内地に帰ったのち、仏印に戻るときに第八飛行師団に編入させられた。

彼は八塊出撃の田川唯雄軍曹、花蓮港出撃の塚田方也軍曹とは航空乗員養成所の同期で「赤トンボの練習機を習い初めてからの四年に余る戦友」（『在隊回顧』）だった。タイ・ドムアンでも一緒だった。

航空乗員養成所は全国各地にあった。中田輝雄軍曹はどこの養成所だったのか中田芳子さんに問い合わせたところ、印旛航空機乗員養成所だという。ここの本科第一期生だった田川唯雄軍曹は仙台航空機乗員養成所出身だとわかった。

歌意はこうだろう。

航空乗務員養成所に入って以来、戦友たちと多くの困難を乗り越えてきた。自分もその仲間と共に特攻に行って死ぬはずだった。だがその願いは叶わなかった。それでも今は死という順番がめぐってきた。あの世に行ったならば共に苦労してきた塚田や田川と逢える。我らの故郷であるあの天空で。あれから早五十年も過ぎたけれど、これでやっと懐かしい仲間に会える。

生き残ったことの辛さはいつまでも彼の心の中を占めていた。死ぬことによってその苦しさから解放される。そういう思いが歌には籠もっている。

## （4）誠第七十一飛行隊の出撃

誠第七十一飛行隊
昭和二十年五月二十四日

搭乗機　九九式襲撃機

| | | | |
|---|---|---|---|
| 渡辺 正美軍曹 | 23 | （福島） | 航養8期 |
| 中山静雄伍長 | 18 | （香川） | 少飛15期 |
| 山本 登伍長 | 19 | （広島） | 少飛15期 |
| 押切富家伍長 | 17 | （山形） | 少飛15期 |
| 畠山正典伍長 | 18 | （岩手） | 少飛15期 |
| 湯村 泰伍長 | 17 | （大阪） | 特幹1期 |

湯村泰伍長は通信員である。渡辺隊長機に同乗したものと思われる。

## 爆装改修は信州松本か？

あまり目につくことのない戦争記録を読むのは好きだ。とくには回想や手記である。読んでいると思いがけない発見をすることがあるからだ。愛知県の河合登という方が書かれた「思い出——悲劇を繰り返すな」という文章も偶然に見つけた。彼は朝鮮平壌府朝鮮第百一部隊第十三教育隊で飛行訓練の教官をされていた。次の箇所はとても興味深い。

＊参照　労苦体験手記　軍人軍属短期在職者が語り継ぐ労苦（兵士編）第九巻平和記念展示資料館　https://www.heiwakinen.go.jp/library/shiryokan-onketsu09/

昭和二十年三月には戦況が一段と悪化し、私たちの飛行機は通常二〇〇キロ爆弾搭載のところを五〇〇キロ懸吊できるように改造することになり、松本の飛行場へ飛んだ。これは特攻の準備だと直感した。途中浜松の飛行場で燃料補給をして離陸の時に車輪がパンク、仕方なく旅館に一泊、翌朝、整備の伍長と相談して郷土訪問旅行を内緒で行うことにした。昭和二十年三月十六日、萩平の日吉神社の祭礼の日だと思う。西郷小学校上空より急降下、四ッ谷上空を一〇メートルぐらいに下げ三ないし四回繰り返すと、父親が日の丸の旗を振り答えてくれた。その後松本より改装工事の三日間外泊許可があり、それぞれ故郷に帰ったが、これが親兄弟との訣別となった者が多かったようだ。

浅間温泉には二月から三月にかけて誠第三十一飛行隊（武揚隊）、誠第三十二飛行隊（武剋隊）が滞在していた。この時期数多くの特攻隊員がここに宿泊していた。所在が知れたのはこの二隊だけで他にどんな隊が来ていたのかはほとんどわからない。この記述は両隊以外の飛来を具体的に証明するものである。記録者は第百一部隊第十三教育隊の教官である。松本へ飛んで爆装改修してくるように命令された。乗機は九九式襲撃機である。単機ではなく複数機で飛行している点は注意を要する。武揚隊、武剋隊は当初は各務原で改修を行う予定だったが、空襲の怖れがあったことから松本に変更した。平壌の第五航空軍傘下にあった第百一部隊も爆装改修に松本にわざわざ飛来してきていた。外地から来ていたことから、松本では特攻機の改造が一般的に行われていたことを証明する事例である。

特攻攻撃が始まるということで百一部隊は爆装改修にきた。そしてこれを終えて平壌に戻ると命令が出た。

平壌に着くと、待っていたかのように特攻隊編成命令が出た。と号二十八飛行隊および誠第二十八飛行隊、三月三十日には振武第七十一隊、七十二隊、七十三隊の編成命令が出された。振武第七十三隊高田隊は心の整理をする暇もなく、発表三日後には大刀洗飛行場へ集結せよとの命令が出た。部隊全員が飛行場に整列して見送りをした。ちょうど私に、予備機を操縦せよとのことで四月五日に大刀洗飛行場に向かった。

平壌から松本に飛んで爆装改修をした機が何機なのかは不明だ。ただ明確に言えることがある。平壌の

航空廠では爆装改修が困難であった。それで松本まで行ってはこれを行った。ここに挙げられる隊の所属機すべてが行ったとすれば全体の機数はかなりの数に上る。

まずここで述べられている「と」号二十八飛行隊であるが、誠二十八飛行隊のことだろう。次に三月三十日に編制命令の出た振武第七十一隊だが、この後に第八飛行師団への転進命令が出た。そして後に述べるが誠第二十八飛行隊と合体させられる。呼称は誠第七十一飛行隊のままである。こちらの隊の出撃者数は六名である。

振武七十三隊は、四月六日鹿児島万世飛行場から十二機が、振武七十二隊は五月二十七日、同じく万世から九機が出撃している。

平壌府朝鮮第百一部隊第十三教育隊からは三十二人が特攻出撃して亡くなったとのこと。筆者の河合登氏は教官として教えた者たちがこの中に多く含まれていたという。上記三隊の特攻隊員は二十八名だが、このうち二十二名は少飛十五期生である。十七、十八、十九歳の青年であった。彼らは第十三教育隊で厳しい特別攻撃法の訓練を受けた。教官だった河合登氏は、こう語っている。

高度一二〇〇メートルから急降下して、一〇メートルにて爆弾を投下して離脱する訓練だった。高度一〇メートルになってから引き上げるのでは惰性で地面に衝突してしまう。高度計は指し遅れがあるので目測だけである。ある日、少年飛行兵が訓練中に高度を下げ過ぎるので、目標布板を撤去したところへ突入して、我々の目前において二人とも殉職した事故があった。

## 義号作戦に台湾から加わった一隊

誠第七十一飛行隊は五月二十四日に八塊から出撃している。この日に大きな意味がある。「陸軍沖縄戦特別攻撃隊出撃戦死者名簿」を見れば一目瞭然だ、誠第七十一飛行隊の六名の記載に続き、戦死者が連綿と記されている。その数は六十九名である。始まりに記されている名は「義烈空挺隊」である。

このとき沖縄はすでに敵の手に落ちている。これを奪還しようという壮絶な戦いが企図された。すなわち「義号部隊ヲ以テ沖縄北・中飛行場ニ挺身シ、敵航空基地ヲ制圧シ、ソノ機ニ乗ジ、陸海軍航空兵力ヲ以テ沖縄付近敵艦船ニ対シ総攻撃ヲ実施ス」（義号作戦方針）というものだ。誠第七十一飛行隊はこの義号作戦の一翼を担っていた。

米軍は西海岸から沖縄に上陸し、付近の三飛行場を占領し、すでにその使用を開始していた。これを阻もうと計画されたのが「義号作戦」だ。これが五月二十四日に決行された。

暮れかかった熊本健軍飛行場に爆音が鳴り響いた。九七式重爆七機が次々に飛び発っていく。大勢の兵員が手を振ってこれを送った。義烈空挺隊の隊員は十二機に分乗して飛び発った。『いよいよだな』と銘々に思った。奥山道郎大尉以下、百二十名は各自手榴弾と爆薬を持っていた。決死行だ。沖縄北、及び中飛行場に強行着陸をし、搭乗員三十二名を加えて飛行場を占拠する。この義烈空挺隊の突入をきっかけに陸海航空部隊の大規模攻撃を始めることになっていた。

第七十一飛行隊は出撃をするに当たって八塊飛行場で参謀から訓示を受けた。

「義烈空挺隊は重爆十二機沖縄北、中飛行場に斬り込むのだ。君らの役割は重要だ。彼ら決死隊を側面支

援するのだ！」

隊員六名のうち渡辺正美軍曹だけが二十三歳、あとは皆十八歳か十九歳だ。中でも湯村泰伍長はまだ紅顔の十七歳だった。

『戦史叢書』には、「誠第二十八飛行隊（九九襲）と同第七十一飛行隊（九九襲）」という記事があってこの両隊は京城に本拠地を置く第五航空軍師団から第八飛行師団に転属してきた隊である。まず乗機が九九式襲撃機で機種が同じであること、また、編成担任部隊も同じであった。これらのことから両隊を合併することにした。そして次のように命令を下した。

増田中尉ハ自今誠第二十八及同第七十一飛行隊ヲ併セ指揮シ八塊ニ於テ訓練及整備ヲ実施シ五月二十二日以降随時沖縄方面ノ攻撃ニ任シ得ル如ク準備スヘシ　秘匿飛行場トシテ当分ノ間樹林口ヲ使用スルコトヲ得

（『戦史叢書』五八八頁）

二隊合体した隊の指揮を執るのは誠第二十八飛行隊の増田幸男中尉である。基本的にはここ八塊飛行場において訓練をし、整備をすること。五月二十日以降に行われる沖縄方面の攻撃に参加できるように準備を調えよ。秘匿飛行場としては樹林口飛行場を当分の間使うことができる。

五月に八塊から出撃したのは武揚隊だ。この隊には満州新京から機付きの整備兵がついていた。彼らは輸送機で運ばれた。武揚隊の乗機は九九式襲撃機だ。この機専従だったことから武揚隊出撃後も同機の整備を専門に担っていた。それで誠第七十一飛行隊もここを基地とすることになった。

秘匿飛行場樹林口飛行場も使用可能とした。すでにこの五月の段階では八塊は敵側に察知されていてたびたび空襲を受けている。昼間は訓練できない。できるのは夕刻になってからである。機は付近一帯の樹林に隠してあるが、敵側はある程度これを察知していた。危難が生じた場合には桃園飛行場の北東にある樹林口飛行場に逃げ込めということだろう。

準備についてもこと細かに三項目が指示されている。一は長いので省略する。

二　訓練ハ毎回師団長ノ認可ヲ得テ薄暮（一七三〇以降）月明夜間実施シ且終了後ノ分散秘匿ヲ確実ニシ厳ニ空襲ニヨル損害ヲ防止スルモノトス

三　飛行機ノ補充ハ望ミ得サルヲ以テ訓練ハ特ニ指導ヲ周到ナラシメ同時訓練数ハ概ネ二機以下ニ限定シ事故ヲ防止スルモノトス（『戦史叢書』五八八頁）

隊員の多くは少年飛行兵である。いずれも飛行時間が短い。特攻突撃するまでの間に経験を積まなくてはならない。しかし制空権は完全に敵に奪われている。そういう中で訓練を行うには制約がある。まず、有視界飛行は月明かりを頼りとして行う。機は虎の子だ。一機たりとも失えない。そのためには訓練が終わった後にはきっちりと敵から見えないように秘匿しなければならない。この五月初めには次のような要領が師団から伝えられていた。

各出発飛行場ノ地区部隊特ニ東海岸ノ各地区部隊ハ帰還スル飛行機ノ迅速ナル分散秘匿ノ準備ニ関シ特

ニ遺漏ナキヲ期スルヲ要ス（『戦史叢書』五五四頁）

地区部隊の任務は重労働だった。飛行機にロープを結びつけて人力で三キロほどの道を運んでいた。大変な作業であった。

戦闘機は台湾では不足していた。本土からの補充はほとんど望めなくなっていた。台湾に飛来してきた現存飛行機を大事に使っていくしか他に方法はない。訓練をする場合は自機に慣れることが必要である。しかし、それには危険を伴う。最低限二機と決めて、これを大事に使っていくしかなかった。

さて五月二十四日だ。例によって薄暮出撃だ。五機での出動だが、特別攻撃隊戦死者名簿を見ると六名が記録されている。一名はいずれかの機に同乗して出撃したようだ。それは隊長格の渡辺正美伍長機である。これに最年少の十七歳、湯村泰伍長が搭乗していた。彼は特幹、陸軍特別幹部候補生、その一期生である。彼が八塊飛行場から出撃する様子を同期が見送っていて記録に残している。

航空通信学校、尾上教育隊出身の特幹一期生湯村泰伍長（のち特攻少尉）は、出撃する特別攻撃隊「誠第七一飛行隊」を八塊飛行場で見送りしているとき、搭乗隊員の通信手が急な腹痛を起こした。咄嗟の身代わりを買って出た彼は、レシーバーを借りさっさと機内に入った。「トクカンイッキユムラタイ　イマヨリトツニウ」の電文を送り沖縄洋上に散華した。彼はもともと対空無線隊員であったが、とことこに至って特幹生の気質がよく出ていて見事と思う。（「特幹譜」その純粋なる魂の軌跡　東京都　平野幹夫「軍人軍属短期在職者が語り継ぐ労苦（兵士編）第13巻」平和記念展示資料館　https://www.heiwakinen.go.jp/library/shiryokan-onketsu13/）

義烈空挺隊の側面掩護ということで対空無線隊員を敢えて乗せたのだろうか。が、「空母突入を報じた機があったが成果は不明だった」と『戦史叢書』には記載されている。「第八飛行師団戦闘詳報」ではそうなっているが、彼は出撃戦死者名簿に記載されていることから特攻突撃が認定されている。

誠第七十一飛行隊の陸軍軍曹渡辺正美他五十三名として「感状」が第十方面軍司令官安藤利吉の名で付与されている。

沖縄本島周邉海域ニ来寇セル敵艦船群攻撃ヲ命セラルルヤ勇躍挺身或ハ夜間洋上遠距離ヲ進航シ或ハ敵戦闘機ノ報拗ナル妨害ヲ排除シテ之ヲ急襲シ果敢ナル体当リ攻撃ヲ決行シテ敵主力艦ニ対シ甚大ナル打撃ヲ与ヘ全軍ノ作戦ニ寄与セル所頗ル大ナリ

この誠第七十一飛行隊の平均年齢は十八歳だった。二十歳に満たない青年たちで構成された隊であった。

## （5）飛行第十七戦隊の出撃

第十七戦隊　　搭乗機　三式戦　飛燕

昭和二十年六月五日　　稲森静二少尉　23（鹿児島）特操1期

岡田政雄少尉　21（徳島）　特操1期
佐田通安少尉　22（長崎）　特操1期
富永幹夫少尉　21（東京）　特操1期

## 稲森特攻隊について

飛行第十七戦隊は、昭和十九年二月に各務原で編成された。五月に比島に進出し、カーン作戦、台湾沖航空作戦、レイテ作戦などに参戦した。これらによって消耗したことから、戦力回復のために十二月に内地、小牧に戻った。そして中京・阪神地区の防空任務に就いていた。

昭和二十年二月十六日、第八飛行師団が第二十二飛行団の編合を行った際にここに組み入れられた。そのため昭和二十年二月末に小牧飛行場を出発し、新田原、沖縄を経由して台湾花蓮港に進出した。そして第二十二飛行団の指揮下に入った。

稲森静二隊長が指揮する第十七戦隊の動向は、『コバルトの空・明野』（首都圏明野会語り部編集委員会 編著 首都圏明野会、二〇〇四年十月）に収録されている「飛行第17戦隊（3式戦）の台湾での戦闘」（有川信男：旧姓佐藤）が詳しい。これから引用する。

### 稲森特攻隊（自隊編成）の出撃

戦況は石垣、宮古方面の制空権を失いつつあり台湾からの直路攻撃が考慮されていた。戦隊は5月初め頃、花蓮港北飛行場から宜蘭飛行場を経て八塊飛行場に移駐していたが、5月13日の師団命令により第22飛行団に復帰すると共に、新たに6機編成の稲森特攻隊を編成した。(誘導機として佐藤中尉)

5月31日出撃したが、荒天のため無念ながら引き返し、宜蘭飛行場に不時着した。隊員全員の強い要望もあり、戦隊長の待たれる八塊に戻る決心をした。ところが離陸直前に大型機擱座による滑走路閉鎖となり地上待機が続いたため、エンジン沸騰などのトラブルが発生した。予期に反する暗夜の飛行となったが、誘導機直率の4機はほとんど未経験にもかかわらず編隊及び着陸(スペリー)はともに驚くべき能力を発揮し、無事戦隊長の下に帰着した。ただ僚編隊は行方不明となり指揮官として反省した。

これによると稲森隊は五月三十一日移駐先の八塊から六機で出撃したが、悪天候で引き返し、宜蘭に不時着した。ところが六機のうち二機が行方不明となった。残りの四機は隊長がいる八塊に戻ったようだ。すぐに六月になった。この頃第八飛行師団は、沖縄に侵攻してきた敵が先島諸島への攻略を企図していると分析していた。それに基づき六月四日に命令を出した。その一つは次の通りだ。

> 第九飛行団ハ依然一部ヲ以テ沖縄周辺ノ敵艦船ニ対スル攻撃ヲ続行シツツ随時先島群島方面ニ対シ攻撃シ得ル如ク準備スヘシ　機動飛行場トシテ八塊ヲ使用スルコトヲ得
>
> (『戦史叢書』六〇八頁)

飛行第十七戦隊の乗機は三式戦、新型の隼だ。この新鋭機の配置は花蓮港であったが、師団の指示、機

動飛行場として八塊を使えということで花蓮港から移駐した。機の秘匿とか、先島諸島からの位置などから、この部隊を展開させるには八塊が都合よかったのだろう。この命令は六月四日に出ているが翌日にはもう出撃している。

六月五日、飛行第十七戦隊は八塊から出撃した。稲森隊四機である。これの誘導機は佐藤信男中尉である。「飛行第17戦隊（3式戦）の台湾での戦闘」を記録として書いた本人であった。よって当日のことは彼の手になる記述に詳しい。

6月4日0930師団の攻撃命令により、翌6月5日隊長稲森少尉以下4機は八塊飛行場を発進、薄暮を利用して嘉手納沖敵艦船群を攻撃し、火柱四本の成果を報じられた。なお佐藤中尉は所命の尖閣列島魚釣島まで同行し断腸の思いで帰路につき、基隆上空において彼らの突入と思われる無線の「発信音」を聞いた。そしてこの出撃は「戦隊における最後の特攻」となった。

前年の夏第22飛行団配属の特別見習士官集合教育隊において隊長を命ぜられ、お互い寝食を共にし、猛訓練に耐えてくれた同志達であり、いまや中核戦力として死地に身を投じ散華したのであった。なおまたこの攻撃隊が当日沖縄に対する唯一のものであったことと、その戦果についても、米海軍被害官の「DD47 Pr.ingle号生存者関係団体」の活動に協力されている今田圭明氏から聞き、感激した次第である。

ここに出てくる「DD47 Pr.ingle号」はアメリカ海軍の駆逐艦である。一九四五年（昭和二十）四

月十六日に特攻機の攻撃を受けて沈んだ船だ。乗員六十九名が亡くなっている。

この飛行隊第十七戦隊は、戦隊としては三度目の出撃となる。この戦隊は花蓮港飛行場を所属基地としていた。名古屋小牧を飛び立ってこの飛行場に着いたのは三月七日だった。操縦者は戦隊長以下二十九名で、将校十九名、下士官十名がいた。稲森特攻隊以外の他二隊についても記録しておく。「飛行第17戦隊（3式戦）の台湾での戦闘」を参考とする。

まず平井特別攻撃隊だ。師団からの出撃命令を受け、三月二十九日に花蓮港から石垣島に向けて八機が飛び発った。ところが「長機の羅針盤誤差のため航法を誤り引き返し」た。このときに平井中尉以下四機は花蓮港に無事に戻ったが、他の四機は戻る途中燃料が不足し、台湾南部海岸に不時着、全員が戦死した。

翌30日、平井俊光中尉は隊を再編成し石垣島に前進した。師団は「四月一日払暁、慶良間列島周辺敵戦艦の攻撃決行」を命じた。

平井特別攻撃隊は4月1日早朝、石垣島飛行場から出撃した。未明のため空中集合が順調に行かず4編隊に別れたが、処命攻撃を敢行し、中型輸送船1隻炎上、大火柱2、黒煙2の戦果を挙げた。未帰還は、平井隊長以下特攻7機、直掩1機であった。

特攻隊

平井俊光中尉（56期）、児子国高少尉（57期）、国谷弘潤少尉（特操1期）、

勝又敬少尉（幹候9期）、西尾卓三少尉（幹候9期）、照崎義久軍曹（少飛10期）、

西川福治軍曹（予備下士9期）

（「飛行第17戦隊（3式戦）の台湾での戦闘」）

いうまでもないが、この未帰還とされた隊員は、特攻出撃戦死者名簿に載っている。
次に花蓮港出撃の下山特別攻撃隊だ。

4月17日付師団命令により、戦隊では下山特攻隊が編成された。5月3日、隊長下山少尉以下4機は、独立飛行第48中隊の軍偵に誘導されて、沖縄周辺の敵艦船に薄暮攻撃突入し、火柱四本が認められた。

特攻隊

下山道康少尉（57期）、斉藤長之進少尉（特操1期）、辻中清一少尉（特操1期）、

原一道曹長（下士91期）

台湾花蓮港（北）からの特攻機出撃数は全体で十五名となっている。ここは一式戦（隼）、三式戦（飛燕）などの基地であった。花蓮港からいったん八塊や石垣に移駐し、特攻出撃した機はかなりの数に上る。特攻機の石垣からの出撃数は三十一名だが、その多くが花蓮港を基地としていた。そういったことからいえば、戦争末期根拠飛行場とされた花蓮港飛行場は、第八飛行師団の中で枢要な位置を占めていたと言える。

詩「特攻隊を送る」

自衛隊の平塚勝三等空佐は、昭和三十一年（一九五六）六月二十六日、宮城県伊豆沼上空でT-6中間

練習機で訓練中に機同士が接触し、殉職している。彼は旧軍出身者で、台湾では第十七戦隊に属していた大尉であった。

彼は戦争中、体験、経験したことを手記に遺している。この手記は全編が詩形式で描かれているという珍しいものだ。平塚勝氏殉職後にご遺族が手記の存在を知り、『空を愛した男の死闘譜——平塚勝手記』として甥の平塚滋氏が編集し、二〇一七年十二月に発刊されたものである。

全十八編からなる。この十七編目が「特攻隊を送る」である。八塊から出撃していく飛行第十七戦隊の稲森隊を送る詩である。回想詩ではなく、そのときに自身が感じた思いを詠んだものだ。帰還したのは花蓮港飛行場だ。さほど時を置かずに詠んだものだろう。

昭和二十年六月五日、飛行十七稲森隊が八塊から出撃したとき平塚勝大尉は制空掩護に当たっていた。彼らが八塊から出撃していくときに敵機に襲撃されないようにと上空で警戒任務に就いていた。この後、稲森隊は沖縄に特攻攻撃に向かう。平塚大尉は沖縄戦場へ、随伴機誘導機として先導していく。その出発から帰還までの様子が十連からなる長編詩として詠まれている。ここでは前半の一、二連と後半五、六、七連とを引用する。

特攻隊を送る

藍を流せる大海《わだつみ》を　眺《なが》めつ翔《かけ》る我が翼《つばさ》
太平洋上　初夏《しょか》の風　君が首途《かどで》を送り吹《ふ》く

噫《ああ》　神国《しんこく》に生享《せいう》けて　未曾有《みぞう》の危機に今ぞ遭《あ》ふ
今吾《われ》立たで何時《いつ》の日か　我《わ》が命をば捧《ささ》げなむ
波の彼方《かなた》ぞ青山《せいざん》と　莞爾《かんじ》と笑《わら》ふ若桜
仮令《たとい》此《こ》の身に罪劫《ざいごう》の　盡《つ》きせぬことのありとても
今我《わ》がつくす誠心《まごころ》に　すべての罪を浄《きよ》めよと
胸中既《きょうちゅうすで》に生死なく　今ぞ基地をば出《い》で発《た》ちぬ

基地上空を制空の　高度を下《さ》げて近寄れば
翼《よく》に爆弾抱《いだ》きつゝ　しつかと組める編隊に
僅《わず》かの揺《ゆら》ぎあらばこそ　悠々《ゆうゆう》高度を上《あ》げ行きぬ
思《おも》へば今迄《いままで》共々に　日夜訓練重《かさ》ね来《こ》し
我《わ》が部下達と永遠の　翼別《つばさわか》れん此《こ》の日なれ
尾部《びぶ》に彩《いろど》る我《わ》が隊の　印《しるし》もしるく眼《め》にしみぬ

平塚大尉は、台湾に赴任してくる前は明野教導飛行師団にいて、特別見習士官たちに教官として操縦を教えていた。今まさに出撃して行こうとする四人は教え子である。その彼らが特攻隊員となって死を覚悟して沖縄へ行こうとしている、一際感慨深いものであった。

まず、第一連である。昭和二十年六月五日、薄暮、八塊飛行場を出撃した飛行第十七戦隊の制空掩護に

就いたのは平塚大尉、西川曹長、岩本伍長の三名だった。「特攻隊を送る」の注に記録されている。彼らはもうすでに八塊上空にいた。敵機を警戒して旋回をしていた。

平塚大尉は操縦席から遙か東の海、太平洋を眺めている。あの藍を流したような大海に遊弋する敵艦船に向かって彼らは飛び立つのだ。飛行場ピストでは最後の別れの出陣式が行われていた。

『ただ今より、稲森編隊沖縄攻撃に出発。目標は慶良間列島の敵艦船群。突入時刻十九時三十分。終わり』

稲森少尉は部隊長に申告を終える。一歩退いて敬礼をする。他の三人も倣う。部隊長は「よろしく頼む」と言って敬礼を返す。平塚大尉はそんな場面を想像していた。

「いよいよだな、『胸中既《きょうちゅうすで》に生死なく　今ぞ基地をば出《い》で発《た》ちぬ』」と平塚は言った。案の定、下を見ると四機が飛び立ち別れの旋回をしていた。

次の第二連だ。稲森隊に伴走すべく高度を落とす。各機は両翼に二五〇キロ爆弾を抱え持っているが心配したほどのゆるぎはない。明野でさんざん訓練してきたことが今になって効いてきていると平塚は思った。

垂直尾翼には我が隊、飛行第十七戦隊の矢羽根マークが夕陽を受けては赤く輝いている。

あゝ人ぞ知る特攻の　其《そ》の攻撃の凄絶《せいぜつ》を
雲をば呼びて風を巻く　矢よりも速き高速に
今《いま》突入の一瞬時《いっしゅんじ》　眼閉《まなこと》ぢなば有効の
命中《めいちゅう》決して期すを得《え》じ　五体砕《ごたいくだ》くる時迄《まで》も
眼《まなこ》開きてありてこそ　至上《しじょう》の戦果期《き》すべけれ

我《わ》が掩護《えんご》の燃料も　残るは僅《わず》かとなりぬれば
洋上離る粁《キロ》今我《わ》が基地に還《かえ》らんと
振り向き眺むその彼方《かなた》　波に浮《うか》べる山影《やまかげ》や
紫けぶり雲ぞ湧《わ》く　島人《しまびと》は言《い》ふ蓬莱《ほうらい》と

レバー開《ひら》きて翼《つばさ》寄《よ》せ　今《いま》ぞ最後の袂別《べいべつ》と
最後尾より宛　翼《つばさ》を振りてうち見れば
あゝ見なれにし我が部下よ　皆微笑《ほほえ》みて翼《よく》を振り
或《あるひ》は拳《こぶし》打ちふりて　心配なしと答《こた》へけり
明野《あけの》時代の教《おし》へ子《ご》の　岡田、富永いざさらば
軈《やが》ては我も後追《あとお》はん　では頼むぞと近寄れば
機上に手上げて敬礼し　いざお先と打ち笑《え》みぬ

五連目である、特攻攻撃の凄絶さを語っている。今、沖縄に向かっているのは四人共に特別操縦見習士官の一期生、学徒出陣組だ。平塚大尉はこの彼らの訓練を行った。特攻を念頭においた急降下訓練も行ったようだ。陸軍では特別操縦見習士官と呼んだが、海軍は飛行予科練習生と言った。慶應から学徒動員で飛行予科練習生になった柳井和臣さんは、飛行訓練において「それから何度も繰り返された特攻訓練で教

官に言われた『ぶつかるまで目を閉じるな』という言葉が残っている」（「慶應塾生新聞」二〇一五年十月四日付）と回想されている。

特攻を想定した訓練では、敵艦にぶつかるまで目を開けていよと言われていた。命中の精度に関わることで教官はこれを学生に指示していた。平塚大尉はこれを「眼開《まなこひら》きてありてこそ　至上《しじょう》の戦果期《き》すべけれ」強い口調で述べている。やはり、教え子たちには同じように指導したのだろう。

随伴機は特攻機を目標地点まで誘導する。平塚機はそこまで辿り着いた。それは燃料計でわかる。いよいよ別れが迫ってきた。ここまでと決意して、Uターンへの準備にかかる。

特攻機と誘導機には歴然とした差がある。積載物が違う。前者には落とさなければならない重い爆弾とどんどん軽くなっていくガソリンタンクしかない。夜食もない。後者には爆弾はないが、爆弾代わりに魚雷型の増加タンクがある。二百ミリリットル入り二本。そして夜食のお握りがあった。

ああ、無情。眺め遣ると夕闇迫る海原の向こうに紫色には煙る蓬莱島が微かに見える。そこにごま粒をまぶしたような点々とした影、敵艦船群だ。誘導は果たした。いよいよお別れだ。スロットルレバーを開いて機体を友軍機に最後尾より近づける。一機一機に近づいては翼を振って別れの挨拶をする。ある者は笑って翼を振り返す。ある者は拳を振り上げて心配するなと合図する。ああ明野飛行学校時代の教え子、岡田政雄少尉、富永幹夫少尉たちよ。

「いずれはおれも行くからな、頼むぞ」と機に接近して手で合図すると、彼らは操縦席で手を挙げて敬礼を返してくる。

「わたしらは、お先に行きますよ」と笑顔で応答してきた。

# 第７章　第八飛行師団総特攻の挫折

## （１）最後の特攻出撃

六月五日、八塊から飛行第十七戦隊の四機が出撃した。続いて六日には、飛行第二十戦隊が宜蘭から四機、飛行第二十九戦隊が台中から三機出撃をした。この後七日、第八飛行師団は沖縄敵艦船への攻撃を中止した。

沖縄の地上戦線は日を追って悪化していた。沖縄の敗退も最早時間の問題であった。戦況が好転する見通しもなかった。大本営陸軍部は沖縄方面航空作戦、天号作戦では想定以上の特攻機を送り込んでいた。これ以上この作戦を実行しても戦力を消耗するだけであった。

第八飛行師団は前年十月に連合艦隊指揮下から離れていた。九州の第六航空軍は依然指揮下にあったが連携はうまく行っていなかった。まず五月に沖縄第三十二軍が攻勢に出たときに特攻での掩護攻撃を行ったが失敗した。また五月二十三日の義烈空挺隊を沖縄に突入させる義号作戦も、海軍との連携作戦であったが、これも失敗に終わった。これらのことから二十年五月二十六日に連合艦隊指揮下から離脱した。そ

して第六航空軍は、「五月二十八日零時をもって航空総軍司令官の指揮下に復帰し、西部日本における決号作戦準備を促進強化した」（『戦史叢書19 本土防空作戦』五五四頁）。海軍に遠慮なく独自で特攻出撃をさせた。この日特攻十五隊、四十六機を沖縄に出撃させている。さらに第六航空軍は、六月六日から七月一日まで振武隊を二十三隊も沖縄へ送り出している。

一方、第八飛行師団は、六月六日に飛行第二十戦隊四機、飛行第二十九戦隊三機、誠第三十三飛行隊一機を送り出した後、沖縄への攻撃をいったん中止した。

ところが、すべてをやめたわけではなかった。今後敵がどう出てくるかわからない。そこで六月四日に「第八飛行師団命令」を待機部隊に四項目にわたって出した。簡略に要点を記す。

一、諸情報を総合すると敵は沖縄を攻めた後、新企図の作戦をぶつけてくるはずだ。
二、沖縄周辺の敵艦船に対する攻撃を続行しつつ、新たな情勢への即応の態勢を準備せよ。
三、第九飛行団　敵は先島群島に対して攻撃してくる可能性があるので準備せよ。機動飛行場としては八塊を使え。
四、第二十二飛行団　先島列島方面に対して攻撃できるように準備せよ。機動飛行場としては東海岸の上大和飛行場、池上飛行場を使え（これらの飛行場は東海岸花蓮港に近い秘匿飛行場である）。

この命令は六月四日に出されたものだ。続いて二日後に、「六月六日ニ於ケル戦力表」をまとめている。台湾各地に布陣している航空隊の現状をまとめたものだ。どうやら第八飛行師団は今後の戦略を練るために悉皆調査を行ったようだ。これを掲げる（本書二一四、二一五参照）。

各戦隊、飛行隊が所持する飛行機の機数を記し、これを甲乙丙に分けて数値化している。三段階は機が飛べるかどうかの等級分けだろう。保管機数の総計は三百九十機である。このうち「甲」に当たるものは百七十九機とある。特攻機として使える機数だろうと思われる。

操縦者についても甲乙丙と分けている。操縦の練度を表しているものと思われる。このうち甲が九十名、乙が六十六名、丙が百十三名となっている。

航空戦力がどのくらい残っているのかということを調べた。これは次なる戦略を計画する上で大事なものだった。沖縄戦線は敗色濃厚になってきた。問題は第八飛行師団にとっては次の展開だ。そして導き出されたのが、「第八飛行師団の先島、南部臺灣作戦準備強化」（『戦史叢書』六一三頁）である。読み解けば、沖縄の次は台湾であるということだ。その辺りの事情はこう記されている。

（六月初旬）このころ第八飛行師団は諸情報を総合し、「敵は日本本土上陸を準備するため先島列島および南部臺灣から、更に広く北部比島方面にわたって領有しようとする企図が次第に濃化している」ものと判断し……中略……十六日には、先島および南部臺灣方面の敵艦船への攻撃を準備するため、下表のように丙編制の特別攻撃隊一五隊を編成した。（『戦史叢書』六一三頁）

敵は沖縄をほぼ手中に収めた。次なる展開は日本本土上陸だ。その手順に対する読みは、まず台湾を攻めて、しっかりとした橋頭堡を築いた上で、いよいよ日本上陸へと向かうだろうと推測し、これに基づいての特攻攻撃を立案した。それが「丙編制の特別攻撃隊一五隊を編成」だ。一隊への配分機数は四機だ。

丙編成は少数精鋭を旨としたものだろう。第八飛行師団も敵の上陸地点が読めないことから丙編成にして機動性を持たせたのだろう。特別攻撃隊十五隊、各隊四機だと総計六十機となる。かなりの数である。これには理由があった。先に『飛行第一〇八戦隊奮闘記』を紹介したが、この中で菱沼俊雄氏は次のように述べている。戦況の変化である。

沖縄の失陥に伴い天号航空作戦はうちきりとなったが、ひきつづき最後の本土決戦……「決号作戦」に備えて第八飛行師団麾下部隊はそれぞれ攻撃準備をととのえる一方、南方各地の航空部隊もそのほとんどが北上してぞくぞくと台湾に集結を始めていた。戦闘隊も新鋭五式戦を装備する十七、十九戦隊におよぶ盛況で、第一線機も一千機をくだらないであろうと思われる大部隊にふくれ上がっていた。

沖縄の司令官牛島中将が指揮を打ち切ったのは六月十九日である。沖縄失陥を機に思いがけない変化が起こった。台湾島内では戦闘機が不足していた。あっても満足に飛べないものばかりだった。増備について中央に要求はしていたが、これは叶えられることはなかった。ところが、北の本土からではなく、南から、すなわち南方各地に展開していた航空部隊が、「最後の本土決戦」だということで続々と台湾に渡ってきた。敗色濃厚な中で思いがけずやってきた援軍である。

戦争の動向は軍備のあるなしで決まる。とくに飛行機は必須のものだった。それが一千機もくだらないほどやってきた。島内にあった機の多くは中古機だ。ところが新しく入ってきた機には新鋭機を装備している戦闘隊もあった。それらを目撃して軍関係者は希望を持った。これらの機を活用して捲土重来を夢見

た軍上層部もいたという。

南方からの援軍の到着、こんな中にあって「特別攻撃隊十五隊を編成した」のは多くの帰還機があったからであろう。

第八飛行師団は新たな力を得て決断をした。師団の総力を挙げて特攻作戦を立案したと言っていい。総力戦である。

どの隊に命令が下ったのか。これは先に、『丙編成の特別攻撃隊』としてすでに図を掲げた。この十五隊の中に第二〇四戦隊は入っていた。これに所属する織田保也少尉は六月十八日に特攻下命を受け取り、すぐに遺書をしたためている。このことから他の隊員も特攻下命を受け取っているはずである。

しかし、この十五隊は出撃しなかった。七月になって第八飛行師団は沖縄に特攻隊を送り込む。それは十九日である。このことは次のように記録されている。

　第八飛行師団では牽制等の目的で七月十九日、特攻一二機で沖縄周辺の艦船を攻撃した。第九飛行団の攻撃隊は藤井清美少尉（誠第三十一飛行隊）ほか三機が一六三〇、八塊基地から出撃、藤井少尉ほか一機が突入し、一機は基隆海岸に墜落した。飛行第二百四戦隊特攻隊は十九日一七〇五花蓮港南から出撃し、織田保也少尉ほか三機が突入し、艦種不詳三隻を撃破したと報じた。（『戦史叢書』六一七頁）

一隊四機の丙編成で特攻十二機を出撃させた六月六日以来、一月半振りとなる。この間、第六航空軍の振武隊は、二十数隊の特攻機を送り込んでいる。そういう中での第八飛行師団の狙い、意図である。それ

は「牽制」だという。
牽制とは、相手の注意を自分の方に引きつけて自由に行動できないようにすることだ。台湾への侵攻は許さないぞというサインである。一種の示威特攻だ。一つは友軍の第六航空軍に、もう一つは敵国に「どっこいわれらも健在で戦っているぞ!」ということを示すためのものであったろう。牽制は、軍の作戦としての欺瞞や陽動などと関わる軍事的な心理戦の一つである。戦果よりも脅しを期待しての作戦だ。戦争遂行者の都合によるものだ。そういう特攻ほど悲しいものはない。
七月十九日、この日特攻機は十二機出撃した。記録上わかっているものの動向を記す。

八塊飛行場
誠第三十一飛行隊
搭乗機　九九式襲撃機
藤井清美少尉　24(京都)　幹候9
飯沼芳雄伍長　18(長野)　少飛14
〈宮古島東海与那浜断崖に衝突し戦死〉

誠第七十一飛行隊
搭乗機　九九式襲撃機
中島尚一伍長　18(大分)　少飛15
伊藤幸男伍長　年齢県不明　少飛15
〈基隆海岸に墜落・生還〉

花蓮港飛行場（南）
　第二〇四戦隊
　搭乗機　一式戦
　織田保也少尉　21（鹿児島）特操1
　笠原卓三軍曹　26（長野）下士93
　塚田方也軍曹　21（茨城）予科13
　渡井　香伍長　19（静岡）少飛13

私の手持ちの記録では前記のものは確かめられたが、残り四機は把握できないでいた。調べているうちにわかったのは、出撃しても戦果がない場合は記載されないということだ。それでもやっと記録が確認できた。それは「第八飛行師団　特攻隊戦果調査表」によってである。これはネットでも閲覧できる。しかし、複写された記録は黒く汚れていてほとんど読めない。市谷の防衛研究所では、鮮明な戦史室所蔵のものが見られた。その要点を書き記す。

七月十九日　龍潭より出撃
隊号　飛行第二十戦隊　機数　四機　（機種　一式戦）
隊員氏名　渡辺少尉　上野伍長　神戸伍長　神谷伍長
直掩隊　二十戦隊　機数　二キ
未帰還者　無シ　戦果　無シ

備考　神戸　神谷ノ二機ハ故障ノ為引返シ
　　　渡辺　上野ノ二機ハ島ニ不時着　（7／25上野伍長帰還）

書き写してみたが原文記載が崩し字である。解読に心許ない点があることは断っておこう。いずれにしても出撃した四機は沖縄に辿り着かなかった。

八塊、花蓮港、各飛行場の機種についてである。八塊からは、九九式襲撃機が、花蓮港からは一式戦三型が出撃している。前者は旧型であり、後者は新型である。八塊の場合は旧型出撃が多い。花蓮港の場合、一式戦、三式戦が多く出ている。八塊には旧型に、花蓮港には新型に手慣れた整備員が配置されていたと思われる。

龍潭陸軍飛行場は現在の台湾の空の玄関口となっている桃園国際空港の北側あった。ここからは五月三日に飛行第二十戦隊の五機が出撃して完遂をしている。機種は一式戦Ⅲ型である。七月十九日の出撃機は四機とも不調を起こしたようだ。

先に六月十六日に「特別攻撃隊十五隊を編成」したことを紹介した。その編成表と照合してみると第九飛行団の中に誠三十一飛行隊と第七十一飛行隊は入っていない。第二十二飛行団傘下として第二〇四戦隊は「誠第一隼飛行隊」として入っている。また飛行第二十戦隊は表に入っている。以上のことからすると八塊から出撃した誠第三十一と誠第七十一は、今回の出撃に当たって繰り入れられたものだと考えられる。十二機出撃した中で完遂機は六機で未完遂は六機である。この個別事案に対する評価は第二〇四戦隊の

四機に対してだけである。これに感状が出されている。

満を持して台湾から十二機を出撃させたが、全体としては明らかに失敗である。原因はやはり機の劣化であろう。交換したくても部品はない。少々の故障があったとしても目をつぶった。特攻を出さねばならないという命令を優先させた。それで何が何でも出撃させたというのが実情ではなかったのか。

## （2）特攻機への狙い撃ち

六月六日の段階で、台湾各地の飛行場にどれだけの航空機があるのかを調査した結果をまとめた。戦闘機の数は三百九十機もあった。さらには南方戦線からの飛来機も続々と到着しつつあった。しかし、もうこの頃制空権は完全に敵の手にあった。記録として残っている「台湾空襲状況集計」によると連日のように爆撃機や戦闘機が台湾に来襲してきていた。六月分だけの集計表を見てもわかる。爆撃機のB24、は九十四機、B25は百二機、戦闘機は、P38（ライトニング）は二百五十二機、P51（マスタング）は二百七十八機も襲来してきた。

虎の子である戦闘機は敵の目を逃れるために「分散秘匿」が師団より命令され、飛行場から離れた山陰や林中に隠していた。ところが、敵はたびたび偵察機を飛ばし、その実情も知っていた。秘匿された戦闘機も狙い撃ちされた。

沖縄特攻は三月二十六日に始まった。沖縄慶良間沖に集まった米国艦船群に次々に特攻をしかけた。特

攻隊員たちの誰もがすべて狙った母艦を撃沈とまではなかなかいかない。だが、敵に脅威と恐怖とを与えたことは確かだ。

特攻機は非常に効果的な武器で、我々としてはこれを軽視することはできない。私は、この作戦地域内にいたことのない者には、それが艦隊に対してどのような力を持っているか理解することができないと感じる。

本の表題は『提督　スプルーアンス』（トーマス・B・ブュエル著、小城正訳、学研プラス、二〇〇〇年）だ。提督は沖縄戦当時、第五艦隊指令長官である。その彼が指揮する艦隊の旗艦は重巡洋艦「インディアナポリス」である。沖縄特攻が始まったばかりの三月三十一日、徳之島を飛び立った誠第三十九飛行隊五機は特攻出撃をした。このうち笹川勉隊長の一式戦が旗艦インディアナポリスに体当たりをして大破させている。スプルーアンス提督はこの特攻攻撃を目の当たりしていた。それで日本軍の捨て身の攻撃に怖れを感じていた。

特攻機は九州からは振武隊が多く飛来し、台湾から誠隊も出撃してきて米艦船に打撃を与えていた。第八飛行師団は沖縄戦の初めの段階では、先島の宮古島や石垣島から特攻機を出撃させていた。爆弾を抱えた戦闘機が米軍の艦船を間断なく攻め立てた。彼らにとっては恐怖であった。しかし、宮古や石垣からの出撃は最初の段階だけであった。四月になると台湾から直接特攻機を出撃させるようになった。米軍は執拗な偵察飛行を繰り返し、台湾島内各所にある日本軍飛行場を見つけ出しては爆撃機や戦闘機を叩いた。

先に、日本側の記録として「臺灣空襲状況集計」（臺灣総督府警務局防空課）を紹介した。六月は連日敵機に襲われた。一例として六月十五日の場合を見てみよう。この日は、「台北市内、新竹、台中、高雄、台東州下軍事施設」が狙われた。

米軍側の記録もある、これは中国語にして残してある。八塊飛行場も狙い撃ちされた。

負責轟炸八塊飛行場的第345轟炸大隊派出第498、499、500、501轟炸中隊各6架B-25・第500中隊的一架飛機後發生故障・由另一架飛機護送返航。其餘22架B-25在16架P-51的護航下從淡水西南方轉進陸地・從11時15分開始・以3到4架爲一組・對八塊飛行場投下23磅傘降破片殺傷彈・第500中隊其中一架B-25在投彈過程中墜毀爆。所有B-25脱離目標區後・一架第501中隊的飛機將剩下的炸彈對湖口驛構内車場的機關車和列車投下。

「空襲福爾摩沙：二戰盟軍飛機攻擊台灣紀實」張維斌著（台湾文史叢書）前衛出版社、二〇一五年八月

八塊飛行場を爆撃した第三四五爆撃隊は、第四九八、四九九、五〇〇、五〇一爆撃隊のB-25を六機ずつ派遣した。第五〇〇爆撃隊の一機は故障したため、別の一機が掩護して返航した。残りの二十二機のB-25は、淡水の西南方から十六機のP-51に護衛されて陸地に侵攻した。

十一時十五分から三～四のグループに分かれて八塊飛行場に二三ポンドのパラシュート式破片爆弾を投下した。すべてのB-25が目標地域から脱出した後、第五〇一飛行隊の航空機が残りの爆弾を湖口駅の構内の機関車や列車に投下した。

八塊は田園地帯に造成された飛行場である。敵はここに戦闘機が隠されていることを偵察によってよく知っていた。それで執拗に攻撃をしている。次は一九四十五年七月九日だ。

第22轟炸大隊責炸八塊飛行場的飛機疏散區・期望以密集的彈幕炸中日軍藏匿的飛機・計有第2、19、33、408轟炸中隊的21架B-24投下集束破片殺傷彈。

今度は第二十二爆撃隊、狙いは八塊飛行場の「飛機疏散區」。これは航空機の秘匿場所の爆撃である。敵は日本軍が戦闘機を一帯に秘匿していることを把握していてこれを攻撃にきた。ジャングルの木陰に多くの機は隠されていた。米軍は怪しいと思われるところを手当たり次第に「高密度の弾幕を使用して」襲った。この日はB-24二十一機で攻撃をした。

さらに翌七月十日、気象観測に向かったB-24が任務を遂行した後に、八塊飛行場に行って五百ポンド爆弾を投下したという。敵は当飛行場が機動飛行場になっていることを察知して執念深く攻撃にきていた。

第八飛行師団の各飛行場もやはり米軍が襲ったことは間違いないことだろう。花蓮港飛行場にも頻繁に来ていたというのは先に紹介した記録にもあった。他飛行場も推して知るべしだ、米軍の空襲によって、準備していた特攻機が襲撃されて数が減っていったことはあるだろう。

七月十九日が特攻攻撃の最後となる。第八飛行師団はメンツをかけて敵に一泡吹かせてやろうという意気込みを持っていた。当初は六十機を出す計画もあったが、もうこの段階では敵からの執拗な攻撃を受けて満足に特攻機を出撃させることができなかった。計画は頓挫し、実際出撃したのは十二機だった。

## （３）特攻戦略の変化

第八飛行師団は、三月以来特攻機を沖縄に送り出してきた。六月六日、飛行第二十戦隊を宜蘭から四機、飛行第二十九戦隊を台中から三機、誠第三十三飛行隊を台中から一機、計八機出撃させた。ここで特攻出撃をいったん停止し、第八飛行師団は六月上旬に「『と』号部隊に関する戦訓」（『戦史叢書』六二三頁）をまとめ、各部隊に配布した。「戦訓の迅速な活用により次期作戦に資する」ためである。原文は文語体で難解だ。平易に言い直してみる。この要点の幾つかを簡潔に述べる。

まず「奇襲強襲」についてである。

特攻攻撃は奇襲に徹すべきだ。強襲は絶対に不利だ。

①敵の攻撃力は我が軍を上回るほど優勢である。したがって鉄壁ともいえる警戒網をかいくぐる掩護機を付けることはほとんど望み薄だ。

②掩護機は特攻機の動きの遅さ、また自機の増装タンクから戦闘隊としての能力を存分に発揮することは困難だ。

③特攻機が独力で行う強襲は、操縦者の技量、特攻機の性能、重装備などの関係上無謀である。

④多数機での特攻出撃は敵の電探や監視網にすぐに引っ掛かり不利である。

簡潔に書いたがそれでもわかりにくい。簡単に言えば、特攻だからと言ってやみくもに襲ってはならない。自機がおかれている状況を冷静に判断して、敵の隙を見て奇襲をしろ。個々の乗員の落ち着いた判断が特攻する場合は重要だということだろう。

次に「と」号部隊の編成（要点のみ記す。番号は便宜的につけた）

①　出撃機数が多くなると混乱する。一攻撃隊の編成は特攻機三機から五機、誘導及び戦果確認機一機がよい。

こういう反省を経て、六月十六日に出た「丙編成の特別攻撃隊十五隊」の編成は、すべて一隊四機構成となっている。

②　秘匿飛行場と発進飛行場

・特攻を控えた機は「徹底的分散遮蔽ノ可能ナ秘匿飛行場ニ配置」すること。また、「発進飛行場ハ敵襲ノ顧慮少ク滑走路其ノ他ノ素養良好ナモノヲ選定」すること。理由は「最大限度ニ重装備シタ特攻機ガ整斉安全ニ離陸出動スル為」である。

こういう確認は、敵が当方の戦略を嗅ぎつけて、徹底して空爆をしに飛行場を襲ってきていたからであ

ろう。これによって特攻機が破壊され、戦力を削がれていたという実情があったと思われる。

③ 指揮官の発進飛行場に於ける特攻隊の指導

・特攻隊の出動に当たって指揮官は「自ラ又ハ幕僚或ハ指揮官ヲ派遣」し、隊員が出動するに当たっては「爾後ノ行動ニ関シテ詳細懇切ニ指導スルコトガ絶対ニ必要デアル」

指揮官の特攻隊員に対する接し方を言っている。とても大事なことである。その指揮官たちがどう見えていたかを記録した資料がある。これを書いたのは、自らも特攻出撃を経験している小杉久彌氏、特操二期出身である、台中や八塊飛行場で見聞したことを記している。

戦争指導者たちの欺瞞

師団参謀部とは、有能な集団と思うが、私が台中及び八塊飛行場で会った若い参謀達は、特攻出撃毎に台北の司令部から、下士官が操縦する高練同乗「恩賜のタバコと神酒一本」を恭しく持参して来たが、出撃特攻隊員に対し、一言の激励する言葉をかけるわけでもなく、毎回、戦隊長の横で隊員を見詰めているだけで、何のために台北から出張してきたのか、単なる儀式のため、タバコと清酒を持参するのなら、貴重な燃料の無駄遣いではないか、と思った。また、わが機付き整備下士官が、参謀を乗せてきた下士官から聞いたところによると、同参謀は中練の基本教育しか受けず、操縦適正に欠け、血沈組に等しい技倆と聞き、私は唖然とした。

このように、実用機の訓練もせず、もちろん実践の経験もない、戦争指導者である一部の参謀たちが、机上で立案したあの狂気とも思われる作戦命令に、我々は従わされ、消耗品扱いにしておきながら、特攻隊員は全員「本人が希望し、喜んで突入、散っていった」などと言うのは、彼らの保身のための欺瞞で、自分たちの立案した、あの狂気じみた特攻作戦を正当化させ、さらに特攻を美化させるためで、特攻戦死者を冒涜するものではないかと思う。(会報『特攻』第二十七号　平成八年(一九九六)四月)

特攻に出撃していく若者は誰もが不安である。出撃すれば死が待っている。特攻を指揮する参謀はそれに対する思いを持って励ましたり、勇気づけたりすることが絶対に必要であった。しかし、参謀たち、指揮官はそういう思いを共有できていなかった。そのことに対する反省から「懇切ニ指導スルコトガ絶対必要」との言葉が生まれたと考えられる。指揮官たるもの特攻出撃者に対しては丁寧な心のこもった言葉かけを心がけよということだ。

## (4) 最終決戦に備え偵察機を放つ

第八飛行師団は六月六日以降、特攻をいったん中止し戦略の見直しをした。そして、出撃に備えて準備に入った。季節としては梅雨で天候が悪いということもあったようだ。しかし、特攻はその日に思い立って出撃するということはできない。敵がどのように展開しているかを偵察する必要があった。

この偵察を受けて、第八飛行師団は七月十九日に八塊と花蓮港と龍潭から特攻機を出撃させた。当事者は、これが陸軍最後の特攻になるとは思ってはいなかっただろう。歴史的にはこの出撃が陸軍全体の掉尾を飾る特攻となった。

新聞報道は、事後報告の形で特攻関連の記事を数本載せている。記録としても大事である。注目すべき点は、これらが七月十九日以降に書かれていることである。戦中であったことから速報することはできなかった。まず、「臺灣新報」は七月二十二日（日）付で記事を載せている。これは特攻が出撃する前に行った敵情偵察飛行である。

勝利の蔭に咲く花　【某基地大室報道班員発】

敵は今や沖縄の航空基地拡充強化に狂奔し、既に戦爆数百機を集結させている。敵は我が航空部隊の猛襲を恐れて連日百機近い戦闘機を飛ばし沖縄本島及び附近航空基地の制空と、我偵察機の侵入防止のため哨戒に当たらせるなど厳重な警戒網を布いている。

単機虎穴に侵入　悠々偵察三旋回　賞詞に輝く池ヶ谷司偵機

今回左の如く誠部隊長より賞詞を授与された〇〇部隊の池ヶ谷二六中尉（静岡）久保安男曹長（熊本）は〇日沖縄附近航空状況の捜索を命ぜられるや久保曹長操縦、池ヶ谷中尉同乗の下に単機司偵を操って出

撃、途中敵戦闘機数機と遭遇するも、これを巧みに眩まして敵の警戒網を突破して敵航空部隊巣窟の奥深く侵入、しかも大胆にも偵察隊の間で従来一般には敵上空は一航過で止めると原則的になっているものを飽くまで任務第一、敵基地上空を航過すること三度び北、中飛行場では敵戦闘機三機の離陸を認めたるにも拘らず悠々と敵上空を旋回偵察し、僅か一機一回の出撃で沖縄の全敵飛行場の空中撮影に成功、更に同島周辺の敵艦船の状況をも写真に収めたのである。この沈着放埒な偵察によって沖縄周辺の敵空海の全貌を一挙に把握し我が次期作戦に貴重な資料を提供したのである。まさに偵察隊こそ勝利の蔭に咲く花である。池ヶ谷機は偵察隊の花である。なお池ヶ谷中尉は大陸作戦に出撃した頃、重慶を襲うこと二十数回と云う歴戦の荒鷲である。池ヶ谷、久保両勇士は語る

出撃の日は快晴で写真を撮るには都合が良かった。途中で敵戦闘機をも認めたが発見されず何等敵の妨害は受けなかったのは「断じて行えば鬼神も避く」の原則を立派に実証したものと思い、偵察に対する必勝の信念を益々堅くした。敵機が滑走路にずらりと並んでいるのを見ると「畜生！いまに全部叩いてやるぞ」といった闘志が盛り上がってきた。敵艦船も沖縄周辺には小魚の群の如くうようよしていた。この物量をなんとしてでも我等は叩き潰さねばならぬ。今回はただ命ぜられた任務を遂行したに過ぎないのに、部隊長閣下より賞詞を戴き感激に堪えない。又部隊の隊長殿以下関係上官の指導と整備員の献身的協力の賜物と深く感謝する共にいよいよ決死奉公殊遇に報ゆる覚悟である。

この新聞記事の末尾には「誠部隊長」から二人に与えられた「賞詞」、「司偵隊空中勤務者の模範たり仍而之を賞す」としてその賞状の文面が全文掲載されている。

この新聞記事では、池ヶ谷二六中尉と久保安男曹長が司偵を操って敵中深く侵入して動向を掴んだ点が褒め称えられている。沖縄中、北飛行場は敵に占領されているが、敵にとっては今や重要拠点飛行場である。三度も降下してくまなく敵の様子を掴んだ。

使用機種は百式司令部偵察機だ、「敵上空は一航過で止める」というのは機が虎の子であったからだ。とはいうものの「司偵の華、池ヶ谷機も廃機となった三機の部分品を組立てこの修理廠から戦場へ出撃した甦生機であり、まさに修理廠の兵隊と荒鷲とが一緒になって挙げた戦果の一つであったのだ」（『臺灣新報』八月七日「破損機と取組む」）と言う。

虎の子どころか秘蔵機だ。これを使っての偵察は慎重に行われた。敵を攻撃する場合、あまり間をおいても意味がない。本体の出撃は七月十九日である。偵察飛行は出撃直前に行われることはない。事前に敵情を見極めてから行われた。想像するに七月十日前後ぐらいではなかったか。

単機虎穴に侵入した司偵はどこの何隊か。記事では「〇〇部隊」と伏せられているが、これは他の資料からわかる。前にも出てきたがこれは飛行第一〇八戦隊の隊員だ。

台湾には山本健児少将の第八飛行師団が展開していたが、飛行第十戦隊は師団唯一の司偵隊として、貴重な存在であった。戦隊には二個中隊十機の司偵があったが、戦隊長新沢勉中佐の悩みは、飛行機の補充がまったくないことと、極端な部品不足で稼動機が少ないことだった。そして三、四機、最悪の場合は一機といった出動機の中からポツポツと未帰還機が出始めただけでなく、戦隊から特攻隊要員を出すこととなった。

（碇義朗『新司偵――連合軍を震撼させた戦略偵察機』サンケイ出版、一九八一年）

最前線で戦っているが機や部品の補充は全くなかった。特攻機と同じである。飛行機部品、とくに消耗品は取り替えていかなければ飛行性能は衰えていくばかりだった。それで偵察に行ったまま帰還しない機が増えていた。引用文の後に、十名ほどが偵察に行って帰還しなかったことを記述している。これらは単なる戦死として扱われる。

決死の覚悟で偵察行から帰還した者は「賞詞に輝く池ヶ谷司偵機」というように讃えられる。しかし、その陰に多くの犠牲があったことは記憶に留めておきたい。

気になる点は、司偵はどこの飛行場から出たのかという点だ。記事を書いている大室報道班員は、八塊で取材した記事を書いていることから、あるいは八塊かと思ったが、飛行第一〇八戦隊の中隊長だった菱沼俊雄氏が「七月にはいって戦隊主力は内湖、桃園をひきはらい、桃園北方、標高二〇〇メートルの高地にある樹林口の飛行場に展開」(「飛行第一〇八戦隊激闘記」)とあることから、司偵隊もここに駐留していたと思われる。

重要なことはこの飛行第一〇八戦隊に所属する偵察隊は、終戦を迎える八月になっても沖縄への偵察行を続けていたことである。後でわかってくるが第八飛行師団、戦略の片隅に捲土重来を期していた節がある。それが継続した偵察行に繋がっていたのではないか。

## （5）最終特攻出撃の新聞報道

次の記事は日付が大事である。七月二十日（金）である。陸軍特攻の最後となる出撃は前日に終わっている。出撃飛行場は三つ、八塊と花蓮港と龍潭である。それぞれ四機が出撃しているが、出撃完遂は花蓮港だけで、八塊からは二機完遂、二機未遂、龍潭からの出撃機は四機ともに不首尾に終わっている。新聞記事が最も述べたいのは、「送れ入魂の神州機」だろう。まず、見出しだ。

若鷲完爾、滅敵の大空へ　〝特攻無限〟の大戦力
　敵の不逞粉砕へ、送れ入魂の神州機

【前線某基地鶴島、山崎両報道班員発】

黄昏の基地を出発する特攻隊晴の出撃を茫然と見送る一人の神鷲、何故晴の出撃に取残されなければならなかったか、愛機不調の為に任務に就かぬ特攻隊員の悲愁を幾度か眼のあたりに見た記者は更に出撃の途上涙を呑んで南海に散った不時着機の話を聞けば聞く程、銃後の工場に、全国民に『優秀なる飛行機を送れ』と荒鷲に代って心の底から叫びたい。

優秀な飛行機、それは決して高性能と云うのではない、新しい飛行機を指すのでもない、特攻隊員が任務を遂行し得る故障のない飛行機を送れと云うのである。沖縄の決戦我に利あらず、遂に敵の本土上陸を覚悟しなければならなくなった今日、尚特攻隊員の出撃機に故障を惹起するということが如何に我々の戦

いを不利に導くことか、我々はこの事実をもっとも率直に痛切に知ると共に、米機への憤怒を込めて一機でも多くの入魂機を送らなければならない。特攻隊員に生還と云う言葉はない、必死必中の特攻隊員であれば、その飛行機も又使える優秀機では勿体ないではないか等と考える国民が一人でもあるならばそれは特攻任務の如何なるものかを知らぬだけでなく、特攻作戦の完勝をさえ阻む非国民的な考え方だ。体当りが如何に至難なものであるか、途中にはどんなに多くの敵機が特攻機を狙って網を張っているか、我々はその事実を知れば知る程、少しでも優秀な完全な飛行機を使用させたいのである。或日体当り寸前に愛機の故障で海上に不時着した学鷲出身のハ少尉が魔の洋上に難航を続けやっと帰ってきた、生きる為に帰ってきたのではない、まだ生々しい傷さえ癒えぬその日からピストに現れて予備機となり、残されていた特攻機の整備訓練に努めたのであった。基地にはハ少尉の他六人の隊員が残っていたが、その六人の隊員は隊長マ中尉以下、特攻出撃中愛機故障の為、不時着した傷つける荒鷲達であった。ナ少尉外三少尉は遅れがちの愛機を駆って尚編隊に後続せんと密雲の中を飛び続けたが、遂に力尽きて海中に不時着、共に瀕死の重傷を負って基地に帰着し、オ中尉は離陸直後不時着して軽傷を負い、オ軍曹は幾度か羽縛かんとして愛機は動かず、更に隊長以下ナ少尉、ウ少尉、オ軍曹の胸には出撃途中無念に散った戦友の英霊が抱かれていた。この幾つかの事実は一体何を意味し、何を物語るかいうまでもなく、まだまだ悪い飛行機があった事実を認めなければならない。併し優秀な飛行機を冀う隊員ではあるが、不幸や愚痴を並べる隊員は一人もなかった。調子が悪ければ黙々として整備員と共に油に塗れ『今度こそ』と眦を決して沖縄の空を睨むのであった。若し使用する飛行機が故障多い粗悪なものであったとしたら結果は言わずして歴然たるものがあろう。特攻隊の至上任務である『一機一艦』を屠る一機だからこそ性能の優秀さは特に要求される

のである。

この新聞記事は、台湾からの沖縄特攻について鋭く、辛辣に批評した記事である。特攻出撃を見送った記者は事実を正確に捉え、その問題点を具体的に挙げている。時は七十六年経過しているが、記者の意見は台湾出撃の沖縄特攻の問題点を鋭く指摘している。事実を正確に捉え、その改善点をはっきりと挙げている。言いたいことは、「送れ！　入魂の特攻機」である。

記事には、【前線某基地発】とある。発行日は二十日だ、特攻隊員が出撃した翌日である。興味深いのは「前線某基地」はどこかだ。新聞記者は情報に鋭敏でなくてはならない。ネタを取るためには記事が取りやすいところに行く。彼らは特攻出撃があるらしいと聞きつけて飛行場に行った。七月十九日の場合は、三飛行場である。すなわち、八塊、花蓮港、龍潭である。この何れかに記者は行った。

特攻機の出撃者数である、八塊は三十一名、花蓮港は十五名、龍潭は五名である。確率が高いのは八塊である。二番手となる花蓮港は本社のある台北からは遠い。以上のようなことを勘案すると八塊飛行場に赴いた記者だと考えられる。

八塊からの出撃機は九九式襲撃機である。この機はノモンハン事件の頃にできた中古機である。それが四機、両翼に二五〇キロ爆弾を吊って飛び立った。オンボロ飛行機に五〇〇キロは重い。恐らく見ていてハラハラしたであろう。「沖縄まで飛んで行けるのか？」そんな疑問を抱いたのではないか。古いためエンジン性能は落ちていた。足は遅い、距離も飛べない。この機に乗って多くの特攻隊員が亡くなった。それで密かに言われていたのは「空飛ぶ棺桶」という蔑称だ。八塊から出た九九式は二機しか沖縄に辿り着

けなかった。

このとき八塊から飛び立つ特攻機を茫然と突っ立って見送っている神鷲がいた。記者はその姿に目を留めた。先だって彼は愛機を駆って出撃したが、機の不調のために沖縄まで行けずに戻ってきた。彼は幸いに生還したが、特攻行の途次、機の不具合が生じて南海に墜落して戦死したものも少なくない。記者はそのことをよく知っていたから、「全国民に『優秀なる飛行機を送れ』と荒鷲に代って心の底から叫びたい」と訴えた。

台湾全土から沖縄特攻に向かったのは百三十五名とされている。しかし、これは特攻完遂機である。完遂か未完遂かの違いは大きい。前者は記録に残されるが、後者は記録に残らない。その例が十九日に出撃した誠第三十一飛行隊の飯沼芳雄伍長である。沖縄に辿り着く前に宮古島の断崖に衝突して亡くなった。扱いは単なる戦死である。

台湾から沖縄への出撃者は百三十五名。この数字は特攻の実績として使われる。特攻完遂者として認められた場合は二階級特進する。そして「陸軍沖縄戦特別攻撃隊出撃戦死者名簿」に搭載される。沖縄戦全体の特攻戦死者は千三十六名である。この中に名誉ある一員として名が刻まれる。

台湾出撃の特攻戦死者は百三十五名となっているが、特攻出撃した者はもっと多い。台湾は外地にある。本土から遠い。特攻機の補給もあまりなされない。現有機をなんとか宥めすかして特攻機に仕立てあげて行かせるしかない。その苦労は並大抵ではなかった。当時、第八飛行師団の参謀だった川野剛一氏はこう述べている。

戦場が沖縄となってからは、航空機補助の重点が九州の第六航空軍になったのは当然のことであった。一刻をあらそう戦況のもとで、わざわざ遠回りして台湾に飛行機を輸送するはずはなかったからである。

そこで修理廠をはじめ整備部隊は、破損した飛行機の部品を集めて飛行機の再生をはかった。まさにそれは、「為《な》せばなる」を地でゆくものであった。わが師団が作戦の終始を通じて再生した飛行機は、一〇〇機を超えていたろうか。

公式の保有機数からいえば、とっくに壊滅したはずの飛行師団が、沖縄戦の三ヵ月を通じて、強靱な戦いを続行しえたのは、営々たる彼らの努力によるものであった。そして、そのために必要な部品類を、昭和二十年のはじめから敗戦の日まで、内地から空輸した飛行第一〇八戦隊の功績は高く評価されるべきである。

（『特攻の記録――「十死零生」非情の作戦』）


台湾はその地理的特性、本土から遠いことが障害となって、機及び部品などの供給が十分に受けられなかった。それで師団の努力で難局を切り抜けるしかなかった。しかし、その選択肢は一つしかない。再生機を作ることである。「破損した飛行機の部品を集めて」新たな機をつくった。しかし、中古の機を寄せ集めて作ったものだ。思い通りの結果は得られない。ポンコツはポンコツで役に立てばよいが、満足には飛ばなかった。

川野氏は「一〇〇機を超える再生機」でという見出しでこれを書き、この締めくくりを「この間のわが飛行師団の特別攻撃戦死者は二百三十五名にも上り、夜間の降下爆撃による戦死者は三十八名を数えたのであった」と述べる。

「沖縄戦特別攻撃隊」名簿に掲載されているのは百三十五名だが、特別攻撃戦死者は、二百三十五名もいた。この百名の差に我らは思いを致すべきだ。また、夜間の降下爆撃は命を賭けて行われた。三十八名が亡くなったが名誉ある戦死としては残らない。

第八飛行師団では本島から百三十五名、島外では石垣島から三十一名、沖縄から十六名、宮古島から十名の五十七名が出撃している。計百九十二機だ。特別攻撃戦死者二百三十五名から百九十二機を引くと四十三機となる。台湾本島からの出撃機で三十数機が特攻未完遂機と述べたが、島外は入っていないので数としてはおおよそ合っている。特攻未完遂機が多くあったというのは間違いないことである。さらに言えば、特攻帰還機が多くあった。特攻に出撃したものの機の故障で戻ってきた、これも数多かった。

川野氏は本土から離れた台湾の第八飛行師団が、航空機確保に苦闘したと、この点を評価している。が、記者は「まだまだ悪い飛行機があった事実を認めなければならない」と述べる。粗悪機である、志を決めて特攻出撃しようとした者が多くいたが、機の欠陥によってそれが叶わなかった。特攻隊員の思いが踏みにじられたと言える。

『戦史叢書』の末尾に近いところで、第八航空師団は、「七月十九日、特攻十二機で沖縄周辺の艦船を攻撃した」と記述されている。台湾からの沖縄特攻出撃は、これで幕を閉じた。陸軍特攻の最後であった。

## （6）花蓮港飛行場

二〇四戦隊の田川軍曹は台北松山飛行場から愛機で飛び立った。そのときに中田芳子さんの家の上を旋回して行った。が、二次隊の塚田方也軍曹は汽車で台北を発った。

5月中旬。芳子さんは塚田さんたちが台北を離れることを知り、台北駅に向かった。蒸気機関車の車窓から塚田さんは身を乗り出し、芳子さんの手を握り締めた。

「ゴトン」。発車ベルがやみ、汽車が動きはじめた。それでも塚田さんは手をつかんで離さなかった。汽車が速度を上げ、芳子さんは体がひきずられないように必死にホームを走った。だが、ちぎれるように手が離れた。手を振る塚田さんの姿が小さくなり、涙でにじんだ視界から汽車は消えた。

塚田さんが向かったのは東部・花蓮港だった。隊員は海を望む高台に建つ陸軍の将校宿泊所に宿泊し、天皇からの「御前酒」を賜ったという。

（忘れられぬ特攻隊員「毎日新聞」二〇一八年十二月十四日付朝刊）

台北では彼と話す機会が多かったという。あるとき彼女は塚田さんに「死なないで」と言ったという。すると塚田さんは「僕たちは所詮、『端末』なんだよ」と言ったという。

自分たちは、端末装置に過ぎない。だから自分の意志ではどうにもならないのだということだろう。この彼の言った言葉を聞いて思い出したことがある。最後となる特攻の師団側の意義づけである。「第八飛行師団では牽制等の目的」で七月十九日の特攻を行ったと述べている。特攻は相手を牽制することにあっ

た。六月二十三日に沖縄軍第三十二軍司令官牛島満中将は摩文仁で自決していた。沖縄はすでに陥落していた。そういう中にあって沖縄を牽制目的で攻めた。勝つためというよりも敵側にサインを送るためだった。実質はもう敗北していた。だが、我らは負けてないぞ、健在だぞということを知らせるために特攻を放った。みせかけである。そのために彼らは行かされた。すでに隊員の心の裡には「端末」であることが意識されていた。

飛行204戦隊塚田方也軍曹

その七月十九日である。第二〇四戦隊の四名は花蓮港南から出撃した。乗機は一式戦であった。

二五〇キロ爆弾を二発、両翼下につけられている機を前に、粛然として戦隊長の決別の辞があり、冷酒を汲みかわしたあと、織田君はつかつかと私のそばに歩みより、帯剣を外すと財布を取り出し、一緒に私に託し「あとは頼む」と言葉すくなにいって眼をつむった。私は前がかすむような感慨の中から「あとからいくぞ」とだけ答え、あとは声をのむのみであった。

翼をミシミシときしませながら、四機の特攻隊は爆音も高く午後四時に離陸、編隊を組むと織田機長は四機編隊のまま、ピストへ向けて決別の急降下にいどみ翼をふりながら落陽を背に空にとけこんでいった。

（堤誠（特操一期）「生きて我れなすすべもなし」『元飛行第二〇四戦隊戦友会誌・総集編』飛行二〇四会、一九八八年五月）

思いは様々だ、この場に居合わせたのは中田輝雄軍曹だった。彼はずっと一緒だった仲間と出撃する筈だった。

塚田軍曹と田川軍曹は私と同じ予備下士の同期であり、赤トンボの練習機を習い初めてからの四年に余る親友だった。

花蓮港の飛行場に、今エンジンをうならせて飛び立たんかなの翼に乗って、私は一体何を言ったらよかったのだろう。

（中田輝雄（予備下士）「在隊回顧」『元飛行第二〇四戦隊戦友会誌・総集編』既出）

田川軍曹はすでに一次隊で出撃していた。残ったのはただ一人塚田軍曹だ。彼は飛び立とうとする彼の機によじ登って握手をし「俺もすぐ行くからな」と言ったという。

この七月十九日は、中田芳子さんにとっても忘れられない日だったと言われる。二〇二一年夏に戴いた彼女からのメールにはこう記されていた。

《7月19日に出撃した人たちが台湾での最後の特攻であった事》を教えて頂き、大きな衝撃を受けました。この日は私にとっては戦後、1日たりとも忘れられなかった日だからです。「14歳の夏」にも書きましたが、この日は運命の1日。もしかしたら亡き主人にとっての命日になったかもしれない、そういう日なのです。主人がなぜあまで苦しんでいたのか、当時、自分の意志ではどうにもならない時代であったとは言え、出撃が天候に左右されて延期になった後、4人のうち1人だけが、変

更されていた。笠原軍曹が自分の代わりに出撃した。そして終戦となり、自分だけが生き残った。とても考えられない辛い事実です。しかも、まるで双子のように朝から晩まで一緒にいた戦友塚田さんが消えた！　しかも私は塚田さんにはとっても可愛いがっていただいていた。

今年の7月19日にも私はカサブランカ（白い百合）を飾り、塚田さんを始めあの時の若者たちの冥福をお祈りしました。これは結婚して以来、70年間ずっと1度も欠かすことなく続けてきたことです。

時が何年経っても、七月十九日は忘れられない日だと。

## （7）八塊飛行場

七月十九日、もう日も傾いてきた頃だが南洋の陽射しは強い。じっとしていても汗が出る。人は多くいるのに皆一言も口を利かない。静まり返った中、小走りに駆けてくる音がした。戦闘服に身を固めた四人だ。飛行帽にはまっ赤な日の丸鉢巻きを締めている。足音がタッタタッタッと響く、地面には茶色い土煙が上がる。彼らは戦闘指揮所、ピストのところでピタリと足を止めた。前には白布をかけた机があって御神酒の入ったビンが置かれている。台湾神宮から戴いてきたものだ。

参謀が部隊長に「よし」と声をかける。すると彼は御神酒を手に取り、参謀と各隊員が手に取った盃に酒を注ぐ。終わりを見届けた参謀が静かに盃を持ち上げる。時間が引き締まったように思われる。各自、

盃の酒を飲む。ぐっと呷る者、少しずつ舐める者、みなそれぞれだ。その別杯の儀式はすぐに終わった。するとと兵が来て机を運び去る。それを合図に隊員は一列に並んだ。

「ただいまより、藤井編隊沖縄攻撃に出発、目標慶良間列島の敵艦船群。突入時刻十九時三十分。終わり」

誠第三十一飛行隊二名、誠第七十一飛行隊二名、二隊が合体した編隊である。最年長である藤井清美少尉が出発申告を行った。

特攻隊員は編隊長の申告が終わると、一斉に敬礼をした。これが最後の挨拶である。部隊長は「よし」といい、一人一人の顔を見た後に、「しっかり頼むぞ！」と野太い声を隊員にかけた。長のそばには参謀が立ち、無言で頷いた。しぃんとした沈黙が訪れる。

誠第三十一飛行隊の藤井編隊長は「大義」と口の中でつぶやいた。思い出深い言葉だ。浅間温泉富貴の湯では女高生の慰問団がきた。「大義」と書いた。同僚の五十嵐栄少尉の兄が宿を訪ねてきたときに皆でサインをした。このときもやはり「大義」と書いた。

飛行隊の飯沼芳雄伍長は、新京放送局で故郷の人々に向けて音声をレコードに吹き込んだ。そのときに同僚の吉原香軍曹が、「日の丸鉢巻き締め直しぐっと握った操縦桿」と唄った。それを思い出していた。

誠第七十一飛行隊の中島尚一伍長は大分県出身だ。十八歳の彼は飛行学校に入ったとき大分駅まで見送りにきた人、初恋の彼女のことを思い浮かべていた。

第七十一飛行隊の伊藤幸男伍長は、八塊の夜間学校で消えた松明を見損なって危うく墜落するところだった。この飛行場で命拾いをしたことを思い出していた。

「よし」編隊長が声をかける。彼を先頭に小走りに駆ける。すぐ近くにはトラックが停まっていた。四人はこれに乗り込んだ。

「ああ、わたしも乗せていってくださいよ。飯沼伍長に話を聞いてみたいんですよ」

台湾新報の大室記者がそう言って乗り込んできた。

「いよいよ飯沼さん、待ちに待った出撃ですね」

「そうですね。新京で隊ができたのが二月十日、それから百五十九日目になりますから。山本隊長とかはもう五月に出ていますからね」

トラックは風を切って進んで行く。やがて乗機の九九式襲撃機が近づいてきた。グォングォンと吠えて、四人を待っていた。秘匿場所から引き出されてきた四機は、整備員が最後の最後まで点検をしていた。

トラックから降りると、誠第三十一飛行隊の整備担当の村上少尉が「ご苦労さん」と言って敬礼を送ってよこした。四人は立ち止まって敬礼を返した。

少尉の後ろには整備員が五、六人もいる。その整備員にも大室記者は話を聞いている。

「藤井少尉、飯沼伍長、本当にお世話になりました」

整備員たちは声を揃えて言う。二月十日新京で武揚隊が発足した。割り当てられた機は九九式襲撃機だ。大本営直轄の隊には一機一機に機付きの整備兵がついた。十五人は輸送機で行を共にした。本土の松本で爆装改修を行ったときも機を診ていた。さらにこの後九州新田原経由で大陸上海に渡り、さらにまた台湾まで彼らはついてきた。十五機所持していた機は台湾に辿り着くまで多くを失った。運べたのはたった三機。操縦者にとっても乗機は愛機だが、手塩にかけて整備した機は整備員にとっても愛機だ。特に中国杭

州から台湾に渡る途中、長谷川信少尉、西尾勇助軍曹、海老根重信伍長の乗機が敵機グラマンによって撃ち落とされて機と命とを失った。担当だった者はその悲報を聞いて泣き崩れた。

四人は各機に散った。飯沼芳雄伍長が愛機に近づく。

「異状なしです」と機付きの整備員が報告する。

「御苦労さま、本当にお世話になった。それでは行ってくるから……」

「さっき台湾新報の記者から聞きましたが、飯沼さんのことが記事になるそうですね。私は伊那の出ですから松本は近いのです。新聞に記事が載ったらそれを松本のお家に届けますよ。お宅は松本の渚ですよね」

「ありがとう」

そう言って伍長は操縦席に乗り込んだ。そして風防を締めた。飛行帽の下からは日の丸を染め抜いた鉢巻きの端がこぼれている。

定刻十六時三十分、まずS中尉搭乗の誘導機が軽々と飛び発つ。続いて特攻機四機の番となる。だが両翼に二五〇キロ爆弾をぶら下げている機は滑走の足取りがいかにも重々しい。それでもやっと機が地を蹴って宙に浮いた。

誘導機を先頭にして五機が八塊陸軍飛行場を飛び発った。見送りの人々が手を振る。帽子を振る。日の丸を振る。その中を上空まで上がった編隊はやがて反転して、今度は低空でピストめがけて飛んで来て、手を振っている人たちには羽を振ってさようならを告げた。やがて、大屯山方向に飛び立ち、そして見えなくなった。

誘導機は後方、左右に二機ずつを従えて飛んでいく。すぐに一機が黒い煙を吐いた。エンジンの不調らしい。急に高度を落としていく。伊藤幸男伍長機だ。見ると眼下には基隆の海岸が見えた。不調機はぐんぐんと高度を下げていく。機は浮かび上がることなく海岸に墜落してしまった。記録としては「基隆海岸へ乗機墜落」とあるが、命は助かったようだ。

残った三機はそのまま東へと向かった。やがて島が見えてきた。最初が与論島で次が石垣島だ。沖縄特攻第一号となったのは誠第十七飛行隊だ。三月二十六日にここから出撃した。「あの伊舎堂用久大尉のように果敢にぶつかっていけ」とよく言われていた。誘導機の　大尉がその島を指さす。後続三機は了解のサインを手で送る。

「石垣島の西方から高度零、海上すれすれに接近せよ」

あらかじめ指示されていた。それで高度を落とす。そして次に見えてきたのが宮古島だ。夕暮れの海に青白い砂浜が浮かんで見えた。陸地が近づいてくる。島は平坦だがそれでも高さ六〇メートルはある。機を持ち上げなくてはならない。ところが爆弾が重いのか島が近づいても飯沼機はそのままだ。とうとう断崖に激突してしまった。記録では「宮古島東海与那浜で断崖に衝突、戦死」とある。彼の願いは特攻戦死することだったが、それは叶えられなかった。

残ったのは二機だ。誠第三十一飛行隊の藤井清美少尉、誠第七十一飛行隊の中島尚一伍長だ。目標地点沖縄周辺海上に辿り着き、艦船に突撃した。突入時刻は十八時五十分である。誘導機は敵艦の水煙を確認し帰還したという。

## (8) 終戦

### 特攻隊員の自決

そのときは巡ってきた。迎えたのは終戦である。邱 垂宇さんの兄垂棠さんは、回憶録「足跡」に八月十五日の終戦を簡潔に記録している。

八月十五日我陪「欧卡桑」到南興庄佃農家要十斤米，回到家裏才知道日本天皇於正午透過廣播，向全國民宣讀「終戰詔書」要全民冷静接受敗戰的事實，努力重建國家。

八月十五日、私は「欧卡桑」(母親)を伴って南興庄の小作人の家に行き、十斤の米をもらった。帰宅すると正午に天皇がラジオで全国民に「終戦の詔勅」読み上げることを知った。大切なことは戦争に負けたことを冷静に受け止めて国家の再建に尽くすように、そう伝えられた。

十五日の朝方の「臺灣新報」の報道では、味方の活躍を伝えていた。

空母一、巡艦一屠る　荒鷲、敵機動部隊を痛撃

これは大本営発表をそのまま載せたものである。その発表はこうだ。

我航空部隊は八月十三日午後鹿島灘東方二十五海里において航空母艦四隻を基幹とする敵機動部隊の一群を捕捉攻撃し航空母艦および巡洋艦各一隻を大破炎上せしめたり。

戦意昂揚を狙っての過大、誇大報道である。が、この一日は大きな変転があった。新聞は、朝は戦果を伝え、ラジオは昼、正午「終戦の詔勅」を読み上げる天皇の重々しい声を流した。玉音放送である。放送は聞き取りにくかった。漢文体のお言葉は難解であった。それでも「どうやら日本が負けたらしい」と人々は噂をした。半信半疑であった。

先に、飛行百八戦隊の菱沼俊雄中尉について触れた。このとき彼は、飛行第一〇八戦隊爆撃飛行隊の隊長となって大尉に昇進していた。「七月に入って戦隊主力は内湖、花園をひきはらい、桃園の北方、標高二〇〇メートルの高地ある樹林口の飛行場に展開して」(既出『飛行一〇八戦隊激闘記』)いた。そんなときに終戦の大詔が入ってきた。「飛行場内の各隊から私に連絡があったり、問い合わせがあったりして、どうも終戦らしいぞという気配が濃厚になってきた」という。そしてこう述べる。

――あくまで祖国の勝利を信じて散った特攻隊をはじめ、わが将兵の英霊はわれわれ生き残りの屈辱をどう思うことか……日本が負けるなどそんなばかなことが……正義が力に屈する道理はゆるされるはずがない。うそだ、なにかのまちがいだ、われわれはまだ力をもっている。一万五千機の飛行機もあるのだ。敵

が本土作戦に使用するという三千隻の船も、みな沈めることだってできないことではあるまい。最後まで戦うことだ。
たとえ日本全土が焦土と化し、日本民族が全滅してもよいではないか。鬼畜米英に祖国を蹂躙され、彼等の奴隷と化するよりか、どんなにか美しい最期であろう。身をすててこそ浮かぶ瀬もある。
それにまだ戦勢を挽回するチャンスがないとは断言できないであろう。

この頃、南洋方面に出ていた転進機が、続々と台湾にやってきていた。しかし、一万五千機というのはオーバーである。筆が滑ってこう書いたのだろうか。台湾だけでなく日本全土の残存機をイメージしたのだろうか。それはともかくとしてまだ戦える残存機があるのだから戦えるはずだと、そういう認識をしていたゆえに敗戦は受け入れがたかった。
「戦おう、死んでも屈服はせんぞ」と彼は思った。

私は隊長室でひとり、航空地図をひろげ、沖縄のあたりをにらみながら考えにふけっていた。――もしも終戦が事実であったなら、われわれはおめおめと引き下がってよいものか。いやだ。よし敵に殴り込みをやろう、敵の空母を血祭りにあげて死ぬのだ。そうすればハラふらついた中枢部も決意をかためるにちがいない。死んだ山本中尉たちにあの世で会っても申し訳がたつ――。

菱沼俊雄大尉は歴戦のつわものだ。彼には仲間を先に逝かせてしまった。そういう負い目があった。こ

こでおめおめと生き延びてはならないと思った。そんなときに同僚の将校たちが隊長のところにやってきた。その誰もが「隊長、やりましょう。沖縄を」と進言してきた。

私はこのときほど純粋に、同胞としての、戦友としての魂の交流を感じたことはなかった。みなの心がまったく一つになっているのをはっきりとこの目で見たのである。私は不覚にも頬にうれし涙がつたうのをおぼえた。

人生、意気に感じた。それで隊長は部下に命じて「出動可能の双軽全機に爆装をほどこさせた。そして積めるだけの爆弾を搭載させた」。明日、十六日に仲間とともに出撃しようと大尉は決心をしていた。沖縄特攻を実施しての自決である。

ところが翌日のことだ。

当番兵が新聞をもって入ってきた。みればなんと『万国太平の基を開く』という大見出しで、冷厳たる終戦の事実を伝えているではないか。私は目をうたがった。夢ではないかと思った。いや夢であれと願いもした。

この新聞こそ「臺灣日報」に間違いない。戦時体制になってすべての新聞を合同させて発行していたからだ。この実際の新聞のトップにはこうある。

萬世の為、太平を開く
畏くも詔書を御放送

そして、続いて囲み記事で「詔書」の原文が掲載されている。放送は音であった。もしかして聞いたのは空耳であったかもしれないが、新聞に載った「詔書」はまぎれもない事実を伝えている。昨日の玉音をきっかけとして台湾島内にも不穏な動きが出てきていた。それで、台湾総督府の安藤総督が「冷静着実生業に励め」との諭告を伝えている。翌十七日には、「臺灣新報」は、次のように報じている。

軽挙妄動を慎め　総督、全島民に呼びかく

安藤総督は、十六日午後七時二十分から台北放送局を通じて特別放送を行い、六百七十万島民に対していよいよ承詔必謹聖慮の遅きを拝して軽挙妄動戒め、更に全島官吏は御聖旨を奉体し、島民の先達となり身を堅確に持して治安の維持に島民生活は安定確保に邁進すべきと強調した。

敗戦は明々白々な事実となった。菱沼大尉も「沖縄攻撃も機を失っていた」と認識せざるを得なかった。

一方、邱 垂棠さんは、敗戦を迎えてからの様子をこう書き残している。

住在家裏的日本人都静默等候上級指示，開始談論往後生計，有的想趕快復員家新興家業，有的想回到學繼續完成學業……和我熟悉的近藤曹長向我打聽可否租一塊田地，留台灣農夫。聽説在松樹腳的特攻隊員聽到天皇的終戰廣播，馬上有幾位以手槍自盡。其餘的軍人都很低調，很有紀服從上級的指示。從滿州調來的關東軍裏面有朝鮮人，他們地道日本投降，立刻離開原單位，脱離日軍管轄自組朝鮮人部隊，要求優先遣返回國。我覺得停止戰争也好，但擔心美軍登陸，是否會加害民眾，對前途感到一片茫然。

邱家に住んでいる日本人は皆、上司からの指示を待っていた。その間に将来の生計をどうするかを話していた。ある者は動員解除されてから新しく稼業を起こしたいと、ある者は学校に戻って勉強を続けたいと……私がよく知っている近藤曹長は台湾で土地を借りて農民として滞在できないか、と言ってきた。近くの松の木の根もとに宿営していた特攻隊員は、天皇の「玉音放送」を聞いて、何人かがすぐに拳銃で自決したと聞いている。残りの兵士は非常に控えめで、非常に規律があり、上司の指示に従ったという。満洲から移動した関東軍には韓国人がおり、日本が降伏するとすぐに元の部隊を離れ、日本軍から分離して朝鮮人部隊を結成し、優先的に故国に送還することを要求した。戦争をやめるのはいいことだと思うが、アメリカ軍が上陸して、国民に危害を及ぼさないか心配だ。

終戦は、兵士たちにとってはショックだった。身の振り方を考えた。兵役を解かれたら新しく再出発したいと。また、恐らくは学徒動員組だろう。復員したら前の学校に戻って学業を続けたいと。近藤曹長は台湾生活が気にいったらしい。日本に帰らずに台湾で農業をやってみたいと思ったようだ。

しかし、特攻隊員にとって敗戦は大きなショックだった。彼らはすっかり特攻に行く覚悟を決めていた。だが、敗戦となれば出撃の機会はない。気持ちの持っていきどころがない。やむにやまれず拳銃自殺を

図った。八塊飛行場で待機していた特攻隊員だろう。

若い隊員は「玉音放送」を聞いて自決に走った。こういう例は少なからずあった。誠第十六飛行隊の栗城良人軍曹は、八月二十二日宿舎としている龍潭の坑子国民学校で拳銃自殺している。彼は五月五日宜蘭から出撃したが、機の不調で宮古島に不時着をして帰還していた。再出撃を予定していたところに敗戦の報を聞いた。身の持って行き場がなくて自決したようだ。

「臺灣新報」は、八月二十一日の紙面に自刃した特攻隊員のことを載せている。

死して君親にそむかず若鷲、憤怒の自刃遺書に盛る闘魂烈々　【某基地にて篠崎報道班員発】

今日か明日かと、敵艦船突入の機を窺っていたのに、無念にもその望みは断たれた。自分等の働きが足りなかったのだ、申訳なしと自刃して果てた紅顔の荒鷲がある。誠第〇〇戦隊附、〇〇軍曹は亡父の遺志を継いで軍人となった少年航空兵出身の若鷲である。その遺書には、かかる行為の軍隊或いは国民士気に及ぼす影響を考えるとき、決行すべきかどうか三日二晩考え抜いたが、かつての敵艦船目がけて出動の砌天候に妨げられて爆撃行に成功しなかった。その不忠を死んでお詫びをする最後の機会だと烈々たる荒鷲魂を吐露し、部隊長以下、聴く者をして哭かしめている。

『これだよ』と〇〇参謀から〇〇軍曹の遺書が示されたが、記者はこれを単に一荒鷲、一軍曹の書とは考えたくない、この遺書に盛られた闘魂、言々血を吐く悲痛なる叫びこそ勅語に宣いし烈々たる国軍の闘

魂であり、全国民の悲痛なる叫びである。

中隊長へ宛てた　遺書の内容

誠に申訳ありませんが、お先に行かせて頂きます。戦いはこれからだと思っていたのに残念です。今なお戦いに負けたとは思っておりません。三日二晩いろいろと考えました。中隊の士気或いは国民士気に及ぼす影響を考えるとき自刃の決行を思いとどまろうかと幾度か迷いましたが、死にまさる屈辱を思うとき敢てこの挙に出ることを決意しました。隊長殿の命令、御諭しにそむき誠に心苦しくあります。不忠の極み存分にお叱りください。思えば入隊以来〇年〇カ月、その間に受けた数々の御鴻恩、それになんら報ゆることなく、前回の出動にも天候に妨げられ、敵艦隊撃滅の爆撃行に成功し得ず今度こそは沖縄の敵艦に対し獅子奮迅の働きをなし、皇恩の万分の一にも報いんとその機を待ちましたが、その結果は申すに及ばぬ次第であります。自分の修養の足りなさを悲しんでお先に行かせて頂きます。では大東亜再び興るその日、皆様のご活躍を祈ってやみません。

基地、飛行場名は不明である。台湾北部のいずれかの特攻基地であろう。彼は少年航空兵出身だという。年齢は若い。二十歳前後であろう。彼はすでに一度出撃していた。悪天候に阻まれ沖縄まで行くことができなかった。不時着したのか、帰還したのかは不明である。遺書には「入隊以来〇年〇カ月、その間に受けた御鴻恩」とある。どうやら中隊長は飛行学校の教官であったようだ。練習機に同乗し訓練も受けていた。その上司を深く慕ってもいたようだ。

彼は再出撃を、満を持して待っていた。今度こそは爆撃行に参加して大物の母艦に突っ込み、皇恩にながなんでも報いようと思っていた。そこに降って湧いてきた敗戦である。彼は出撃の機会を断たれた。希望を失った今、自分はどのように生きて行くべきか三日二晩悩みに悩んだ。その挙げ句に導き出したのが自刃することであった。

想像できるのは彼が非常に真面目であったことだ。自決する方法としては拳銃自殺もあったが、彼は軍刀を使っての自刃を選んだ。「敢えてこの挙に出ることを決意」した。苦しんで、血を流して死ぬことで恩に報いることができると思ったのであろう。

記事には参謀が「これだよ」といって記者に遺書を差し出したという。いわゆる「リーク」である。意図的に漏らそうとしたのは、やはり参謀にも心打たれるものがあった。記者もそれを感じ取った。単に一特攻隊員の死ではない。「烈々たる国軍の闘魂であり、全国民の悲痛なる叫び」と受け取ってこれを記事にした。

若い命を奪った戦争であり、また特攻戦法でもあるというのは事後的な意義づけである。この記事では、軍刀で自刃せねばならなかったその苦悩を人々に知ってほしい、そう記者は強く思ったように思われる。

## 八塊飛行場の返還

陸軍八塊飛行場は、戦後になって日本側から中国側に引き渡された。このときに作成された書類の複製が邱　垂宇さんを通して送られてきた。八塊飛行場がどういう飛行場であったのかがこれでわかる。記録

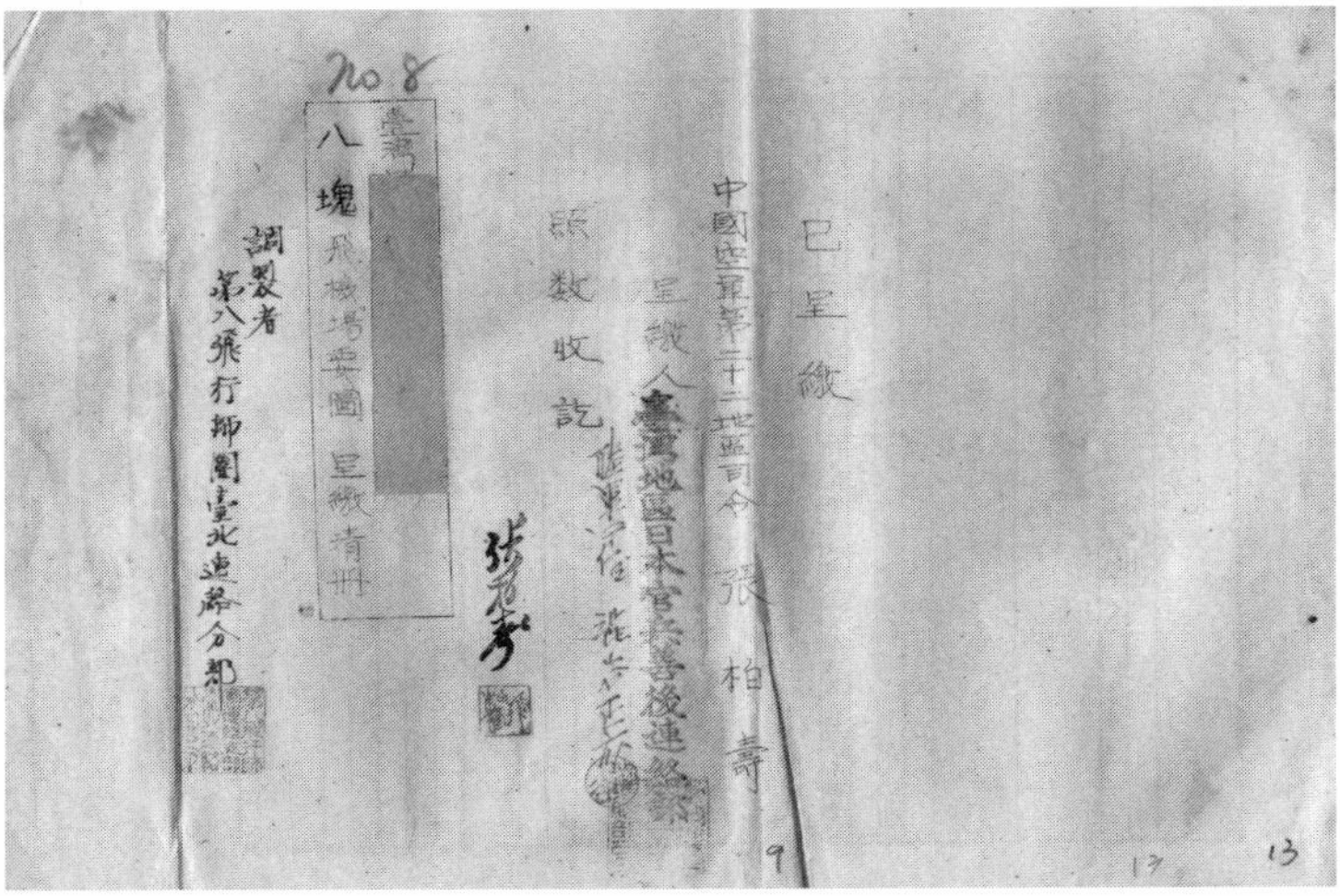
No 8
八塊飛行場要圖 呈繳清冊
調製者 第八飛行師團臺北連絡分部
已呈繳
中國空軍第二十二地區司令 張柏壽
呈繳人 臺灣地區日本官兵善後連絡部 陸軍中佐 渋谷正広
照数收訖 張柏壽

八塊飛行場引き渡し資料表紙（NARA ／中研院提供）

としても大事なものである。

戦後、一定の時間が経って日本側から中国側に引き渡された。書類の冒頭に「已呈繳」と記されている。「呈繳」というのは、差し出すという意味である。「已」というのは、やめるという意味がある。

「八塊飛行場は日本軍が所持していたが、これを放棄して中国側に引き渡す」。そういう意味だろう。

まずその相手である。「中国空軍第二十二地區司令 張 柏壽」と記されている。日本側の「呈繳人」は、「臺灣地區日本官兵善後連絡部 陸軍中佐 渋谷正広」と記されている。

表紙には「八塊飛行場要圖 呈繳清冊」とある。「清冊」は、明細を記した台帳という意味だ。「調整者」、即ち作成者は、「第八飛行師團臺北連絡分部」である。それぞれの名前に認め印が押してある。ただ、日付は記されていない。

この点について手がかりがある。邱 垂宇さんから送られてきた資料の中に「花蓮港南飛行場」の「已呈繳」

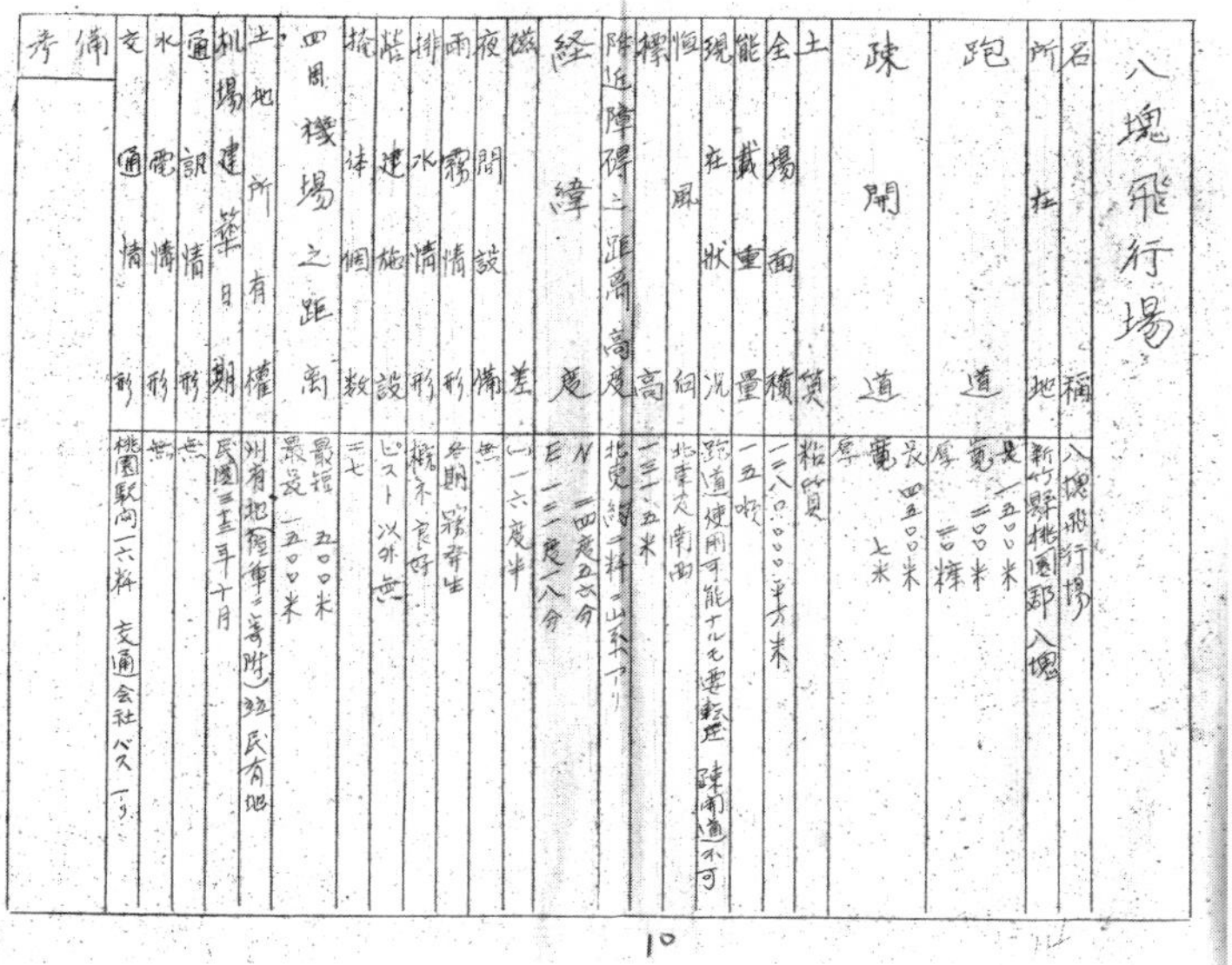

| | |
|---|---|
| 名称 | 八塊飛行場 |
| 所在地 | 新竹州桃園郡八塊 |
| 跑道 | 長一五〇〇米 寛二〇〇米 厚四〇糎 |
| 疎開道 | 長四五〇〇米 寛七米 厚 |
| 土質 | 粘質 |
| 全場面積 | 一二八〇〇〇〇平方米 |
| 能載重量 | 一五噸 |
| 現在状況 | 跑道使用可能ナルモ要転圧 疎開道不可 |
| 恒風 | 北東及南西 |
| 標高 | 一三一．五米 |
| 附近障碍之距離高度 | 北東約二粁ニ山系アリ |
| 経緯度 | N二四度五六分 E一二一度一八分 |
| 磁差 | 一一六度半 |
| 夜間設備 | 無 |
| 雨霧情形 | 冬期霧発生 |
| 排水情形 | 概ネ良好 |
| 搭建施設 | ピスト以外無 |
| 掩体個数 | 二七 |
| 四周機場之距離 | 最短 五〇〇米 最長 一五〇〇米 |
| 土地所有権 | 州有地(陸軍ニ寄附)並民有地 |
| 機場建築日期 | 民国三十三年十月 |
| 通訊情形 | 無 |
| 水電情形 | 無 |
| 交通情形 | 桃園駅向一六粁 交通会社バス一ツ |
| 備考 | |

10

八塊飛行場引き渡し資料（NARA 中研院提供）

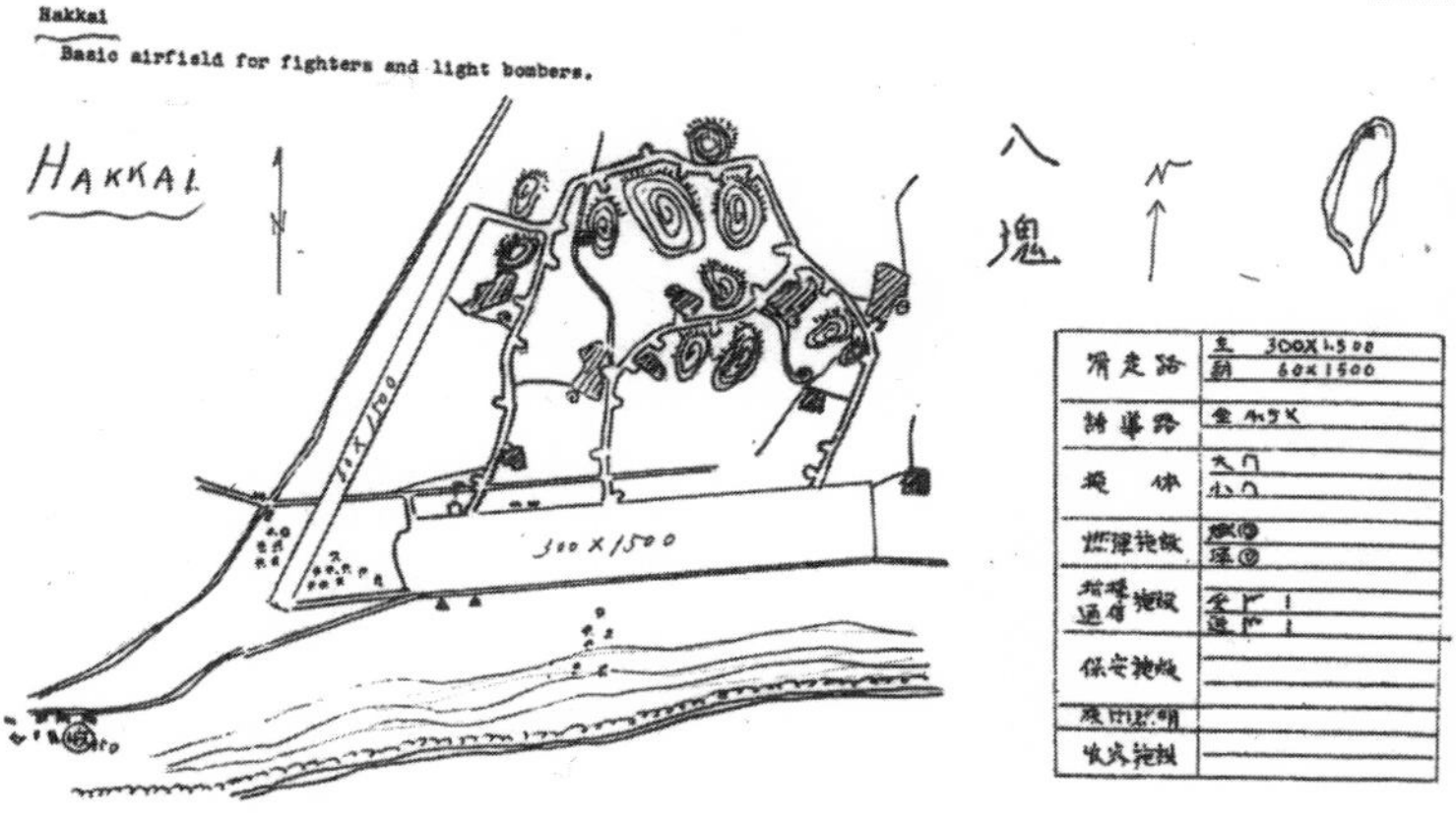


八塊飛行場（NARA 中研院提供）

の例では、「中華民國三十五年二月」とある。このことから昭和二十一（一九四六年）二月という日が浮かび上がってくる。他の飛行場もこの前後に中国軍によって接収されたと考えてよいだろう。

八塊飛行場の「清冊」の内容である。最初は、「八塊飛行場」と書かれていて、以下全体の概要が記されている。この中でもっとも大事な点は、「机場建築日期」である。飛行場が完成した日付だ。「民國三十三年十月」とある。これは和暦では昭和十九年（一九四四）十月ということである。

八塊陸軍飛行場が完成した日時は記録としても重要である。

要点だけを拾っておく。

・名称　八塊飛行場
・所在地　新竹縣桃園郡八塊
　跑道　長　千五百米／寛　二百米／厚　二十糎
　疎開道　長　四千五百米／寛　七米／厚

跑道は、滑走路のことだろう。横風用のものもあったがこれには記入がない。滑走路の長さは、一五〇〇メートル。寛は幅のことだろう。これが二〇〇メートルあった。厚さは二〇センチあった。コンクリートではなく踏み固めた滑走路表面の深さをいう。

疎開道は、誘導路のことであろう。四五〇〇メートルは長いが、飛行機を秘匿していたところまでは四、

五キロあった。この道筋の長さをいうのだろう。

他、注目したいのは三点である。それは「全場面積」、「能載重量」、「掩体個数」である。面積では規模が、能載重量では、滑走路がどれだけの重さに堪えられるか、掩体壕では機の収容数がわかる。

台湾島内で最も多く特攻機を出撃させているのは陸軍宜蘭飛行場である。ここの資料があることから比較してみたい。合わせて開港年月も記した。

| | 機場建築日期 | 全場面積 | 能載重量 | 掩体個数 |
|---|---|---|---|---|
| 八塊 | 民國三十三年十月 | 百二十八万平方米 | 十五噸 | 二十七 |
| 宜蘭（南） | 民国三十三年十一月 | 三百万平方米 | 十五噸 | 四十 |
| 宜蘭（北） | 民国三十三年十一月 | 四十五万平方米 | 十噸 | 二十 |
| 宜蘭（西） | 民國三十三年十一月 | 十五万平方米 | 八噸 | 無 |

戦争末期になって航空優先という戦略は一層強くなった。それで飛行場が急いで作られた。そして造成されたこれら飛行場から特攻機が飛び発った。台湾島内で特攻機が最も多く飛んだのは宜蘭からである。次が八塊である。前者は三十七名、後者は三十二名である。宜蘭が最も多いのには理由がある。

それは台湾全図を見ればすぐにわかる。宜蘭は島の北西端にある。最も沖縄に近かった。戦争末期燃料も充分ではなかった。沖縄まで最短距離で飛べるというのは戦術的にも好都合であった。三つもの飛行場が造られたのは地理的優位性からだと考えてよいだろう。

宜蘭に作られた飛行場は、いずれも民国三十三年（昭和十九）十一月となっているが、これは拡幅された飛行場も含む。

アジア歴史資料センターはネットに「宜蘭飛行場開場の件通牒」をアップしている（https://www.jacar.archives.go.jp/das/image/C01006840600）。これによると昭和十一年（一九三六）七月十五日に開場の式典を行ったとある。これが宜蘭南飛行場のことである。

この宜蘭飛行場について興味深い証言がある。

戦争中、私たち家族は父の仕事の関係で、台湾の宜蘭市に住んでいた。敗戦後、疎開先の台湾山脈の奥地から自宅への帰途、宜蘭飛行場には何十機もの日本の飛行機が並んでいた。今思えば、米軍が宜蘭市を空襲したとき、日本機が迎撃出来なかったのは、燃料不足や整備不良のためだったのではないだろうか。

（朝日新聞「声」語り継ぐ戦争　引き揚げ港でＤＤＴの洗礼 二〇〇八年七月十七日　小尻 勲さん　七十四歳）

終戦後、陸軍宜蘭飛行場には使われなかった戦闘機が何十機もあったそうだ。原因は燃料不足、整備不良ではないかと。台湾での戦争体験を記した証言では他の飛行場でも使われなかった戦闘機が数多く残されていたという。

飛行場比較で言えば、能載重量が八塊と宜蘭南とでは十五噸と同じである。重量のある飛行機の発着ができるということである。八塊は当初は簡易的な献納飛行場として造られた。このことに関連していえば、八塊の「呈繳清冊」には、「土地所有権」が記されている。「州有地（陸軍ニ寄附）竝民有地」とある。邱

垂宇さんの指摘では、その当時、「新竹縣」ではなく「新竹州」だったと。その州有地は献納という形で寄附をさせられたものだろう。民有地は低廉な価格で買い上げられた。

八塊陸軍飛行場の位置づけだが、造成過程において規格が変更になった。邱垂宇さんは、滑走路づくりでは最新式のロードローラーを導入していたと、また、八塊には輸送機も飛んできたとも言っていた。これらの事実は滑走路が造成過程において高規格になったことを間接的に証明している。

台湾総督が八塊飛行場の開港時に訪れた。これは飛行場としての位置づけが高くなっていたことを明かすものである。

# 最終章　特攻因縁は松本に還っていく

## （1）新聞記事の発見

「あれは田川国民学校六年生のときでした。突然に戦闘機が爆音を響かせて飛んできて家の上空をぐるぐる回るのですよ。不思議に思って外に出ると日の丸をつけた飛行機が低空で降りてきて爆音を響かせたのです……」

近所の人も何事かと驚いて外に出てきては空を見あげていたという。

「それからしばらく経って富貴之湯から電話があったのです。『家の上空を旋回したのは俺だ！』って、兄だったのですよ。もう母の驚きようってなかったですよ。私ももうびっくりしましたね」

五年ほど前に松本に住んでいる飯沼節子さんを訪ねて取材をした。飯沼伍長の妹さんである。この戦闘機での突然の帰郷は松本では大ニュースとなって皆に伝わった。

「母は、すぐに兄が好きなおはぎを作って持って行きました。私もついていきましたよ。兄の仲間だと思うのですが、あの人たちもパクパク食べていましたね……」

戦闘機での帰郷は小学校時代の同級生たちにも瞬く間に伝わった。皆は友と連れ立って慰問に訪れた。同級生の一人だったのは高山宝子さんだ。彼女は松本高女の後輩を連れて富貴之湯を慰問した。このときに彼女は今でいうサイン帳を持って行った。そして居合わせた隊員のほとんど、十一人からサインをもらった。

飯沼伍長は「今度會ふのは九段の花の下」と書いた。同級生へのメッセージである。「特攻に行けば二度と会えない。だが、死ねば靖国神社に祀られる。皆、靖国では逢えるだろうから会いに来てほしい」と。

このサイン帳は高山宝子さんの箪笥に六十七年間眠っていたものだ。二〇一二年三月、とある人から連絡があった。

「私は知り合いに頼まれたのですよ。墨でもって多くの人が文字を書いているのですよ。そこに武揚隊という文字が多くあったものだから、二つの単語『信州 武揚隊』と入れて検索したらそちらのブログが引っかかったのですよ……」

安曇野市に住む丸山修さんという人からだった。調査を依頼した人は高山宝子さんの娘さん田澤澄江さんである。

その丸山さんからはすぐにＰＤＦがメールで送られてきた。これをクリックすると墨書された文字がパソコン画面上に現れた。厳ついもの、柔らかいもの、それぞれが思いを筆に託して書き表していた。これをざっと眺めてすぐに推察できたのは遺墨であることだ。共通しているのは皆が、「武揚隊」と書いていることだ。誠第三十一飛行隊の別称である。

武揚隊が松本に飛来してきて浅間温泉に滞在していたという公的な記録はない。だが、これが決定的な

武揚隊山本薫中尉

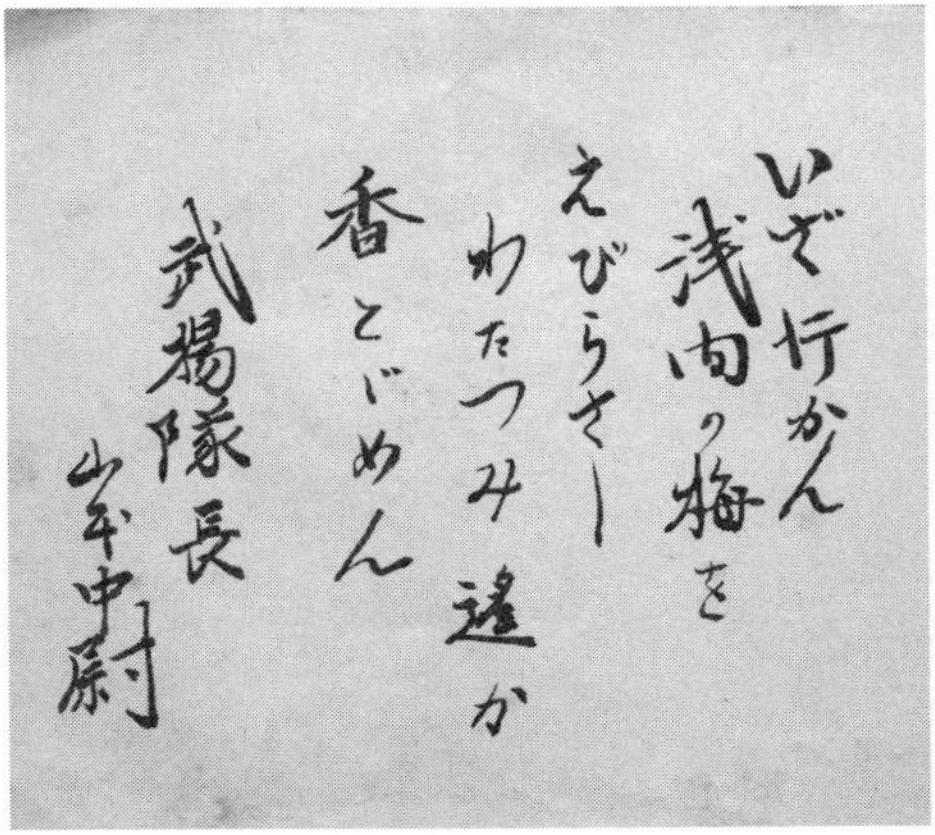

いざ行かん
浅間の梅を
えびらさし
わたつみ遠か
香とどめん
武揚隊長
山本中尉

山本薫中尉の遺墨

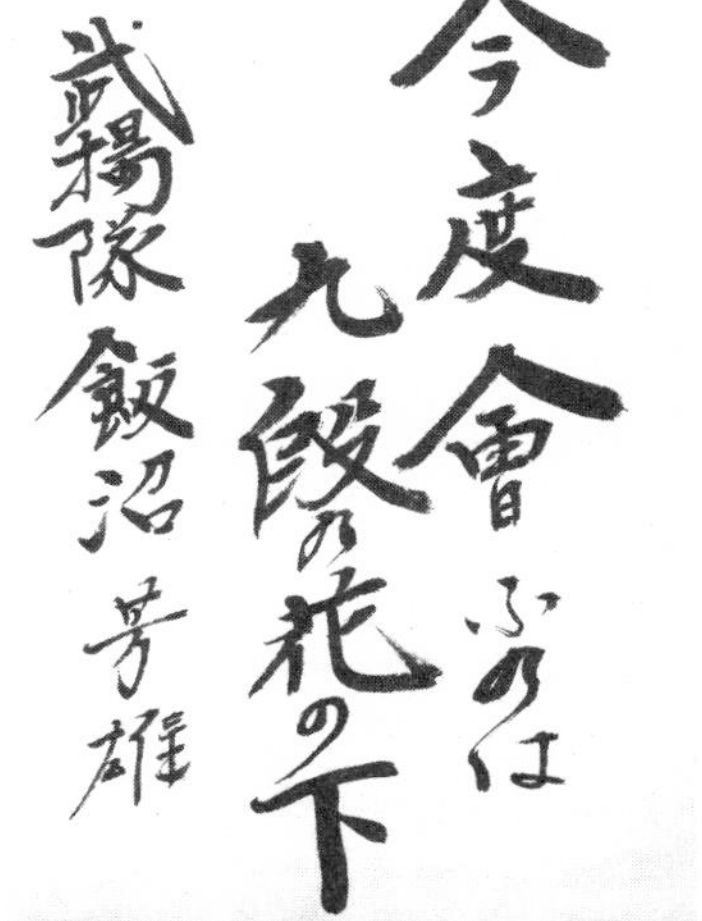

今度會ふのは
九段の花の下
武揚隊
飯沼芳雄

飯沼芳雄伍長の遺墨

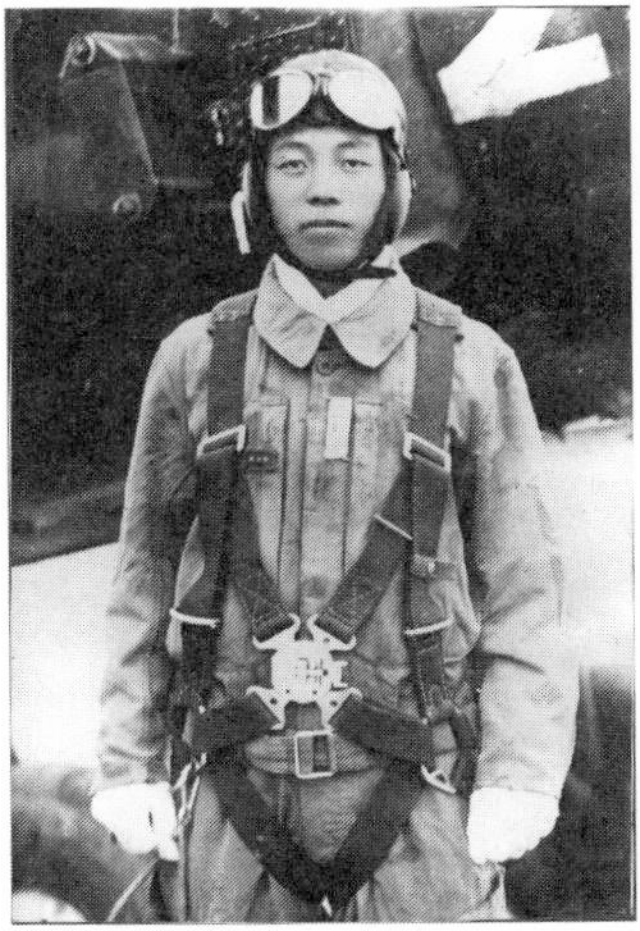

飯沼芳雄伍長、九九式襲撃機

物的証拠となった。

この遺墨には武揚隊隊長の山本薫中尉が書き残した短歌があった。ここに綴られていた山本薫中尉の辞世の歌は、彼の文学的な素養と感性とを表していた。

二〇二一年三月知覧特攻平和会館で企画展が行われた。「三十一文字の遺書」というものである。このときに隊長が高山宝子さんのサイン帳に書き記した歌が展示された。

いざいかん　浅間の梅を　えびらさし
わたつみはるか　香をとどめん
武揚隊長　山本中尉

「箙《えびら》の梅」、源平合戦で、梶原景季《かじわらかげすえ》が梅の枝を箙に差して戦った故事にもとづいたものである。

武揚隊隊員は学芸に優れた者がいた。高畑保雄少尉の書「以武揚愛國」という五文字は半紙からはみ出すほどに大きく強く、見事に描かれている。

極めつけは長谷川信少尉だ。彼は「きけわだつみのこえ」に手記が掲載されている。この末尾では、「怖ろしき哉、浅ましき哉／人類よ、猿の親類よ」と結ばれている。憤怒の人だと思っていたが、出撃を前にしての温和な境地が記されていて安堵したものである。

武揚隊隊員の遺墨が見つかったことは大きな発見である。発端を作ったのはやはり飯沼芳雄伍長の偶然の里帰りである。

二〇一二年三月に高山宝子さんのサイン帳が見つかった。この現物を調査するために私は再び松本を訪れた。

昭和二十年（一九四五）三月に、沖縄戦が始まる。すでに日本軍は艦船群を失っていた。米軍に立ち向かうには空から行くより他はない。だが、もう日本には燃料もなかった。行って爆撃して戻ってくることもできない。軍部が選択したのは特攻である。これを行うには機体改造が必要だった。太平洋側は制空権を敵に握られていた。それで内陸部にある松本が選ばれた。三月、四月には多くの特攻機が松本に来ていた。

遺墨調査の折、私は松本市立博物館を訪れた。戦争末期松本が重要な拠点飛行場であり、松本浅間温泉はそのために宿泊施設として使われていた。私の頭の中には軍都松本が景として作られていた。

「特攻機がビュンビュン行き来している陸軍松本飛行場」

「特攻隊員が白いマフラーをなびかせて行き交う浅間温泉」

それで博物館に行けば、往時のその様子がわかる展示があるに違いないと思って行ったが、それらの展示はほとんどなかった。学芸員の方が出てこられて応対してくださった。松本飛行場に特攻機が数多く来ていたこと。松本温泉に多くの特攻隊が泊まっていたことも把握されてはいなかった。

それで証拠の一端である例の高山宝子さんのサイン帳を見てもらった。先方も驚いていた。やはり貴重な発見であった。このときにこれが博物館で展示されるとは思ってもみなかった。私の博物館訪問がきっかけとなって夏に行われた「戦争と平和展」で高山宝子さんのサイン帳が展示された。これが地元でも評判になり、テレビや新聞でも報道された。中には特集を組んだ新聞社もあった。その記事の中に妹さんの

話が載った。それを読んでぜひ妹さんに取材したいと思った。私は博物館を通して彼女を紹介してもらい会うことができた。飯沼節子さんは国民学校六年生当時のことをよく覚えていた。

「母から聞きました。戦後になってですが二人の方が家にお見えになったのですよ。兄の飛行機を整備しておられた兵隊さんでした。兄を見送ったということで報告に見えたのです。このときに新聞の切り抜きを持ってこられたのですね。財布はもう必要がないということでそれを国に寄附したというようなことが書いてあったと思うのです……」

「そうでしたか、当時の新聞が残っていれば記事はあるかもしれませんね」

以来、当時の新聞は気にかかっていた。これを探し出すのは容易ではない。国立国会図書館へ行き、マイクロフィルムを借り出し、これに収まった画像を一枚一枚点検していくという作業があった。

ところがこの夏（二〇二一年）のことだ）、いつもよく行く自宅近くの図書館、目黒区八雲中央図書館で思いがけない発見をした。

文献の発見である。すでに「臺灣新報」の記事はたびたび引用をしているがこれを見つけた経緯については説明していない。ここで触れておく。

目黒区立八雲中央図書館、ここの公開書庫にはいつも出入りしていた。注意を払うのは文学書や歴史書である。ただ一角に青い色の大きな冊子が書棚の天井まで積み上げられていることは知っていた。不思議なものだ。機会があってそこに行ったところ、青い冊子の本がこちらを見詰めているような気がした。背表紙に目を遣った。

「ええっ！」

私は声を上げた、何とそこには「臺灣日々新報」と記されているではないか。影印本、復刻版だ。全部の棚を占めているのがこれだ。全巻が揃っていたのである。後で知ったが全国の図書館で「臺灣日々新報」を揃えているのはここだけである。

「なぜこの図書館に新聞があるのだろう?」

不思議でならなかった。だが、その謎は容易に解けた。目黒区立図書館の一つに守屋図書館がある。これは人名で守屋善兵衛氏のことをいう。彼の宅地と住居とが目黒区に寄贈された。そこに図書館を建てたことからこの名が付された。彼は台湾日日新報社や満州日日新聞社の社長を歴任してきた人だ。その関係で新聞の影印本を所持していた。これが図書館に寄贈され、私の目に触れた。私が目黒区に住んでいたことは幸運であった。

図書館には「臺灣日々新報」として所蔵されているが、昭和十九年（一九四四）台湾総督府は戦時報道統制により台湾各紙を統合させ「臺灣日報」とした。よってここに引用したものはすべて統制下にあったこの新聞の記事である。

大きな冊子の、まず昭和二十年を手に取った。分厚くて重い。恐る恐る尋ねてみた。

「これって借りられますか?」

係の女性は「ええ、大丈夫ですよ」。そう言って微笑む、私もホッとして笑顔を返した。国立国会図書館では新聞は借りられない。ここでは簡単に借りられた。早速家に持ち帰り、一頁一頁丹念に調べていく。すると八塊飛行場に関わる記事が次々に見つかった。それらは既に紹介した通りである。

新聞記事調査では、思いがけないものを見つけた。その見出しである。

「『忘れていた』とニコッと笑う／征く若き神鷲／役に立て丶の財布献金」

この神鷲はなんと飯沼芳雄伍長であった。

八塊飛行場から特攻機が飛び発って六日後の昭和二十年七月二十五日（水）に「臺灣新報」に記事が載っていた。

『忘れていた』とニコッと笑う　征く若き神鷲　役に立て丶の財布献金　【某基地大室報道班員発】

新たな行動を起こさんと沖縄周辺海域に集結した敵艦艇に体当り攻撃を敢行した誠特攻隊の一人、飯沼伍長（長野県松本市）は少年飛行兵出身の若鷲であった。出撃の日記者はこの飯沼伍長とピストから愛機の下までトラックに同乗したが、伍長はふと思いだしたように

忘れるところでしたよ、もうこれは、いりませんから是非お願いします

こう云いながら黒皮の財布を差出した。「少しではずかしいのです。役立てて下さい。お願いです」と更に言葉を重ねてニコニコ笑いながら財布を押しつけて来た。今はすでに神鷲と散りし伍長から託された財布を前にしてペンを進めている記者の胸中には痛いまでにも美しく笑って出撃して行ったあの若鷲の尊い姿が喰入って離れない。飯沼伍長は財布を渡してから何一つ語らなかったが人機一体爆弾と化して敵艦を撃沈するためとは云え陛下の貴い一機を破壊するのだ。せめて部分品一個でもとの願いであり又銃後に訴える「飛行機」増産への声であり、後につづく荒鷲に入魂の特攻機を送れの叫びであったに違いない。財布の中には百三十三円五十一銭入っていた。これこそ神鷲が出撃寸前迄に蓄えた尊いものであり、純忠

の血潮の凝結したものでもあるのだ、飛行機特攻機を我らは一刻も早く基地へ送らねばならぬ。

出撃して六日後に書かれた記事だ。記者の言わんとする要点は、「荒鷲に入魂の特攻機を送れ」である。彼が見送った四機のうち二機は沖縄に辿り着かなかった。誘導機は帰還してそのことは報告しているはずだ。記者も飯沼機の不首尾は聞いていると思われる。手負いの荒鷲を書いたのでは説得力がない。戦果にこだわらずに「征く若き荒鷲」が記者に託して「財布献金」をしたことを記事の中心に据えた。

大室特派員は、すでに二十日に掲載された同僚が書いた記事「敵の不逞粉砕へ、送れ入魂の神州機」は知っていた。愛国心を持って多くが果敢に特攻出撃をした。ところが機の不調で目的を達成することができない者が続出した。志がいくら高くても飛べなければ目的は果たすことはできない。こんな有様が続くようでは日本は負ける。

大室特派員は飯沼伍長に取材をした。このときに財布はもう不要だと記者にこれを託し、「少しではずかしいのです。役立てて下さい」と言った。多くは語らないが、この「役立てる」は十分に意味がわかっていた。思いはあっても機が動かないのが現実だ。額は少なくてもせめて部品一つにでも役立ててほしい。そんな願いがあったに相違ないと記者は思った、そのお金は「飛機献金」である。

記者は切なる願いとして「荒鷲に入魂の特攻機を送れ」と書いたが、言葉はこの反対の事実を想起させる。荒鷲にはボロい機があてがわれて特攻に行かせられている。今回の特攻は、第八飛行師団の渾身を込めての特攻ではない。師団はもともとは六十機飛ばす予定だったが、その目論見は消え、十二機を発進させた。取りあえず飛ばす、物悲しい特攻だ。

「荒鷲に入魂の特攻機を送れ」は記者の願いだ。外地であるゆえに使える特攻機の絶対数は不足していた。飛ばしても、飛んでもうまく飛べない。それが台湾進発の特攻機であった。

## （2）飯沼節子さんへの連絡

「臺灣新報」に載っていた記事である。これを見つけたことを妹さんの飯沼節子さんに知らせようと思った。ただ、あれから五年も時が経っている。果たして健康でいるだろうか？　ためらいはしたものの電話を取った。彼女は高齢だ。確か八十代末、時の隔たりは怖ろしい。電話が通じるかどうかが心配であった。発信音が鳴った。続いて「この電話は振り込め詐欺等の犯罪被害防止のため、会話内容が自動的に録音されます」とあった。一応は繋がった。その後呼び出し音、二回、三回、四回、どきどきしてくる。五度目で相手が出た。

「飯沼さん？」

「はいそうです」

「飯沼節子さん？」まさに彼女である。

「以前、お兄さんのことを聞きに伺った、きむらけんと申します」

「ああ、覚えていますよ」

「それは嬉しいことですね。お元気のようで良かったです」

「いえいえ、もう私も八十九歳になりましてね、どうもこの頃惚けてきたような気がするのですよ」

「そんなことはないですよ。電話で聞いている限りではよく声も通るしね……それで松本のお宅に伺ってからもう五年が経ちました。武揚隊のことはまだ調べているのですよ」

「ああ、もうとんでもない昔になってしまいましたね」

「そうですけど前に伺ったときはとてもよく昔のことを覚えておられましたよ。西尾軍曹のことを言っておられましたよ」

「そうそうあのときは田川小学校六年生のときでした。ちょうど私が松本高女に受かった時で西尾さんが『おめでとう』って言ってくれたのですよ」

「小太りの人だったと言っていましたね、西尾さんは結局、台湾に渡る途中、敵機と鉢合わせして撃ち落とされたのです。それで台湾には行けなかったのですよ」

「ああ、気の毒ですね、ほんとうにあの方達みんな若い人でね、私も母について何度か富貴之湯に行きました」

「そのときのことをよく覚えておられましたね。お陰様でわからなかったことが幾つもわかったのです。ほら、疎開学童とお兄さんが写っていた写真がありますね、あれはすっかり有名になってしまいました。お母さんが写真屋さんを連れていって撮らせたのですよね。それが今では歴史的な写真となってしまいました。新聞やテレビで放送されたり、また、松本博物館で行われた『戦争と平和展』のポスターにも使われたりしましたからね」

「ええ、よく覚えています。それは知り合いから教わったのですけど、あのときはその写真とか兄の書い

たものとかが展示されていると聞いたのですけど、展覧会には行かなかったのです。いい思い出じゃないでしょう。自分が辛くなるのがわかっていましたからね……」

「確かにね。いい思い出ではありませんね。でも節子さんが覚えておられたことが社会に役立っているのですよ。昔のことは皆消えてなくなります。でもたまたま覚えていたことであってもそのことが大事な記録に繋がっていくのですよ……ほら、前に伺ったときに戦後になって武揚隊の整備員が弔問に訪れたことを話しておられたでしょう」

「はい、覚えています。兄が出撃するときに持っていたお金を国に寄附したという話ですね。そのことを書いた新聞記事の切り抜きを持ってきてくださったという話ですね。私は母から何度も聞かされていてよく覚えています」

「そうそう、そのことです。今日こうやってお電話を差しあげたのは、実はですね、その新聞記事が見つかったのですよ」

「ええっ！」

彼女は絶句した。しばらく経ってから声を上げた。

「本当だったのですね」

「ええ、本当だったのです、私もびっくりしました。それで記事はコピーしてお送りしますから……」

## （3）過去記事が記憶を刺激する

それから数日経って飯沼節子さんから電話があった。

「記事を送っていただいてありがとうございます。うれしかったですね。この記事は前に母親から見せてもらった覚えがあります。そのときと同じものです。懐かしくなって私は何度も繰り返して読みましたよ」

「前に伺ったときに芳雄さんには上のお兄さんがいて、この方も戦争で亡くなられたのですよね」

「ええ、そうです、ルソンで亡くなりました」

飯沼家は二人も戦没者を出している。かつて戦没家族が出た家には「遺族の家」という標識が玄関に掲げられていた。きっと飯沼家にもあったろう。

「新聞記事にはお兄さんのことが神鷲と書いてあります。特攻出撃者として書かれていますね」

「そうそうそうなんですよ。霊が浮かばれます」

飯沼芳雄伍長は沖縄戦の「特別攻撃隊出撃戦死者名簿」には載っていない。

「ほんと、そうですね」と私。

「……新聞記事を読んでいるといろんな記憶が蘇ってきました」

「確か、前に柄沢さんのお父さんの話をしておられましたね」

「そうそうそうなんですよ。学校から帰ると胡桃がいっぱいあって驚きました。柄沢さんのお父さんが持って来られたというのですね。山一つ隔てた反対側の小県郡から来られたそうなんです。あそこは胡桃

が名物でしたからね。こちらに来るにも『遠くて仕方がない』と愚痴をこぼしておられたというようなことを母は言っていました」

柄沢甲子夫伍長のお父さんのことだ。浅間温泉富貴之湯に行って、帰りに飯沼さんの実家に寄って行かれたようだ。

「二人は同郷ということで仲が良かったのでしょうね」

出身県は同じ、年齢は柄沢伍長が二十一歳、飯沼伍長が十九歳だった。出自は前者は航養十四期生、後者は少飛十四期生だ。二人共に満州新京を飛び発って長野に戻ってくるなんて考えたこともなかったろう。

伍長のお父さんは柄沢翠と言った。

「うちの息子がかや？」

連絡を受けた父は驚いた。あわてて名産の胡桃をリュックにどっさりと詰めた。そして信越本線上田駅から汽車に乗り、篠ノ井で乗り換えて松本にやってきた。富貴之湯からの帰途、飯沼さんの実家にも挨拶に来てお土産を置いていった。

柄沢 甲子夫伍長

柄沢伍長は、八塊飛行場を五月十三日に出撃している。飯沼伍長も見送ったはずだ。「いずれ俺も行くから」というようなことは話していただろう。そしてようやく七月十九日になって出撃の順番が巡ってきた。

「そういえば思い出しました。武揚隊には伍長は四人い

たのですけどね、春田正昭伍長もその一人です。二十年三月九日に松本飛行場で事故死しているんですね。そんな話は聞いていますか」

「いいえ、全く知りません」

「松本で荼毘に付されたのでしょう。山本薫隊長は遺骨を拾ったようですね。そのときに骨の一部を持ち帰って、出撃のときに胸に抱いて行っているんです」

「そうなんですか、初めて聞く話です」

「伍長では長谷部良平がいましたね。この間知覧に行ったとき、恩賜の煙草を包んでいたと思われる黄色い布に『必中必沈』と書かれたものが展示されていましたよ」

「ええ、あれは私も良く覚えています。兄が満州国皇帝溥儀から戴いた恩賜の煙草を包んでいたものですね。仏壇に飾ってありましたから、隊員の寄せ書きがされていたように記憶しています」

「寄せ書きというのは初耳です。私はこの黄色い布というのは他でも見ました。やっぱり満州国皇帝溥儀に謁見したというのは隊員の誇りだったように思います……あ、そうだそうだ、ふと思い出しました。お兄さんが出撃するときに人と代わったみたいな話をしておられましたね？」

「ええ、そうです。母から聞いたのですよ。整備員の方がお二方見えたときにそんな話をしていたと。出撃間際になって何かの不具合が起きて兄が代わりに行ったということを聞いていました」

『誰と代わったのだろうか？』

　私は電話を切ってから調べてみた。当たったのは武揚隊のメンバー表である。

　七月十九日、武揚隊からは二名が出撃した。藤井清美少尉と飯沼芳雄伍長である。代わったとすれば隊

の誰かである。すると候補が二人挙がる。中村敏男少尉と力石丈夫少尉である。前者は杭州から台湾に渡るときにグラマンに遭遇し、機銃に撃たれて重傷を負い石垣島で入院していた。退院はしているが、八塊に戻ったかどうかは不明だ。

もう一人の力石少尉は八塊にいたことは確かだ。五月十三日に隊長の山本薫中尉と出撃しているが、乗機の不調で帰還している。さらに十七日に高畑保雄少尉と出撃しているが、このときも乗機が故障を起こしたらしく帰還している。武揚隊で残っているのは彼一人だけであった。今となってはことの真相はわからない。

武揚隊の乗機は九九式襲撃機だ。彼も仲間もこの機に搭乗して出撃をしている。しかし、沖縄まで行けずに墜落したり、また不時着したりしている。力石少尉は二度の帰還を経験した。出撃すれば三度目となる。ここに何か心の葛藤があったのかもしれない。

出撃するはずだったのに出撃できなかった中田輝男軍曹が思い起こされる。飯沼芳雄伍長は反対に急に出撃することになった。

飯沼芳雄伍長は、本人は覚悟を決め出撃した。それで記者に出撃するのには財布は要らないと彼に託した。そして、機に乗り込み、いさんで沖縄に向かった。だが、行けなかった。それで記録にも残ることはなかった。きっと誉れを抱えて故郷には錦を飾りたかったろうと思うが、叶わなかった。

飯沼芳雄伍長の最期はどうだったのだろうか。これについては、「八飛師特攻隊死亡通報綴」（第八飛行師団誠第一八九〇一部隊　昭和二十年十二月二日）にはこういう記述があった。

第八飛行師団司令部附　誠第三十一号飛行隊
長野県松本市宮淵町三三三番地伍長飯沼芳雄大十五、一一、二四（前所属部隊第二十三教育飛行隊留守担当者原籍地ニ同ジ父飯沼一二三）龍潭ヨリ特攻機トシテ沖縄へ進行中宮古島東海岸「ヨナ浜崎」ニ於テ断崖ニ激突シテ搭載セル爆弾ニヨリ爆発シ戦死、二十一時二十分　殊勲　乙

飯沼芳雄伍長の出撃地は龍潭ではなく八塊である。乗機の九九式襲撃機は両翼に二五〇キロ爆弾、全重量五〇〇キロの爆弾を抱え持っていた。八塊を出撃したのは十六時三十分で、宮古島激突は二十一時二十分である。島は沖縄と台湾の中間地点である。何らかの支障が生じていたのは間違いない。この日は天候不良であったようだ。目標を見失って飛んでいるうちに燃料が不足してきた。ようやく見つけた宮古島に不時着しようとしたのではないか。ところが機の操縦がうまくいかず断崖に激突した。同時に搭載爆弾が爆発し亡くなった。無念の死であった。

## （4）浅間温泉望郷の歌

### 寺尾紗穂さんとの出会い

費やした時間、そして道のり、目眩みがするほど遙かであった。果てのない旅路である。信州松本で始まった特攻隊物語である。自身が追っていた誠第三十一飛行隊は、陸軍松本飛行場を飛び発ち、そして台湾まで飛んで、八塊陸軍飛行場から沖縄に向けて出撃した。このプロセスを追っての探訪行であった。彼らの足跡を求めて、九州、新田原や大刀洗や知覧まで行った。本土最後の飛行場となった新田原に行ったとき、緑色の茶畑の上に広がる空を見上げてその航路を見遣って、果てにある台湾を想った。

その台湾から思いもよらぬ連絡があった。邱 垂宇さんからだ。このときに台湾行きの機会がきたと思った。邱さんからも誘いがあった。「よし行こう」と思ったが、世界はパンデミックに襲われた。渡台はできなくなった。台湾訪問の機会を逸してしまった。

邱 垂宇さんとのやりとりは国際電話や郵便やＳＮＳで行った。私の信条は歩いて調べ上げることだったが、これができない。できたのは国立国会図書館や市谷防衛研究所の史料閲覧室や九段靖国神社の靖國偕行文庫へ行って資料を調査することだけだった。

書きまとめた文章を見ていて気づいたことは、日付がほとんどなかったことだ。現地調査があれば必ず日付が入る。

言わば脳内探査が中心だった。調べまくっているうちに時間が経過してしまった。ふと気づくと年が

明けて新年（二〇二二年）となった。正月が明けて間もない時、この日付ははっきりと覚えている。一月十三日にSNSメッセンジャーを通して突然コメントが入ってきた。

はじめまして。寺尾紗穂と申します。特攻隊についてご著書のあるきむらさんでいらっしゃいますか？

この問いかけがあって二、三のやりとりをした。後に彼女が私にコンタクトしてきた訳をメールで送ってきた。彼女は「信州大学が中心となったアートプロジェクト『ユアリテ』からの招聘を受け」たという。「ユアリテ」とは、「湯が湧かす藝　湯を沸かす藝」という意味らしい。つまりは、湯治場、歓楽街、観光地と物語を紡いできた、信州松本・浅間温泉、その今後を考えるという意味のようだ。これからを「次章」として捉え、芸術の眼差しから地域の文脈を読み解くというプロジェクトである。これを核としたイベントが浅間温泉で開かれるという。

これに彼女は出演をする。リサーチによって得られたエピソードの紹介と音楽発表を交えながらお披露目するつもりだとのことだった。その事前調査で知ったのが私だったという訳である。

寺尾紗穂さんは、音楽家であり、物書きでもある。特攻隊には深い関心を持っている。こういうエピソードがあると言う。

灰田勝彦「森の小径」（特攻隊員たちが歌ったともいわれる）もライブでここ一年くらいカバーなどさせてもらっていました。実は沖縄でこの曲を歌ったとき、ライブ終了後に「歌う寺尾さんに向かって四方から

沢山の霧のようなものが飛んできては、上に上がって消えていっていた」と教えてくれたお客さんがいたのです。それから特攻のことをちゃんと調べてみようと、改めて沖縄での特攻についても知り……

彼女自身松本には深い関わりを持っている。学生時代に川島芳子に興味を持ち、彼女が浅間で暮らしていたことから調査で何度も訪れていたという。処女出版は、『評伝 川島芳子——男装のエトランゼ』(文春新書、二〇〇八年)だったという。そのようなことで浅間温泉には深い関わりがあるという。その浅間温泉に特攻隊が大勢来ていたことを私の書籍で知って、コンタクトを取ってこられた。

寺尾紗穂さんは「音楽活動については、オリジナルの創作に加え、各地で忘れられているわらべうたや子守歌などを探して、アレンジして音源化するということをライフワークとして続けております」と。その彼女の感性に響いたものがあるとすればそれは容易に想像がつく。

浅間温泉と特攻隊と歌と言えばもう一つしかない。『浅間温泉望郷の歌』である。彼女はこれに着目したに違いない。それは当たっていた。彼女はこう問いかけてきた。

「秋元佳子さんにお会いできませんか?」

秋元佳子さんは、世田谷の東大原国民学校の疎開学童である。私は、戦時中浅間温泉に飛来してきた特攻隊員たちが、当地に疎開していた学童とふれ合っていたことを知った。それで往時の疎開学童を見つけ出しては証言を聞き取っていた。その一人が秋元佳子さんである。記憶力が抜群の人である。

昭和二十年三月末、誠第三十一飛行隊は浅間温泉富貴之湯に滞在していた。出撃が迫っていよいよ旅立つ時がきた。武揚隊員は一人訓練中に事故死して十四名となっていた。四十日余りを過ごしてきた彼らは

最後の晩にお別れ会を大広間で開いた。そのときに学童たちに向かって隊員たちは即興的に作った歌を披露した。その歌とメロディとを記憶に宿していたのが秋元さんである。寺尾紗穂さんその彼女にぜひとも会いたいというのだ。

## 秋元佳子さんとの再会

秋元佳子さんに取材してからもう十年は経っていた。それでも何かの折に電話することがあった。それで元気でいることは確かだった。

「秋元さんにどうしても会いたいという人がいるのですよ」

電話をして用件を伝えた。

「いいですよ、私もお会いするのが嬉しいです」

せっかくの機会である。彼女を紹介がてら私も行くことにした。

一月十五日午後、京王線笹塚駅で待ち合わせた。十年の年月が経っていた。また、寺尾紗穂さんと会うのも初めてだ。果たして無事に会えるのか気がかりだったが、案ずることもなく二人には会えた。けれどもコロナ禍での出会いで心配もあった。が、秋元さんの話では、駅の側に大きな喫茶店があってそこで会うとよいと言っていた。ところがそこが休みだった。それで秋元さんの家にお邪魔をした。

「今日が、八十八歳の誕生日なのですよ」

お茶を淹れながら秋元さんが言う。

「それはおめでとうございます。するとあの疎開から七十七年経ったことになりますね。記憶もどんどん薄れて行きますね」

「そうですけど覚えていることはたくさんありますよ。戦争が終わってようやく十一月になって再疎開先の伊那の座光寺村の如来寺から東京に帰ってきますが、その日の朝まで毎日毎日、『勝利の日まで』を歌わされました。歌詞の最後の『勝利の日まで　勝利の日まで』はやけになって歌っていましたよ」

「疎開時代っていうのは何かというと歌をうたっていたようですね」

「そうなんです。あの壮行会のときもそうです。『むかし、むかし、そのむかし、爺さんと婆さんがおったとサー』って特攻隊の皆さんが歌うと、私たちが声をそろえて『ヨイヤサーキタサ』ってかけ声をかけるのですよ。楽しかったですね」

「あれは女子だけだったでしょう」

「いえ、違います、男子もいました。ほら、二月二十五日に六年生は受験で東京に引き上げて行きましたね。人数がだいぶ少なくなったでしょう。それで他の旅館にいる男子も呼ばれました」

「だとすると私の間違いですね、前に書いた本には富貴之湯は女子学寮として使われていた、それで壮行会に出たのは女子だけだったと書いたのです」

「間違いですね、男子もいましたよ。海老根伍長さんがそのときに歌ったのですよ。『明日は初陣、軍刀を月にかざせば散る桜、征きて咲け、八紘一宇の八重一重』という歌、海老根さんが歌うとズーズー弁だから、『えけてさけ、はっこうえちうのやえざくら』となるのですよ。これを男子たちはおもしろがって冷やかして歌っていましたよ」

確かに男子だったらやるだろう。

「海老根伍長は、子どもみんなに好かれていましたよね。子どもたちなりの愛情表現なんでしょう」と私。

「秋元さん、特攻隊が歌ったという歌は今でも覚えていらっしゃいますか？」

寺尾紗穂さんが口を利いた。

「ええ、もちろん」

「では、歌っていただけますか？」

秋元さん、頷いて椅子から立ち上がる。

「録音させてくださいね」

寺尾さんはスマホを取り出す。

一、広い飛行場にたそがれせまる
　今日の飛行も無事済んで
　塵にまみれた飛行服脱げば
　かわいみなさんのお人形

二、明日はお発ちか松本飛行場
　さあっと飛び立つわが愛機
　かわいみなさんのお人形乗せて

筆者と寺尾紗穂さん

秋元佳子さん

わたしゃいきます○○へ

三、世界平和が来ましたならば
いとしなつかし日の本へ
帰りゃまっさき浅間をめがけ
わたしゃ行きます富貴の湯へ

秋元佳子さんは、よどむことなく歌いきった。

「いつも感心をするのですがよく覚えていますよね。本当に不思議ですよね。でも言えることは別れていく女子に深い慕情を述べていますね。やはり武揚隊の滞在が長かったからだと思います。愛着が深く湧いたのですよね」

武揚隊の浅間温泉滞在は四十日ほどに及んだ。その分人との接触も多くなった。富貴之湯旅館には東大原国民学校の女児が滞在していた。玄関上の小部屋には隊員の長谷川信少尉がたびたび訪ねてきた。年頃の子どもを預かっている教員には見過ごすことができなかった。それで職員会議でも話題になるほどだった。

寺尾紗穂さんと訪ねたときも話題になった。

「同室の俊子さんは、もう亡くなられたのですけどね、生前言っていましたね。『私は長谷川信さんが初恋の人だった』と。それで俊子さんは会津から出てこられた信さんのお母さんにも会っているのですよ」

学年は五年生だった。秋元佳子さんも長谷川信少尉には深い関心を持っていた。秋元さんが彼らが歌っ

た歌を覚えていたのはその例証でもある。特攻とは何か、深い意味までわからなかったが、皆うすうすは知っていた。富貴之湯には特攻隊を慰問するために女子高生が訪れていた。そのただならぬ気配に気づかないはずはない。

私は以前、この富貴之湯に疎開していた滝沢栄一さんに取材したことがある。旅館の経営者は滝沢と言ったが、彼は親戚筋で内情をよく知っていた。武揚隊が旅館を出ていくときのことを彼は鮮明に覚えていた。

「飛行服に飛行帽を身につけた五、六名の兵隊さんたちが旅館から出てきたのです。そのときに号令がかかって玄関の前にさっと並んで敬礼をしたのです。子ども心にじぃんと来ましてね……」

彼らはその後に、迎えにきたトラックに乗り込んだ。旅館の女中さんとか板前さんとか全員が出てきて見送ったのです。そのときに、突然若い女の人が出てきて一人の特攻隊員に取りすがって『行かないでくれ、行かないでくれ』と叫んだという。

とても印象深い話だった。長い滞在期間中に兵隊とその女性は知り合って深い関係を結ぶに至ったのだろう。互いに未練を残して別れることになった。このときの別れについて秋元佳子さんも触れた。これは初めて聞く話だった。

「武剋隊は浅間温泉駅から松本電鉄の電車に乗って行ったのですけど、武揚隊の場合にはトラックが迎えにきたのですよね」

「そうそう、そうです。私達も見送りましたよ。そのときに私は長谷川中尉さんに話しかけたのですよ」

「それは初めて聞く話ですね」

「もう自動車が出ようとするときに、長谷川さんのお顔が見えたものだから『長谷川さん、もう行ってしまわれるのですか!』って声をかけたのですよ。そうしたら、『大丈夫だよ。もうすぐに帰ってくるから』と言われたのです。そのとき何か妙な気持ちがしましたよ。特攻ということはそのときはあまりよくわかっていなかったのです。でも、行ってしまったら帰ってこないものと思っていましたからね」

この話は自分でも気になっていて、彼女には改めて電話をかけて聞いてみた。

「ええ、その通りです。『すぐに帰ってくる』と言われたときは、とても変な感じがしましたよ。それは覚えていますよ。そしてトラックが出て行くときに『長谷川中尉さん、さようなら』と言って手を振りましたよ」

長谷川信はこのとき少尉であったが、彼女はいつも長谷川中尉さんと呼ぶ。彼から「中尉になったよ」と言われたことがあったからだ。特攻戦死すれば二階級特進して大尉になる。だが、長谷川信少尉は戦死扱いで記録上は少尉のままである。

秋元佳子さんとは自宅玄関で別れた。私と寺尾紗穂さんは笹塚駅で別れた。

「今度浅間温泉で寺尾紗穂さんが『浅間温泉望郷の歌』を歌うと、大変なことになりそうですね。何しろ『帰りゃまっさき浅間を目がけ』ですからね、沖縄で死んだ特攻隊員たちの多くが戻ってきますよ。『四方から霧のような白いものが飛んで』くるだけでは、すまされませんね。歌に合わせて歌い出すかもしれませんよ」

「そうですか」

彼女は笑った。(了)

# エピローグ　ネット時代の戦争物語

インターネットが市民権を得たのは二〇〇五年前後からだと言われる、ＳＮＳと総称されるコミュニケーションサービスが次々とこの時期に登場したことが大きく影響している。ちょうどこの最中に私はブログを始めた。二〇〇四年八月である。自身のブログの名前は「東京荏原都市物語資料館」だ。東京西南部の旧郡名を荏原という。私はこの一帯を歩きまわって日々見聞したことを綴ってアップした。そのエントリー数は今や五千に達そうとしている。文字通り「都市物語資料館」となっている。もう一つのメディアだといえる。実際、ネット普及による情報の「双方向化」の恩恵を真っ先に享受できた。

資料館は常時稼働している。閲覧者は記事を見て自由にコンタクトしてくる。ここがスリリングだ、いつどんな情報が入ってくるかわからない。実際、これによって得がたい情報を収集することができた。その情報の多くは歴史に埋もれていたものだ。日の目を見た逸話の発掘が原動力となって、特攻を題材とした歴史物語を書くようになった。これは、紛れもなく、「ネット時代の戦争物語」である。

すべてはＳＮＳでの発信で始まった。それは言わば語の放流である。放たれた言葉はネット空間で漂流している。これを偶然に検索者が拾い上げて応答してくる。その項目は多様多岐にわたる。

その一つに高射砲があった。居住地区にあった高射砲に興味があって、これを調べてネットに書き込んでいた。あるとき書き込みがあった。

「駒沢高射砲陣地の隊長が生きています」

佐久市在住の内藤直人さんからである。私の近傍に駒沢高射砲陣地があった。調べ上げたが全貌はわからない、謎に包まれていた。それゆえに驚きだった。

二〇一五年三月、長野県佐久郡佐久穂町まで内藤悌三さん（九十四歳）に会いに行った。これによって駒沢高射砲陣地の全貌がわかった。貴重な聞き書きができた。が、程なくして元隊員は亡くなられた。

またこういう一例もあった。

北白川永久王を巡る逸話を偶然見つけてネットで発信した。この若き貴公子は、昭和十五（一九四〇）年三月蒙疆方面（モンゴル及び中国北部）へ出征していたが、演習中に航空事故に巻き込まれて殉職された。国民の多くがこれを悲しんだ。とくに全国の高女生が感銘を受けて哀悼歌を捧げた。これを収めたのが『仰徳集』である。同集には友である糸賀公一陸軍大尉が、永久王を品川駅で見送ったときの思いを一首に託して詠んでいた。

品川にうち笑ませつつ立ちましし　温顔すでに拝むよしなし

ネットでこれを見つけた方がおられてコメントを寄せられた。

私は糸賀公一の息子です。父は現在体が不自由で介護施設に入居していますが存命です。北白川宮様とは陸大の同期と言っておりましたので、間違いないと思います。記憶はまだしっかりしていますので、この記事を知らせてやろうと思っています。懐かしく思い出し、元気を出してくれると思います。ありがとうございました。

この後、糸賀成三さんは施設に赴いて、私の記事を父親に見せたという。九十八歳となる公一氏は、その場面が蘇ったようでとても懐かしがり、私が書いた記事を何度も読んでくれと息子さんにせがんだという。

これもネット機縁である。その縁は際限なくどこまでも続いていく。なかんずく特攻隊繋がりの話が飛び抜けて多い。それで誰もが私に言う。「それは特攻隊の人々の霊魂なのですよ。それが先生に憑いてしまったのです」と。私自身スピリチュアルなことはあまり信じていない。が、不思議な機縁はもうずっと続いている。

「縁の円環は客体的にも存在はすると思いますよ。ただこういうことは言えますね。縁というものに敏感な人と鈍感な人がいます。ご自身が何度も不思議な場面に遭遇したことであなた自身が縁ということにとても敏感になっているのですよ。それで縁を自分が感知する、その感度がとてもよくなっているのです」

理系のとある大学教授にそう指摘されたことがある。しかし、その縁に頼ってばかりいたわけではない。

今回は文献に当たれるだけ当たった。

「八塊飛行場だけについて書かれた記録はありません、もともとあそこは献納飛行場として作られたもので重要な飛行場ではなかったのです。台湾の航空機を采配していた第八航空師団の記録は戦史叢書にありますから、丹念に見ていくと断片的に記事が載っています。それを拾い出すしかありません」

防衛研究所戦史研究センター史料室の担当官の助言である。森陰に隠れた真実を一つ一つ探し出すしかない。あれこれと資料に当たった。

邱 垂宇さんから台湾の資料を得られたのは大きい。

邱 垂宇さん自身は生き証人である。台湾航空界の重鎮として航空業務に長く関わってこられた方である。私が困っていることを聞き知って、台湾で手に入る航空関係の資料を探してくださった。送られてきたものは中国語で書かれていた。読み解かなければならない言葉の壁だった。しかし、日本も台湾も同じ漢字を使っている。手がかりがあるということは希望である。


本書をまとめるに当たって台湾関係の記録を見てきた。本土の場合だと多くの調べが行き届いている。ところが台湾だと記録の密林を分け入っていくような趣がある。記録の影にこっそりと事実が隠れている。その一例だ。

「独立飛行第四十六中隊」は、誠第一九一〇七部隊とも言われる。この略歴が記録として残っていた。〔昭和三十六年十二月一日　陸軍航空部隊略歴（その二）厚生省援護局〕これによると同隊は、昭和十九年十月二十日、「台湾において編成完結第八飛行師団長の隷下に入り沖縄作戦を準備する」とある。翌年、

昭和二十年六月「特攻隊として全員沖縄作戦に参加」とあり、「右作戦間部隊は大損害をうけ部隊総員百六十名中戦死百三十名生死不明七名」とあった。ほとんどが死んでいる。その子細は不明である。

記録の密林は分け入ればもっと多くの真実があるのだと思う。台湾は日本本土から離れている。補給もままならない。そんな中で人々は戦った。戦争のとばっちりを受けたのは台湾人である。日本には反感を抱いてもいいようにも思うが、取材を重ねてきて思うことは、日本への親近感を人々が持っていることである。

私は二十数年前に台湾へ行ったことがある。感じることは多くあった。まず深い親しみを持ったのは風景である。かつての長閑な日本の風景がそのまま残っていた。次に年配の多くの人には日本語が通じたことだ。とても不思議な感じがすると同時に親近感を持った。

日本統治下にあった台湾では、日本語教育が行われていた。多くが言葉に慣れ親しんでいた。台湾の人たちはそれゆえに今でも親しみを持っている。しかし、それだけではない。一つには植民地政策において台湾総督府がインフラを率先して整備したことも大きい。通例植民地で行われる搾取もなかったからだと聞いている。

第二次世界大戦が終了して、台湾においては歴史的変動が起こった。このときに台湾社会では、「犬去りて、豚来たる」ということわざが流行った。

「犬」は、五十年近く台湾を統治していた日本人のことを言う。「豚」とは戦後に台湾に渡ってきた外省人を指したものである。戦後になって台湾統治を始めた国民政府（蔣介石政権）に対する台湾人（本省人）

の失望を、「犬は獰猛で騒がしいとはいえ、番犬として重宝されるのに対し、豚は食べるだけで何もしない」ことに例えて言い表したものである。日本統治時代への台湾人の郷愁である。

松本に端を発した特攻物語は今回で五巻目となる。第一巻発刊からもう十年が経ってしまった。そして特攻を巡る物語はとうとう台湾まで行き着いた。これをまとめるに当たって多くの皆さんにご協力をいただいた。ここでお礼を申し述べたい。

台湾との連絡はなかなか難しかった。だが、山本隊長の甥の富繁さん、その奥さん山本記美代さんが私と邱 垂宇さんとをSNSで結んでくださった。これでとても助かった。

今回の著作で基軸となったのは、「桃園八徳機場的回憶」である。かつての八塊飛行場の思い出を邱 垂宇さんが語られた。これをまとめられたのは劉 文孝さんである。この本文の日本語訳について、快く許可を下さったことに改めて感謝を申し述べたい。

今回、台湾から出撃した沖縄特攻についてまとめた。八塊飛行場を中心としたが出撃したのは八塊からだけではない。宜蘭、台中、桃園、花蓮港、龍潭からも出撃している。それぞれの飛行場から多くの思いを乗せて機が飛び発って行った。一機一機のことを記録することで亡くなった者は浮かばれるという思いはある。が、今回のは出撃機の一端である。ほかの出撃機はどうであったろうか？　そこに思いを馳せることがある。この発信が機会となって新情報が寄せられる可能性はある、また機会があれば触れてみたい。

執筆に当たってお世話になった方は多くいる。この誌面を借りて、お礼を申し述べたい。

○取材協力者
邱 垂宇、故邱 垂棠、劉 文孝、邱 錦玉、伊良皆高吉、与那原永嘉、中田 節子、鈴木 豊、鈴木 祥子、飯沼 節子、山本 記美代、秋元佳子（敬称略）

○取材協力及び資料提供機関
・日本　防衛研究所戦史研究センター史料室、知覧特攻平和会館（八巻聡専門員）、靖國偕行文庫
・台湾　國家圖書館、中華民國國防部、中國之翼出版社、ＮＡＲＡ－中研院、桃園市八徳小學

○出典については本文各個所で明示をした。これ以外で参考資料としたものを挙げておく。
高岡 修編『新編 知覧特別攻撃隊――写真・遺書・遺詠・日記・記録・名簿』ジャプラン、二〇〇九年
加藤 拓『陸軍航空特別攻撃隊各部隊総覧 第一巻 突入部隊』二〇一八年

○飛行第二〇四戦隊の隊員遺影は「元飛行第二〇四戦隊戦友会誌・総集編」（飛行二〇四会、一九八八年五月）掲載のものを複写使用した。

○『臺灣日々新報』影印本　五南図書出版有限公司 台北 一九九五年
（呼称について、『臺灣日々新報』は、戦時報道統制により、一九四四年四月一日に台湾総督府は、これまで発行されていた五紙を統合させ『臺灣新報』として発行させた）

## 参考・満州新京発足特攻二隊の軌跡（武剋隊と武揚隊）・天号作戦関連図

昭和二十年（一九四五）

二月十日　新京にて特攻隊四隊の編成及び集結

扶揺隊　と号第四十一飛行隊　寺山大尉以下　十五名　機種・九七戦

蒼龍隊　と号第三十九飛行隊　笹川大尉以下　十五名　機種・一式戦

**武剋隊　と号第三十二飛行隊　広森中尉以下　十五名　機種・九九襲**

**武揚隊　と号第三十一飛行隊　山本中尉以下　十五名　機種・九九襲**

・新京　第八百部隊司令部に出頭。新京放送局から放送される本土向け放送の録音。各自が三分間自己の思いなどをマイクに向かって吹き込む

・満州国皇帝に拝謁。記帳、恩賜品の下賜、建国神廟の参拝などを行う。

関東軍、第二航空軍主催の編成及び出陣式並びに特攻四隊の全員が出席して盛大な壮行会を開催。

二月十一日　新京飛行場において特攻隊の命名式。配属先はほかの二隊同様、第八飛行師団。

◆武剋隊・武揚隊　新京から松本へ

二月十一日　新京飛行場を発って、一旦原隊の平台第二三教育飛行隊に戻った。そして、新京で得た特攻機、九九式襲撃機の再整備を行った。

二月十四日　平台飛行場を飛び発ち、一旦新京新阜飛行場に寄り、平壌に向かった。

二月十五日　平壌を発ち大邱に着陸

二月十七日　大邱を発ち九州へ向かうが天候悪化で各隊ばらばらとなった。

二月十八日　各務原に着陸。ここで爆装改修を行うはずだった。米軍による空襲が予想されたことから予定を変更し、武剋隊、武揚隊ともに陸軍松本飛行場で行うことにした。

二月二十日　各務原を離陸し松本飛行場に着陸した。宿は二隊とも浅間温泉に取った。

注：満州から松本飛行場到着までは武剋隊の整備兵としてついていた佐藤喜代人曹長が記録を残している。『開門岳』（飯尾憲士著、集英社、一九八五年）を参考にした。武剋隊中心の記録なので武揚隊は別だが、概ね同じようなコースをたどったと思われる。

◆武剋隊・武揚隊の出撃

〈武剋隊前半隊〉

三月十八日　前半隊は松本飛行場を出発。廣森達郎中尉、林一満少尉、清宗孝己少尉、今西修軍曹、

三月二十三日　出戸英吉軍曹、島田貫三軍曹、今野勝郎軍曹、伊福孝伍長、大平定雄伍長。
三月二十五日　各務原出発。
三月二十六日　熊本健軍飛行場着。
三月二十七日　健軍飛行場出発。沖縄中飛行場着。
　　　　　　　九機は中飛行場を直掩機などと飛び発ち、特攻出撃した。

〈武剋隊後半隊〉
三月二十七日　後半隊は松本を発った。結城（金）尚弼少尉、小林勇少尉、時枝宏軍曹、古屋五朗軍曹、佐藤英實伍長、佐藤正伍長の六人である（疎開学童の松本明美さんが各務原から出したハガキを根拠としている。彼らの航跡を記したものはない。個別に疎開学童が持っていた資料から判断した）。
三月二十八日　各務原滞在。時枝宏軍曹がここから浅間の疎開学童にハガキを出す。
三月末　各務原を発ち、新田原飛行場に着く。滞在は兵員宿舎八紘荘。
四月三日　六人は新田原飛行場から特攻出撃した。
　　　　　＊武剋隊の時枝宏軍曹は、見送りにきていた武揚隊の五来末義軍曹に浅間に残っている疎開学童「鉛筆部隊宛」の言づてを頼んだ。

〈武揚隊〉

三月末　＊春日正昭伍長は三月九日松本飛行場で殉死。残存隊員十四名。
宿舎の富貴之湯を引き払い、松本飛行場から飛び発ち、各務原に向かう。
ここで長谷部良平機が故障した。遅れを取った長谷部機は知覧に着き、四月二十日に第三十一振武隊として単機出撃。

四月一日か二日　各務原を発つ。新田原飛行場に着き、兵站宿舎八紘荘に入る。

四月四日　隊員全員宮崎神宮参拝。

四月五日　陸軍新田原飛行場を離陸し一〇八戦隊の菱沼俊雄中尉誘導で台湾に向かう。
途中済州島に立ち寄って一泊する。

四月六日　一機が不調で置いていくが、飛び発ったとたん吉原香機が不時着する。残り十一機となり、上海大場鎮飛行場に着く。

四月七日　台湾に近いということで大場鎮から杭州飛行場に移動した。

四月十一日　「夕刻まず力士少尉を含む第一陣四機が、杭州を飛び発ち無事台湾に到着した」（『明治学院百年史』）。この数だが誘導機の菱沼俊雄氏は三機としている。力石少尉は杭州に残されたとのこと。

四月十二日　杭州を六機が出発する。ところが台湾に渡る途中、与那国島北方二〇キロ上空で敵艦上戦闘機グラマンと遭遇して三機が撃墜される。長谷川信少尉、西尾勇助軍曹、海老根重信伍長（この三名は戦死扱い）。残る三機はグラマンの襲撃を受け、与那国島付近

海上に不時着した。一人は山本薫中尉、一人は中村敏男少尉。前者は手当を受けた後ほかの隊員一人と大発動艇で台湾に上陸。中村少尉は石垣島へ運ばれ、入院の後退院し生還した。

＊武揚隊は台湾に着くまで多くの困難に出会った。機の不調、不時着、敵機による撃墜。満州から運んだのはたった三機である。最終的に台湾から特攻に出撃して特攻戦死したのは十五名のうち、六名であった。各員の出撃日は本文を参照のこと。

＊次頁からの図版の出典『戦史叢書第36巻 沖縄・台湾・硫黄島方面陸軍航空作戦』別冊・付図付表
付図第一　天号作戦開始時における第八飛行師団展開配置要図
付図第四　その一　航空総軍展開配置
付図第四　その二　六月下旬沖縄方面敵情要図
いずれも原図をもとに作成した（原図掲載 URLhttp://www.nids.mod.go.jp/military_history_search/SoshoView?kanno=036）

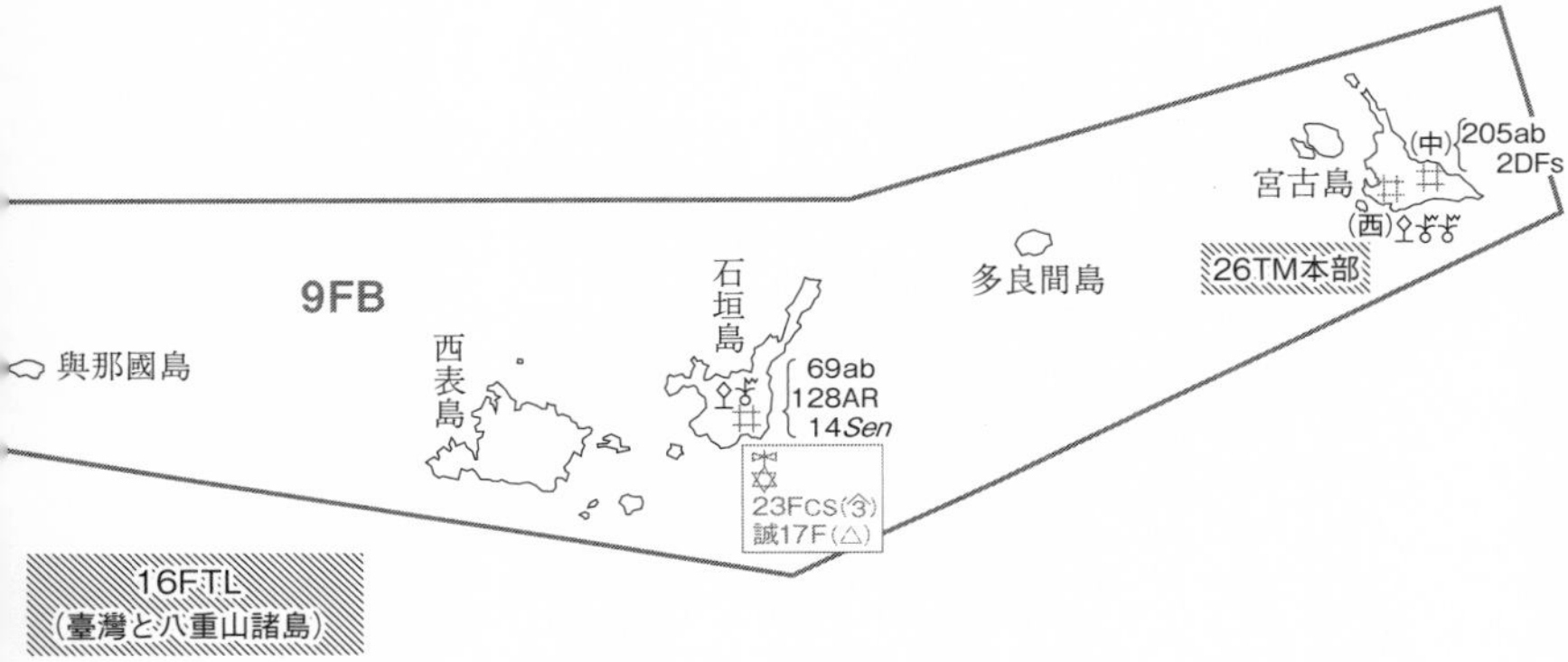


注

| | | |
|---|---|---|
| aB | 航空地区隊 | 地上勤務部隊 |
| ab | 飛行場大隊 | |
| ac | 飛行場中隊 | |
| DFs | 独立整備隊 | |
| *Sen* | 戦闘修理班 | |
| FS | 航空修理廠 | |
| FH | 航空補給廠 | |
| FSc | 分廠 | |
| (記号) | 対空無線分隊 | 航空通信部隊 |
| (記号) | 候測分隊 | |

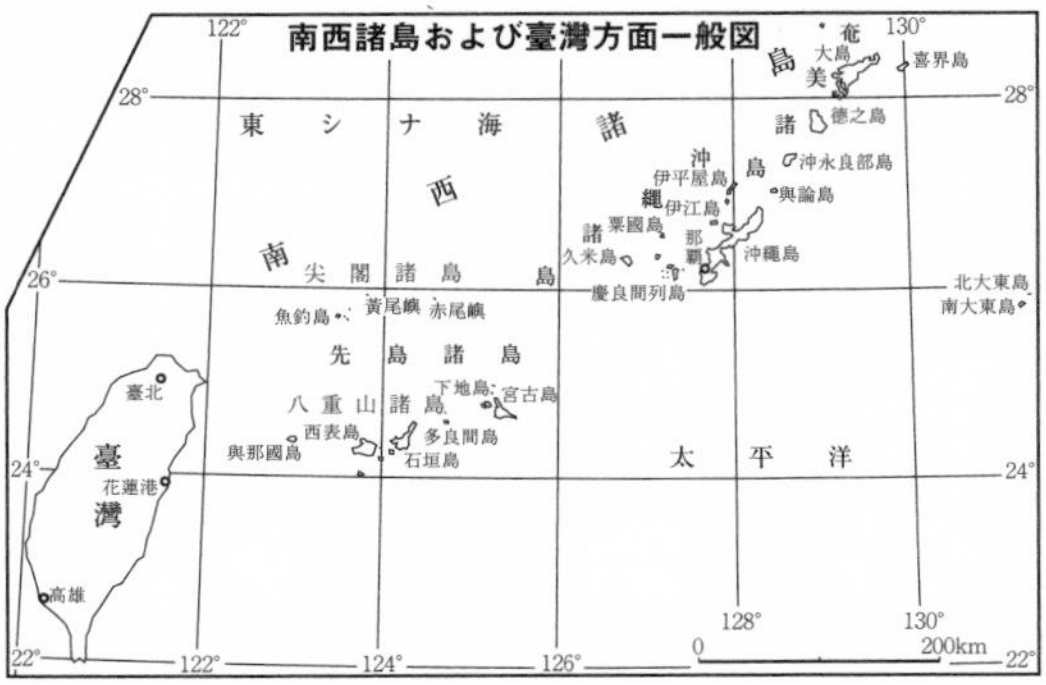

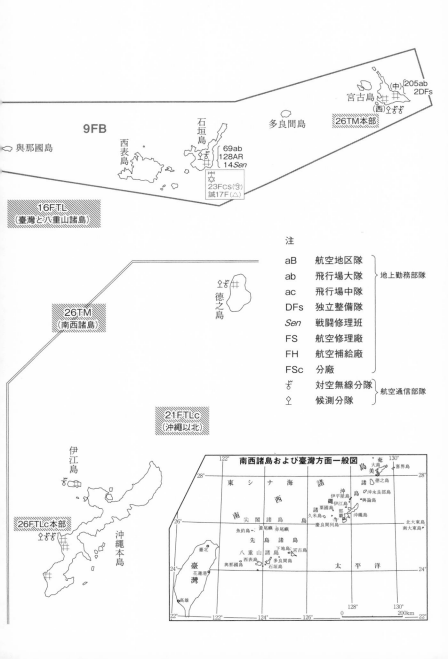

## 天号作戦開始時における
## 第八飛行師団展開配置要図

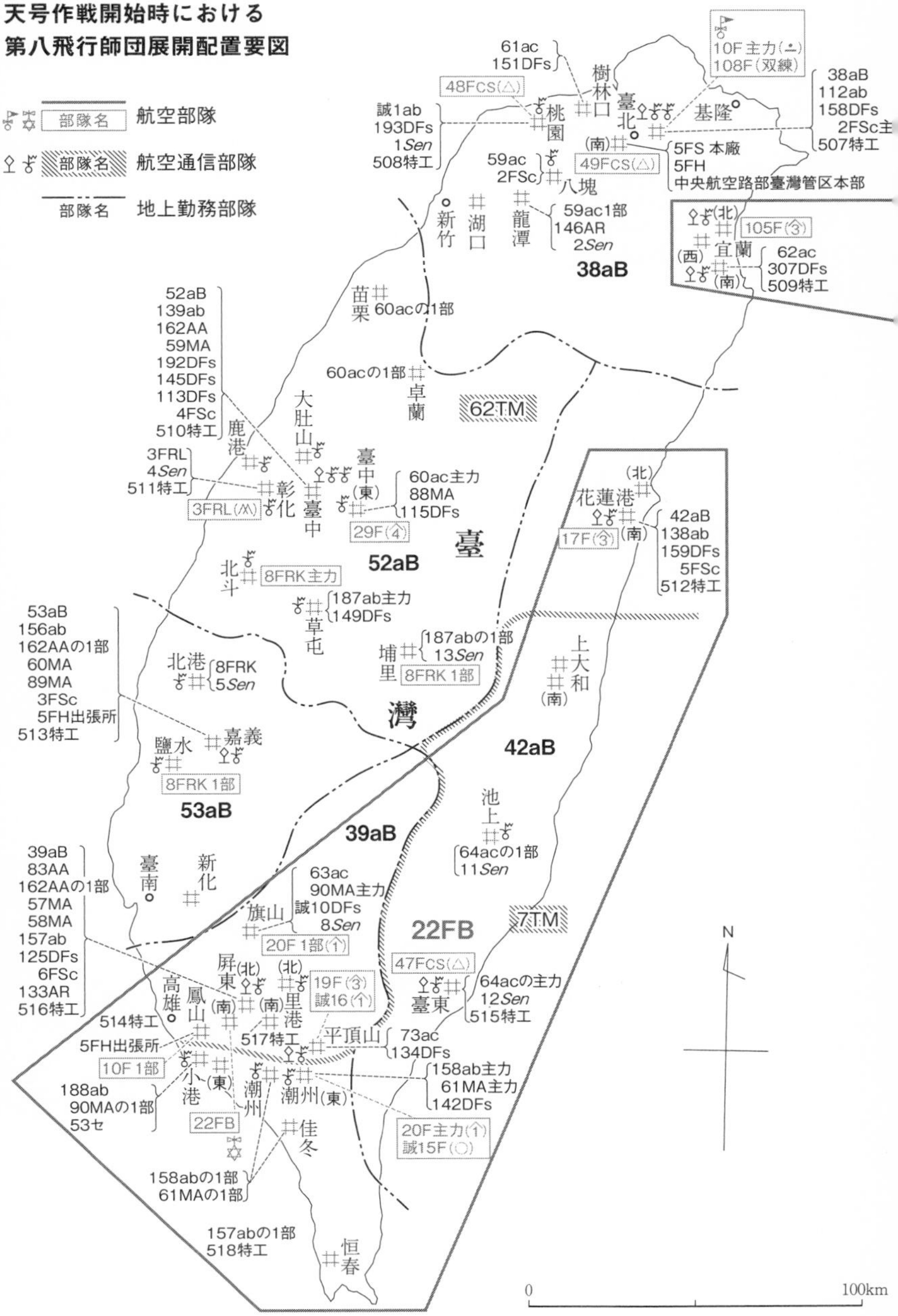

## 航空総軍展開配置要図（昭和二十年七月十日）

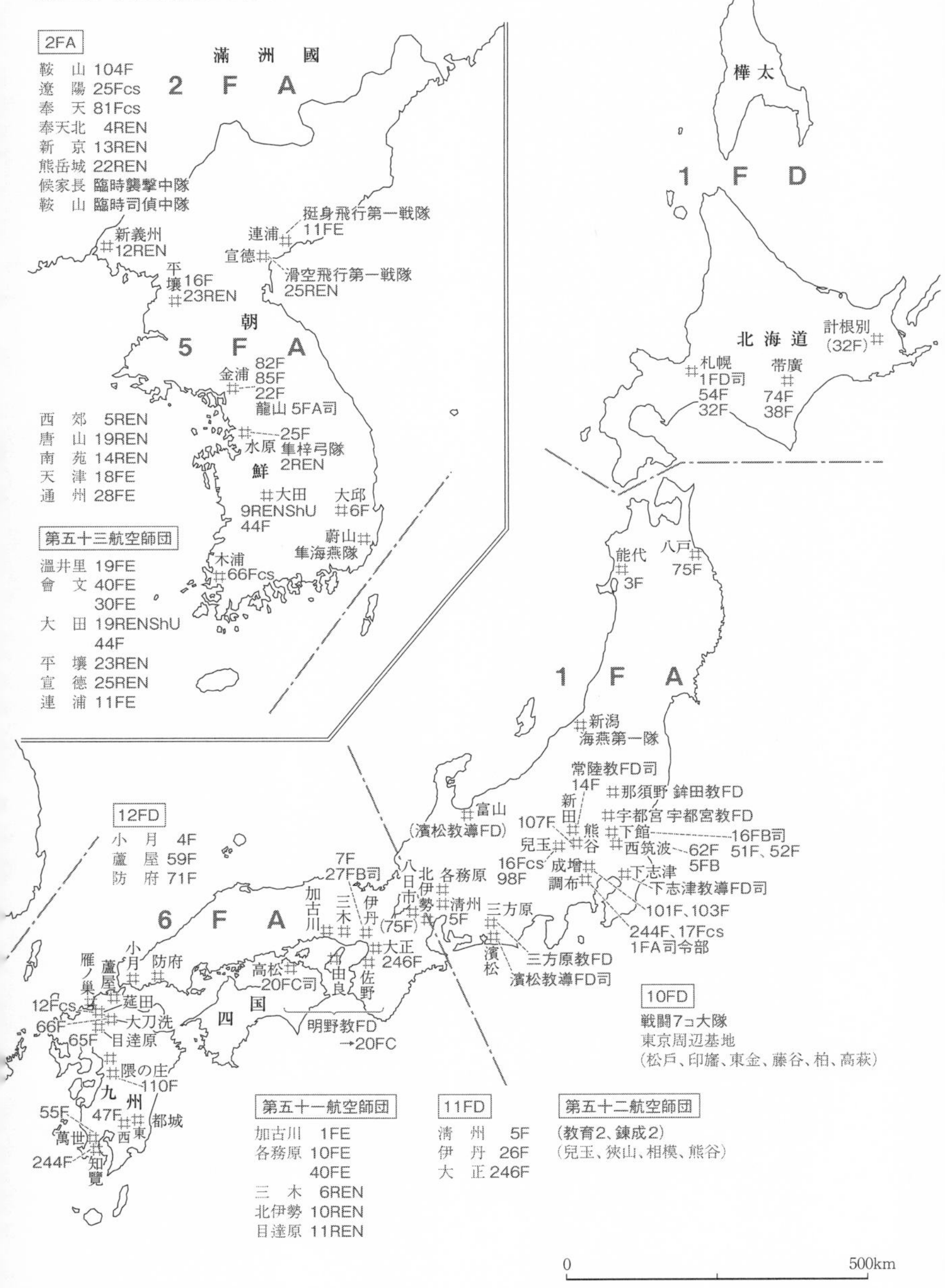
2FA
鞍　山 104F
遼　陽 25Fcs
奉　天 81Fcs
奉天北　4REN
新　京 13REN
熊岳城 22REN
候家長 臨時襲撃中隊
鞍　山 臨時司偵中隊
滿　洲　國
2　F　A
新義州 12REN
連浦
挺身飛行第一戦隊 11FE
宣徳
滑空飛行第一戦隊 25REN
平壌 16F 23REN
朝
5　F　A
金浦 82F 85F 22F
龍山 5FA司
西　郊　5REN
唐　山 19REN
南　苑 14REN
天　津 18FE
通　州 28FE
25F
水原 隼梓弓隊 2REN
鮮
大田 9RENShU 44F
大邱 6F
蔚山 隼海燕隊
木浦 66Fcs
第五十三航空師団
溫井里 19FE
會　文 40FE
30FE
大　田 19RENShU
44F
平　壌 23REN
宣　徳 25REN
連　浦 11FE
樺太
1　F　D
北海道
計根別 (32F)
札幌 1FD司 54F 32F
帯廣 74F 38F
能代 3F
八戸 75F
1　F　A
新潟 海燕第一隊
常陸教FD司 14F
那須野 鉾田教FD
宇都宮 宇都宮教FD
新田
107F
熊谷
下館
16FB司 51F、52F
兒玉
西筑波
62F 5FB
16Fcs 98F
成増
調布
下志津
下志津教導FD司
101F、103F
244F、17Fcs
1FA司令部
富山 (濱松教導FD)
12FD
小　月　4F
蘆　屋 59F
防　府 71F
7F 27FB司
八日市
北伊勢
各務原
加古川
三木
伊丹 (75F)
清州 5F
三方原
濱松
三方原教FD
濱松教導FD司
6　F　A
大正 246F
小月
防府
雁ノ巣
蘆屋
高松 20FC司
由良
佐野
四国
明野教FD →20FC
12Fcs
66F
65F
莚田
大刀洗
目達原
隈の庄
110F
九州
55F
47F
都城
西
東
萬世
知覧
244F
10FD
戦闘7コ大隊
東京周辺基地
(松戸、印旛、東金、藤谷、柏、高萩)
第五十一航空師団
加古川　1FE
各務原 10FE
40FE
三　木　6REN
北伊勢 10REN
目達原 11REN
11FD
清　州　5F
伊　丹　26F
大　正 246F
第五十二航空師団
(教育2、錬成2)
(兒玉、狭山、相模、熊谷)
0
500km

# 六月下旬沖縄方面敵情要図

| | 飛行場の状況 |
|---|---|
| 北 | 2250×70<br>1950×100 |
| 中 | 2100×90<br>200×50 設定中 |
| 伊江島 | 1750×120<br>1700×60 |
| 南 | 1500×50 |
| 小禄 | 1300×140<br>1200×200 概成 |
| 東 | 未着手 |
| 泡瀬 | 1600×50 概成 |
| 金武 | 1500×50 |
| 恩納 | 500×30 |

**航空状況**

逐次基地航空兵力を推進しつつあり
機動部隊の後退に伴い来襲機数一般に減少せり
未だ九州方面爆撃機来襲なし
哨戒活潑化せり

**飛行場**

B情北中伊江島極めて活潑増援機到着しあり
既に使用しあるもの六〜七、工事拡張中
設定中なるもの三〜四

| | | |
|---|---|---|
| 伊江島 | 124 | |
| P-51 | 51 | |
| F4U | 53 | |
| P-40 | 10 | |
| C-46 | 1 | |
| C-47 | 2 | |
| P-35 | 7 | |
| 北 | 213 | |
| B-24 | 28 | |
| P-38 | 4 | |
| F6F | 168 | |
| TBF | 5 | |
| 中 | 168 | |
| B-25 | 40 | |
| P-38 | 10 | |
| F6F<br>F4U | 136 | |

在地機総計 520機

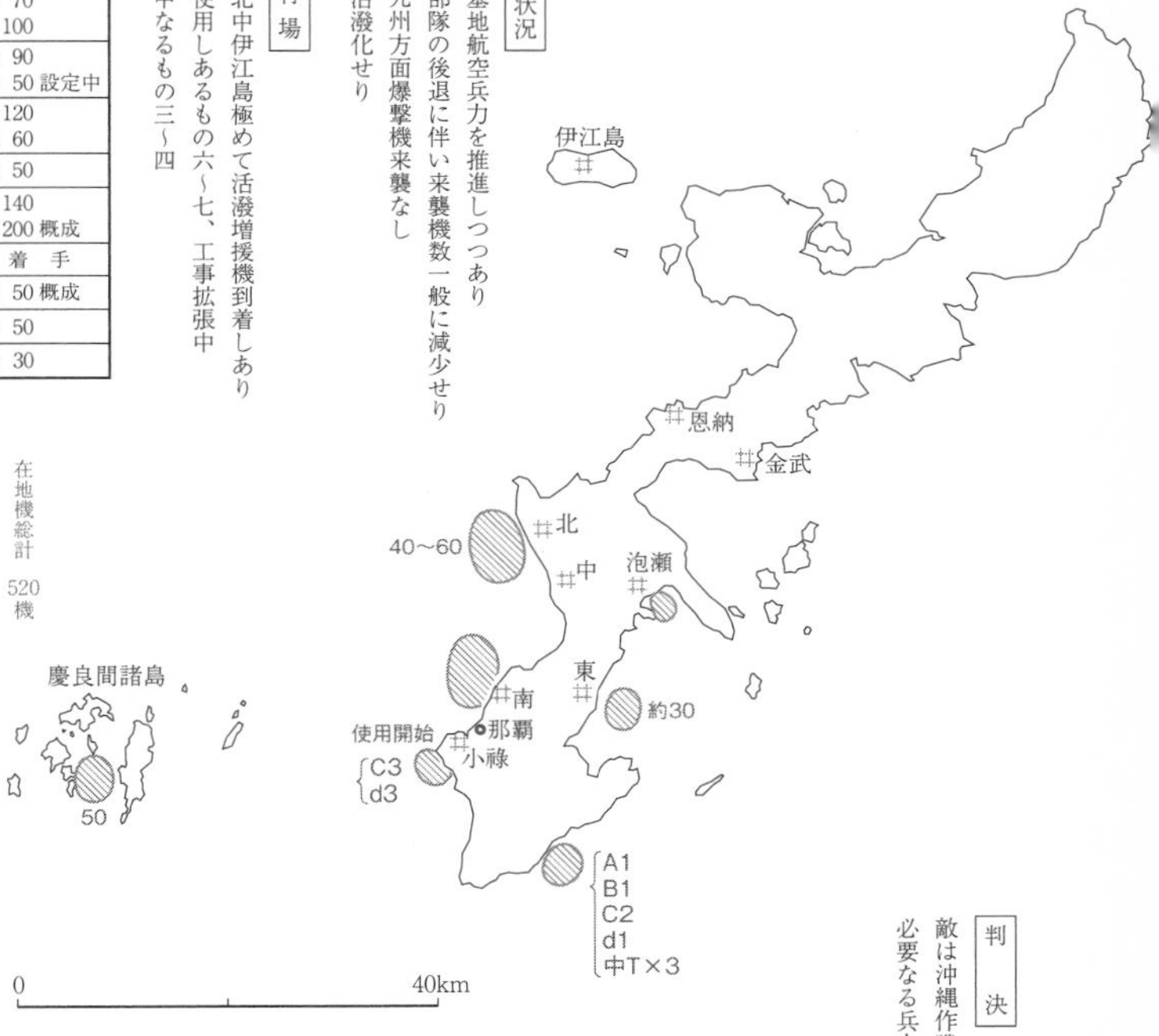


**判決**

敵は沖縄作戦の終結を見るや益〻艦船の交流活潑化し本土侵攻の為空海基地建設に狂奔、必要なる兵力資材を集中しつつある状況にして沖縄各飛行場設定状況に徴し明らかなり。

**地上戦況**

二十一日、天号航空作戦開始以来我が特攻の連日連夜の挺身攻撃にも拘らず敵は強引に最後の主抵抗線に透進し来り、球部隊は主力を以て二十日夜間壮烈なる反撃を実施し、組織的抵抗を終了せり

**投入兵団**

10A
7D
27D
77D
96D

3MC
1MD
2MD
6MD
7MD

総計八-一〇コ師団

**艦船状況**

第三十八機動部隊は一〜二日頃よりレイテ、マリアナ方面に帰投せり
先島中間海域にA五、B二の機動部隊依然あり
交流レイテ、マリアナきわめて活潑。

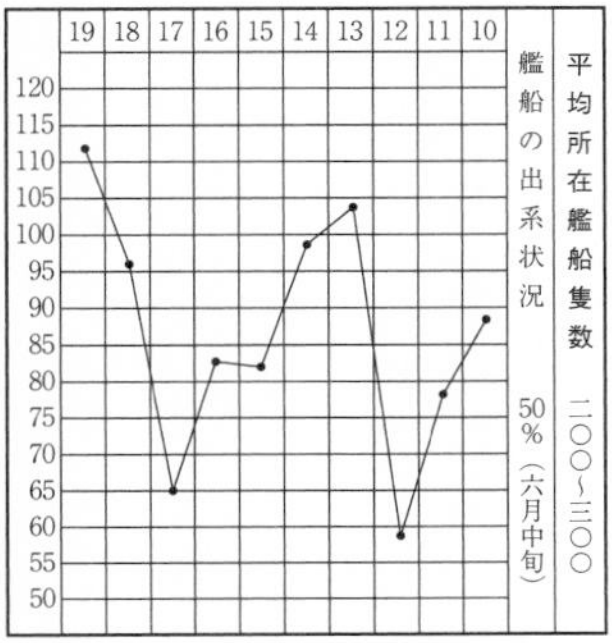


（注　本図は第八飛行師団戦闘詳報による）

**【著者紹介】** きむらけん

1945年満州（現中国東北部）撫順生まれ。文化探査者、物語作家。96年『トロ引き犬のクロとシロ』で「サーブ文学賞」大賞受賞。97年『走れ、走れ、ツトムのブルートレイン』で「いろは文学賞」大賞・文部大臣奨励賞受賞。11年『鉛筆部隊の子どもたち〜書いて、歌って、戦った〜』で「子どものための感動ノンフィクション大賞」優良賞受賞。著作に、『トロッコ少年ペドロ』（97年）、『出発進行！ ぼくらのレィルウェイ』（98年）、『広島にチンチン電車の鐘が鳴る』（99年）（いずれも汐文社）、『日本鉄道詩紀行』（集英社新書）、『峠の鉄道物語』（JTB）などがある。
「鉛筆部隊と特攻隊」（彩流社）、「特攻隊と《松本》褶曲山脈」（彩流社）、「忘れられた特攻隊」（彩流社）、「と号第三十一飛行隊（武揚隊）の軌跡」（えにし書房）、「〈改訂新版〉鉛筆部隊と特攻隊 ── 近代戦争史哀話」（えにし書房）。これに加えて『ミドリ楽団物語 ── 戦火を潜り抜けた児童音楽隊』（えにし書房）がある。

『北沢川文化遺産保存の会』の主幹として、世田谷、下北沢一帯の文化を掘り起こしている。地図『下北沢文士町文化地図』（改訂8版）を作成したり、ネット上の『WEB東京荏原都市物語資料館』に記録したりしている。この物語はこの活動から発掘されたものである。

# 台湾出撃沖縄特攻《たいわんしゅつげきおきなわとっこう》

## 陸軍八塊飛行場《りくぐんはちかいひこうじょう》をめぐる物語《ものがたり》

2022年12月10日 初版第1刷発行

■著者　きむらけん
■発行者　塚田敬幸

■発行所　えにし書房株式会社
〒102-0074 千代田区九段南1-5-6 りそな九段ビル5F
TEL 03-4520-6930　FAX 03-4520-6931
ウェブサイト　http://www.enishishobo.co.jp
E-mail info@enishishobo.co.jp

■印刷／製本　株式会社 厚徳社
■DTP／装丁　板垣由佳


　ISBN978-4-86722-113-6 C0021